A writing that pours out, creating

Sobre la marcha

NICOLÁS CASULLO

Sobre la marcha

CULTURA Y POLÍTICA EN LA ARGENTINA 1984-2004

Puñaladas

ENSAYOS DE PUNTA

COLIHUE

Casullo, Nicolás
    Sobre la marcha : cultura y política en la Argentina : 1984-2004. - 1ª. ed. -
Buenos Aires : Colihue, 2004.

    208 p. ; 23x16 cm.- (Puñaladas. Mayor)

    ISBN 950-581-238-8

    1. Ensayo Argentino. I. Título
    CDD A864

Director de colección: Horacio González
Diseño de colección: Estudio Lima+Roca
Ilustración de tapa: Juan Francisco Elso, "Por América" (detalle), 1986.

© EDICIONES COLIHUE S.R.L.
Av. Díaz Vélez 5125 (C1405DCG) Buenos Aires - Argentina
ecolihue@colihue.com.ar
www.colihue.com.ar

I.S.B.N. 950-581-238-8

Prólogo

(MI TEXTO DE OTRO)

Entre vistas, entre imágenes vistas, entrevisiones, ver entre las vistas, entrever entre, vista entreabierta, entre tiempos, entrelíneas entreveradas, entre palabras, vistas desde entre, entre mundos, vistas entresacadas, entremanos, vistas de entrescrituras, vistas que se ven. Entrevistas. Una vista fugaz que cruza en medio de, que se diluye, apenas percibida, o descubierta entre otras dos visiones hasta desaparecer. Habló, dijo mirar. Dialogó. Dijo tener ante sí las vistas, querer ver las siluetas, los viejos nombres nuevos. Vistas inmediatas, precarias, fallidas y aventuradas de los entredichos y las entremiradas. De las entre historias.

Los veinte años de democracia son como una tierra de nadie, difícil de afincar en una, dos o tres definiciones taxativas. Las entrevistas que recoge este libro deambulan por este cuerpo histórico demasiado reciente como para rotularlo con justeza, y a la vez cubierto de calificativos contrapuestos que simulan aplastarse como palabras contra un vidrio empañado desde donde se ven las cosas, y al mismo tiempo se deshacen esas mismas cosas en la mirada que busca comprenderlas. Imágenes difusas, ciertas, aparentes, endebles, anticipatorias, fallidas, sobre años donde todavía estamos parados. Bucear esos años con un haz de entrevistas periodísticas, políticas, culturales que tuvieron cada una de ellas su momento, su día, su particular encrucijada o intención, es recorrer ese tiempo sin beneficio de un último inventario, de un corolario adecuado, de un balance final. Son fragmentos reunidos de un opinar, teorizar, divagar, recolectar indicios sobre la condición anterior o presente de la Argentina, en un ritual donde alguien pregunta lo que estaría interesando, y alguien instala una interpretación sin ensayo previo, sin esquema antedatado, y a la vez como texto repleto de énfasis, de intensidad, de deseo de respuestas.

Ellas, las entrevistas, también peregrinan igual que este cúmulo de veinte años, sobre hechos. Sobre reconstrucciones biográficas de un yo hablante, y también de un yo colectivo imaginario donde sobrevuela siempre la noción de un "nosotros" robado, sustraído de lo inmediato y llevado a la idea de que tal nosotros subsiste como motivo primero de una reflexión social. De que un nosotros llegó a la playa naufragante y desmayado luego de las grandes tempestades, violencias, guerras y muertes que flagelaron la historia nacional antes. Las entrevistas alucinan sentidos extraviados, reencontrados, perdidos, vislumbrados, juegos de un diálogo que las justifica, pequeños instantes de una escena más vasta y democrática. Precisamente estas dos décadas de democracia hospedan iluminaciones intensas sobre lo que fuimos-somos, y a la vez frustraciones más que profundas sobre una sociedad argentina —con sus mundos políticos, sociales, judiciales y culturales— que en realidad no pudimos hacer. La sociedad democrática más bien dio la sensación varias veces de deshacerse. Como una placa radiográfica, este tiempo que dependió de nuestra responsabilidad, lucidez, elección, rechazos, libertad, produjo hasta ahora un país de escaso valor. De escaso valor en sus ideas, lenguajes, conductas, economías, trabajo, experiencias espirituales, medios de comunicación, universos políticos, bienestar social: todo se deterioró de una manera insospechada, casi alucinante, pero lo que es mucho peor, se naturalizó en nosotros. Nos transformamos en una gigantesca sociedad de la víctima autoexculpada, y parimos todo tipo y modelos de desapego, descreimiento, escepticismo, queja, huida, hipocresía y cinismo.

Las entrevistas navegan como pueden por esta memoria de lo actual. Hablan, sobre la marcha, de cosas vividas o escritas, presentes y pasadas, de edades históricas y novelas, de figuras y mitos: siempre desde una perspectiva crítica y por lo tanto ilusionada como toda crítica al estado de las cosas, de que serían posibles otros estados de las cosas. Para muchos que pertenecemos a las generaciones de los '60 y '70 estos últimos veinte años de democracia coincidieron con la vuelta al país desde el exilio, con las lastimaduras del exterminio dictatorial, con remociones culturales, ideológicas, políticas y geoestratégicas que despidieron una edad nacional y del capitalismo mundial en las cuales habíamos aprendido a lidiar, a vaticinar, a creer esquemáticamente en las escatologías de la historia. Y en estos años también asistimos al final de un país histórico y de muchas crónicas políticas populares por obra de un neoliberalismo hegemónico que barrió con casi toda la capacidad de la política en democracia.

En verdad en estos veinte años no hay "un" tiempo cultural democrático sino varios superpuestos y arremolinados, si lo medimos desde el punto de vista de ese espacio expresivo y crítico de valores, saberes, lógicas, instituciones, géneros y lenguajes que representa la cultura como indisposición frente a lo establecido. Hay un tiempo donde la cuestión de los derechos humanos, el juicio a los militares y el posterior derrape alfonsinista encuentra todavía los clásicos usos y costumbres de un campo político reanimado y frustrado. Hay un tiempo atravesado por la caída de los legendarios comunismos bajo égida soviética. Proceso que, tal como se planteó y vivió, significó el fin del siglo XX en el final de la revolución anticapitalista, y la imposibilidad en la Argentina —entre aquella muerte internacional de un proyecto sumado a la tragedia de nuestro terror dictatorial— de reencontrar un campo de revisión crítica auténtica de las izquierdas: un diálogo donde refundar sus universos políticos, teóricos e intelectuales de manera renovadora, actuante y políticamente eficaz. Hubo también y coincidentemente un largo tiempo de apogeo menemista cuya estación terminal fue De la Rúa subiendo a un helicóptero y la plaza en llamas. Período que guarda el arcón con el mayor anagrama, ¿qué fue el menemismo en los argentinos, en nosotros? "Ismo" telúrico del riojano acampando culturalmente en eso indecidible que portamos sobre nosotros mismos, y con nosotros mismos. Ismo de Menem para sellar una marca registrada que solió ser siempre burbuja y simulacro de un degradante destino nacional. También el campo de la cultura buscó comparecer y habitar, sin saberlo, dentro del Allen menemismo, un sueño de seductoras luces malas que estallaron con los cacerolazos de los ahorristas estafados y con miles de millones de santos dólares bendecidos durmiendo en cuentas bancarias extranjeras.

Es sobre tal lapso democrático de 20 años, pero sobre todo sobre los años '90, que las páginas de este libro reponen su haber existido alguna vez como entrevistas, en diferentes publicaciones. Período de cuantiosos trastocamientos técnicos, productivos y sociales. De sombríos e inescrupulosos poderes políticos. De un sismo técnico civilizatorio de primera magnitud que logró cambiar las manos que tocan las cosas, los ojos que ven las secuencias, los oídos que oyen las lenguas, las cabezas que argumentan la vida. Período de brutal distanciamiento de una herencia nacional que había proyectado sentidos y planteos de transformaciones sociales, para toparse en cambio con problemáticas de nuevo cuño que no solo reflejaron modificaciones en los "grandes paradigmas" de época, sino en el diario vivir, convivir, repensar un trabajo y los deseos. Repensar una máquina de escribir, una birome, una goma de borrar, un papel carbónico ya inútiles, también una ciudad y un país mutante donde durante una larga década y pico pareció desaparecer un tipo de conciencia histórica y surgir otra que uno sintió que no era tan conciencia ni tan histórica.

A estas dos décadas le faltaron sin duda utopías y formas apasionadas de adherirse a la política. Pero contuvo como contrapartida de eso que se sintió como "pérdida" una fuerte impronta reflexiva, crítica, revisora, interrogativa sobre las metamorfosis de la actualidad, sobre la memoria, los valores, las crisis de lo político y lo ideológico, la sociedad massmediática, los nuevos referentes, la historia personal en cada uno, la idea de lo ético, lo filosófico, lo popular, lo creativo, el arte, el análisis del pasado. Cuestiones todas que pergeñaron un tiempo de cruces de lecturas y de intensidad indagadora. También de generación de escrituras y de ideas navegando por ciertos lotes del campo cultural donde el escritor, el ensayista, el investigador social y el periodista se dieron cita reiteradamente para discutir en qué había quedado la cuestión comunitaria. Podría decir, un encuentro, una cita: el periodista y una faena intelectual, o la periodista y uno, dedicados a pensar "la cosa".

9

De este encuentro de labranzas mutuas debiera dar cuenta este libro, basado en entrevistas que me hicieron y donde lo que se pretendió en ellas fue tantear el difícil secreto del pasado, la novedad de un devenir o ese enigma insuperable del día de hoy sobre el cual se estuvo sentado en compañía de otro en un bar con grabador de por medio. Pacto basado en la creencia de poder despertar entre dos, por unas horas, las características del alma política insatisfecha: esa que supone que por debajo de las fetichizaciones y las fantasmagorías del mundo que engaña, se esconde el desciframiento de algo, las claves. Para una revista, diario libro o frente a un micrófono radial, entre ese otro y yo hubo siempre una cálida sensación, un encuentro respetuoso de la idea, una cita desacostumbrada.

Si a este ejercicio entre dos le sumamos el país de los desgarramientos, incendios, sujetos insumisos, protestas y debates entre cursos de lo nacional y lo global, sobre modelos económicos y miserias sociales, el ritual de la entrevista en el tiempo democrático de los '80 y los '90 se sitúa entre las inconfundibles brasas sobre las que solemos caer: encrucijada que podría sintetizarse en cada ocasión de un reportaje, bajo el propósito de "pensar otra vez todo desde el principio".

Seleccionar algunas entrevistas es como reunir no solo preguntas y respuestas sobre un largo presente extendido de manera ilusoria, sino recuperar rostros, lugares, momentos y detalles donde "la escritura" fue más que nunca una escena de cuerpos, voces, ojos, sonidos. Una acción abierta con todas sus muescas, que el texto final después tapió. Lo que hubo en estos textos, antes de ser ellos mismos, fueron tonos y énfasis, reconocimiento visual y fisonómico del otro, cafés, charlas dispersas, fondo de calle o de bandeja, el silencio de mi casa, banco de un parque, sitios y diálogos sin papel, sin PC, sin teclado: cosas que quedaron siempre canceladas en tales encuentros. Y ciertas páginas testimoniales del hecho más tarde. Ellas, las entrevistas, hablan o son habladas o dicen hablar en estas páginas de una niebla que se esparce entre mito, historia, novela y autores, hablar de la memoria sobre las edades de un país, del apogeo y crisis de las humanidades y ciencias sociales, de un país sin inocencia, del papel del intelectual, el recuerdo de las calles manifestantes de los '70 el nacimiento de la carrera de comunicación, mayo del 68 en París, las nuevas sociedades, las masas, el exilio en tierras lejanas, las lógicas massmediáticas y las estéticas de consumo, el arte como pensamiento crítico, nuestra historia entre peronismos, fascismos y comunismos, el atentado a las torres gemelas, los cacerolazos, las asambleas barriales, los actuales balances políticos, el kirchnerismo.

Y entre esos temas entrevistos, la complicidad que se plasma entre entrevistador y entrevistado sería precisamente el miedo mutuo a que no reste mucho, o ya nada, por hacer. O por el contrario, temor a que quede todo todavía. Un diálogo apenas entre dos en pleno mundo de audiencias masivas, más bien marca una despedida, un contrarreloj tardío, una cita que siempre pasa desapercibida. Una contraseña entre periodista y reporteado que es muy probable solo un mozo de bar o una vieja aburrida en la otra mesa detecte, pesque, intuya que ahí en el rincón la cuestión tiene pretensiones de ser distinta. Palabras que no encajan más que en su propio momento de murmurar de qué se trataron los asuntos y las voces de las historias de verdad, historias que casi siempre pasan muy lejos de las entrevistas. Pero curiosamente el reportaje también marca por lo general lo contrario: en cada uno de ellos se pueden seguir elucubrando amigos, enemigos, aliados, adversarios, amenazas, significados, muertes, resurrecciones, pases mágicos, recuerdos impensados, formas de la tragedia social y estados larvales de resistencias posibles. Siempre se puede otro relato biográfico de todo, de uno mismo, relato situado en su propia fantasmática, en su narrativa crítica. Siempre el país muere un poco para siempre y renace del todo en cada tertulia donde acontece la entre-vista.

La forma libro de este libro, ahora, está motivada por pensar que en estas páginas pueden detectarse algunos de los tantos hilos que contienen pisadas sobre los años próximos transcurridos. ¿Finalmente que son los '80 y los '90? Signadas, tales conversaciones, por esa preocupación sobre asuntos propios y ajenos de seres, de cosas, de ideas. Y de algo más existencial que las entrevistas exponen: la floración reflexiva pero en presencia del otro: una suerte de huella originaria. Las entrevistas siempre tienen, por lo menos en mí, el sabor previo de lo indiscernible a la altura del estómago, un vago caminar hacia, o esperar. Un momento que precipita, que se precipita, que precipicio. Cierta resonancia ficcional, y sin duda una palabra más espontánea parecida a la charla, a la esquina con un amigo, a la sobremesa. Palabras hiladas que no tendrán nunca para el entrevistado una relectura obsesiva de frases sobre la página, ni correcciones, ni borradores, tampoco pasadas en limpio ni día de mañana, en tanto la entrevista es una escena que pertenece al despertenecer. El escrito de uno mismo que no escribió. El texto de otro que lleva también el nombre de uno. Finalmente es más la obra de aquel que propone la cita, la pregunta, la intencionalidad: el que enciende el grabador y una tarde o una noche se va con todo el decir dicho. La escritura para el entrevistado se vuelve entonces invisible, en ninguna parte, potencial, conjeturada, tan probable como improbable. Y uno regresa de las palabras de las entrevistas con las manos en los bolsillos vacíos. La otra o el otro se llevó todo, y a lo mejor menos mal.

Bastante se ha reflexionado sobre la entrevista desde el que las hace. Mucho menos desde el entrevistado: desde este último sería un "género" sin teoría, fundamento ni metodologías, un juego difícil de rearmar aunque más no fuese provisoriamente. Sencillamente el acontecimiento acontece como un pacto narrativo a destiempo con uno mismo. Como si reconocerse en ella, en la entrevista ya convertida más tarde en letra inscripta, fuese la última escena de un nerviosismo a veces insoportable que empezó otro día, muy distinto al de la letra impresa, en el "haberse prestado a". Curiosamente uno se presta a, la entrevista. Se da prestado con promesa de retorno. Uno trasmuta en texto, en página de revista o diario, en un título, una traducción posterior donde el prestarse fue precisamente pasar a un sitio donde en realidad no se estuvo ni se está: el de la orfebrería a cargo del entrevistador, del periodista en su solitaria tarea transcriptora. Ese que trabaja después una escritura que en realidad se está escribiendo un día "otro", y a la que generalmente mejora, lustra y devuelve: nos devuelve al mundo. Recién entonces, pareciera, que ese pedazo de tiempo que tuvo lugar, lo tiene.

La entrevista como práctica redesplegada en estos años formó parte no solo de temas, cuestiones y memorias, sino de un espacio particular que junto con ciertos lugares universitarios, revistas críticas de distintos grupos, suplementos literarios, ciertas políticas editoras, mundo de las mesas redondas, coloquios y encuentros de debate, constituyeron frente al "desierto del mundo" que signó a la época, formas de una resistencia de retaguardia contra una cultura barbarizada. Formas de un esfuerzo crítico de intención política intelectual, periodístico informativo, comunicacional reflexiva, que al menos se propuso seguir pensando en un tiempo por demás asfixiado de injusticias y distintas irracionalidades de mercado y competencia.

Los años recientes, los del largo período de la transición democrática, se nos aparecen hoy como un vaciadero de imágenes truncas. En realidad la verdadera transición en lo político e ideológico de la época fue entre una Argentina antigua y conflictiva con sus viejos actores, áspera en sus negociaciones, avezada con sus formas de resistencia entre intereses sociales, posible de calcular todavía en lo político, sindical, eclesiástico, universitario, empresarial y militar, es decir, la Argentina de los '80 con sus corporaciones tumefactas. Y la otra y posterior Argentina de los '90 de las licuaciones de tales figuras, con su entrada al salón resplandeciente del mercado y el peso convertible. El epílogo de una escenografía nacional clásica. La privatización de símbolos, hablas, poderes, conductas, trenes, servicios, universidades, criterios, jubilaciones y de la propia política: dimensiones que flotan por debajo de estas entrevistas a la manera de un desconcierto que necesita hablarse en algo, masticarse con palabras, morderse el propio cuerpo frente a los basurales patrios que se iban amontonando.

Porque los '90 ya no serían las formas de aquel viejo "Mal" donde la explotación capitalista había sido una escena despiadada en inmensos descampados ideológicos sin ganador cultural definido y a ponerle fin. Donde el dominio lidiaba con otras representaciones del mundo y con otras pertenencias históricas e identitarias, parte de un inmenso sistema solar de izquierdas e ideas de socialismo. Por el contrario, el mercado triunfante del "fin de la historia" en los '90 puso a disposición todos los consumos y casilleros, también para el campo cultural. Eso quedaba, la total "libertad" de saber que se seguiría en lo mismo. El mercado fue la última democracia que quedaba, y esa vivencia implacable repta por debajo de estas entrevistas que tratan de hacer pie en lo desfollado y también en los gestos que portábamos. Las entrevistas aparecen entonces vomitando señales, revelados de una fotografía que en realidad nunca saldrá de la solución acuosa, nunca se configurará como se promete. Recorrer los años cercanos, hundidos ahora en nosotros, es más complejo entonces que preguntarse por otras historias distantes con escasa documentación.

Los recuerdos, la memoria del exilio y las muertes, el poder de lo massmediático, el shopping, la cultura global, nada parece alcanzar definición nítida. Precisamente también en este rubro el mercado se llevó la prerrogativa de ponerle apodos y nombres a las neoarquitecturas de la vida social, gestando un inédito tiempo de equívocos y malentendidos. Si estas entrevistas reflejan algo soterrado, es esa sobreabundancia de historias sobre la ignota historia actual que aún estamos viviendo. Como un rascacielos invertido, de pronto sobran los pisos en los subsuelos, debajo de la tierra, mientras arriba, a ras de tierra, a la vista, entre vistas dispersas, se acható al máximo todo paisaje y todo debate político propositivo sobre la realidad social y nacional.

Es por lo tanto desde una cultura intelectual argentina golpeada, desde donde se arranca para la memoria de estos años de bajísimas aspiraciones espirituales. La universidad llevada a rutinaria lipotimia, el mundo del libro a punto de ser exterminado por el transnacionalismo editor, el sobrevivir apenas de las revistas culturales, los escasos recursos para la creación artística, la soledad de algunos suplementos culturales, el periodismo inconformista arrinconado, son datos que remiten a un notable estado de la cuestión. Pero estado de la cuestión que indica que, a pesar de su fragilidad, esta última carga de desflecada caballería cultural de resistencia no abdicó. La capacidad crítica, el cine, el teatro, la música y la poesía que reanudaron historias propias, las problemáticas llevadas a investigación, a ensayo, a libro, la memoria cultural en sí misma no se extinguió como debió suceder frente a una edad del sistema despiadadamente inocua. Como una barricada hecha a los tumbos, este sostener terminó por constituir al menos una trama visible esta vez no contra dictaduras, censuras y terrores autoritarios, sino contra algo mucho menos dramático pero a la vez arduo de enfrentar en un tiempo donde los proyectos políticos, las causas rectoras y las razones de nuevas izquierdas democráticas formaron parte de lo marginado: contra la dolorosa, muchas veces, vacuidad intelectual de las democracias del presente.

En todo caso es cierto, se distanció de manera pronunciada la problemática cultural con respecto a una política propositiva concreta. A la vez esa combinación de retaguardia y mercado gestaron en los '80 y '90 la permanente personalización del referente, ciertas marcas de las voces, un particularismo más bien de matriz casi estética como estructura del nuevo campo cultural, a diferencia de otras épocas de intervenciones más militantes, anónimas, colectivas, basistas, de aparatos, diluidas

13

en la verticalidad y er la férrea obediencia política, en el autoflagelo ideológico, en la cotidianidad popular, en lo discreto.

Hace tres décadas y pico un programa sindical antiburocrático, el documento de un congreso partidario de izquierda, el periódico político o el comunicado guerrillero conformaban el centro neurálgico de una contestación al "imperialismo cultural" y sus secuelas, por ejemplo. Escritura ritual de "compañeros hábiles" con sus reglas gráficas, donde lo que sobresalía o significaba era lo que quedaba más allá de esa escritura simplemente instrumental, directa, sin dueño, mensajera, de trazos repetidos, compacta, abstracta, confirmatoria de todo lo pensado: la escritura de un nosotros inveterado que no podía caer en deslices. Donde lo cuestionable pasaba a ser la identificación de algún entrevistado o escribiente, un rostro discernido, en esa ideología que tuvo fondo de renuncia cristiana y exaltación de un "todos" enunciativo arrasador de cualquier seña.

La reapertura en los '80 y '90 de una democracia camino hacia una época cultural diferente, fue gestando en cambio con la redundancia de la mesa redonda, el evento convocante, la presentación de un libro, un seminario temático, círculos de debates, clases públicas, una cátedra abierta, ciclo de charlas, y también con las entrevistas, una literatura de la oralidad. Un modelo post o pre escritura que se esparció coloquial, a-gráfico, inarmado, volátil, espontáneo, teatral y testimoniante en el ámbito de los públicos interesados, cautivos, paseantes. Públicos concientizados más hacia el espectáculo de lo real, hacia los "autores de las cosas" o hacia la comunicación de masas. Una escritura hija de la estetización representacional de una escena de cuerpos, donde la reflexión está claramente sobredeterminada por el suceso, por el en vivo, por el acontecimiento genético, por el diseño set y el aplauso. Una escritura que "tiene lugar en", como información precisa, y de la cual la abundancia del género entrevistas resulta una modalidad pariente. De este tiempo cercano, estas citas con grabador de por medio, que buscaron catarlo.

NICOLÁS CASULLO
Abril 2004

(UNA NOVELA DE LA ARGENTINA MÍTICA*)

Nicolás Casullo, un sereno narrador de lánguidas catástrofes (en 1970 había estrenado con *Para hacer el amor en los parques,* en ese momento prohibida y ahora rehabilitada legalmente), acaba de publicar una obra fundamental de la ficción argentina contemporánea, El Frutero de los Ojos Radiantes (Folios, Buenos Aires, 1984). La novela desenvuelve una densa historia a partir de las peripecias de un frutero Nicolasín, inmigrante italiano que participará en diversos momentos bien reconocibles del drama político argentino mientras se convierte en un fuerte comerciante del Abasto.

Sin embargo, a pesar de que la narración tiene al frutero de los "ojos radiantes" en el centro de los acontecimientos y que éstos se reúnen linealmente en un ciclo que va desde la "organización nacional" hasta el surgimiento del peronismo, Casullo no ha escrito una novela histórica ni una novela centrada en el "ciclo de una vida". Al contrario, apela continuamente a un país y a una ciudad de Buenos Aires de consistencia metafísicas, donde todos los horrores y todas las felicidades han transcurrido. El registro memorístico empleado en la novela, servido por la escritura de un puntilloso miniaturista, tiene así el efecto de esfumar los hechos de una pasada cotidianidad como si nunca hubieran acontecidos. Pero al mismo tiempo se apega a ellos con el rigor hedónico de un orfebre ciego de amor.

Presentar la historia nacional y disolverla míticamente en la ilusión de la memoria, es uno de los logros más significativos de Casullo. Así, los grandes hechos históricos que se narran dejan un sentimiento de soledad, de noche polar, mientras que sólo pueden mantenerse en pie las miradas que intentan recogerlos. La única realidad es la vigilia de los ojos abiertos.

De la mirada trata la novela de Casullo, pero una mirada de numismático, que es cada más fiel con el pasado cuanto más se convence de que había sobre sombras y fantasmagorías.

---

* Entrevista realizada por HORACIO GONZÁLEZ, *El Despertador*, agosto de 1985.

–Ya te habrán dicho que tu novela tiene aires que recuerdan a Faulkner. Yo quisiera inducirle a una reflexión sobre la relación de El Frutero... *con* Respiración artificial *de Piglia. Tanto tu novela como la de Piglia tratan de un país mítico, que solo existe a través de voces sombrías que rememoran lo que sobre ese país ya fue dicho o escrito. Y que al hacerlo, van confundiendo las pistas.*

–Nunca le presté demasiada atención a los espacios desde donde se escribe. No estoy situado en el campo de quien piensa, como escritor, sobre las consecuencias teóricas de lo que hace. Claro que podría admitir cierta cercanía con Faulkner, pensando en el relato de un amplio espectro histórico desde la saga familiar, a través de un personaje que no es precisamente un héroe. Con Piglia, las semejanzas son quizás por esa idea de situarse sobre huellas, indagarlas. Podemos pensar también en ciertos territorios de Borges, al elegir ciertos personajes que se preguntan destinalmente sobre el pasado. Pero estos son cruces de caminos de los que no soy consciente. Yo plantearía la cosa al revés: ¿cómo escribir fuera de los espacios de un Borges, de un Faulkner, viniendo de una generación como la nuestra? Prefiero mencionarte a Ernst Bloch, la literatura ensayística como señal de lo que ha sucedido, del hecho literario como indagación "hacia dónde" y "desde dónde". Bloch plantea que el génesis no ha sucedido, que va a suceder. Estamos en la costa utópica, que no sé si con fortuna o no, yo trabajo en mi novela. Al igual que ese personaje Humms, digo que el pasado no ha sucedido, que está por suceder.

–Entonces permitime que te recuerde a Martínez Estrada, cuya presencia me asaltó muchas veces durante la lectura de tu novela, y que, aún admitiendo las distancias insalvables, que hay con Bloch, también utiliza las profecías, no como anuncio de algo, sino como advertencia sobre el carácter fatalmente desagregado del presente.

–Posiblemente hay una evocación de Martínez Estrada, pero no es explícita. En el desván de la historia entendida como imaginación no realizada, siempre encontramos la idea del fracaso que acobarda y agiganta la diatriba. Una novela, por definición, no se puede permitir la soberbia de inaugurar nada. Si es novela no es profecía. Precisamente porque no anunciamos anda, tenemos libertad para presentar la historia y situarnos al mismo tiempo fuera de la historia. Yo ligo mi novela, en realidad con cierta cosa de Marechal y hasta de Murena. Hay idea de indagación como gesto inútil iluminante y un regreso para ver lo que ha sucedido, me parece que ésas son actividades que tienen fronteras con la metafísica. De allí qué la novela pueda evocar el ensayismo tipo Martínez Estrada. Aunque remota, puede ser una referencia para personajes como los que he elegido. El frutero del Abasto es en realidad un intelectual desgarrado que embiste siempre solo y queriendo estar solo.

—Eso del gesto inútil es evidente, vos no hacés historia sino que construís un mito, el mito de la Argentina imposible. Pero tu escenografía crea una ilusión histórica.

—Sí, el mito es el asunto de la novela. El propio personajes atraviesa el mito de los oficios, del ser extranjero, y el mito mayor de la "reparación" de la Argentina; digamos que una reparación a través de la juventud y entendida como contra-utopía. Cuando los jóvenes en el sueño del frutero desarman lo armado, desarman lo creado, es una contra-utopía que esconde un mito. En este caso, el mito del castigo a los que se creyeron originales.

—No podemos decir que este mito sea muy tolerable para los habitantes de Buenos Aires...

—Claro, estamos hablando de pesadillas y yo trabajo sobre el mito de fondo de la Ciudad como un punto remoto, cercana a los océanos, tomada desde el punto de vista del viajero. Percibo una Edad de Oro, una corta etapa de nuestra historia, y una edad de los viajes, que nos pertenecen siempre a condición de hacernos ajenos. Creo que podríamos llamar "Edad de Bronce" al contacto con este momento de viajes, donde somos sin estar en ningún lado.

—Bueno, ahí tenés los elementos marechalianos que me parecían tan ausentes en tu novela. Un Marechal pasado por las aguas de Hesíodo.

—Fijate, en Hesíodo, esa cuestión de la Edad de Bronce involucra una revulsión psíquica, un caos espiritual. Al final de mi novela explícito, quizás demasiado, todo esto. Se me va la mano, pero es para colocar una cierta comparación entre Hesíodo y los 20 años en la Argentina vistos por Arlt quien también pinta el desvarío, las cosas fuera de cuajo. Pero todo esto considerado desde el punto de vista de una Buenos Aires que es la ciudad encontrada. El tano indagador encuentra la ciudad...

—Pero en tu novela ese encuentro, menos que motivo de integración a Buenos Aires, según las clásicas historias inmigratorias, aparece como una fabulosa desintegración. Lo encontrado es lo que deberemos perder.

—Sí, él también quiere recuperar huellas, sueña con irse a Italia, recuperar la Edad de Oro. Por eso esa imagen fuerte de la aldea vista desde el Río, que es lo primero que ven los ojos.

—Macedonio Fernández decía que quería ser el Bobo de Buenos Aires, vos excluís esa mirada boba, que sería la de adentro, y ponés una mirada catastrófica pero muy calma, desde fuera.

—La mirada es de expectativas y desaliento. El personaje italiano se atreve al silencio, habla poco y se derrumba a través de sus ojos. Se compromete menos pero también acepta menos.

—Tu personaje central es verdaderamente un personaje que se disuelve permanentemente. Hiciste casi una "novela educativa". Pero el que se educa, no lo hace para evolucionar hacia nada sino para disolverse en un tiempo sin registro.

—Sí, fue esa la intención mía, vivir la pesadilla de lo que se esfuma. En la novela, él discute con los de Forja, pero desde una visión conflictiva con la de los forjistas. Como viejo cascarrabias, entrará en conflicto e irá corriéndose hacia la derecha. Su último discurso es casi un llamado a las elites. Casi estría en la Unión Democrática. Y allí ya no puede encarar otra cosa que su propia mirada. Al fin, cuando alguien le dice todo lo que él es verdaderamente, solo puede contestar que es apenas un frutero del Abasto, encarnando una utopía frustrada, de alguna manera lo que es este presente argentino, marcado por la ajenidad. Está aquí, pero solo sabe de su mirada. Entonces es como si no estuviera.

—Por lo que veo, no compartís esa opinión que se ve en buena parte de la crítica cultura argentina, algo así como "ya tuvimos muchos mitos, dejémonos de joder".

—Podríamos diferenciar entre mitos legítimos y lo que no son legibles. Me parece que todos vivimos el drama de la racionalidad, es decir, se agotan los mitos pero la racionalidad no deja de evocar dramaturgias. Pero yo creo en una constitución de la historia a través de mitos, con dos salvedades. Hay mitos que nada resuelven, pero no por exorcizar mitos se resolverá mejor. Cuando el personaje de mi novela piensa que la historia son las imágenes de las imágenes, está hablando de un inhallable modo de interpretación que nos daría el entendimiento del hombre en la historia. Mejor dicho, la búsqueda de esa comprensión es como otro mito. Y esa búsqueda, para mí, siempre transcurre en ciudades viejas. Mas que mito, entonces, tenemos esa búsqueda, esa coreografía del mito.

—La verdad, tu puestero del Abasto, me sugiere la búsqueda de un centro de las cosas, un "puesto" ordenador en el centro de un torbellino. Antes Perón buscaba eso, y ahora Strassera. El "Pocho" incorporando las periferias delirantes, y el juez excluyéndolas. ¿Se equivoca quien está en esos puestos del "centro"?

—La gran virtud es equivocarse. En el 44, el puestero dice la historia que no va a suceder, con la vehemencia de quien cree que no va a suceder y sucede. El encanto, no del profeta, sino de los que tienen la belleza de haber pensado en términos más bien erróneos. Pero conservando una especie de conciencia última de que esta historia mal llevada y mal planteada podrá desencadenar "luces malas". Y se vuelve conservador. En este caso, encuentra el "centro" al mismo tiempo que erra.

–*Pero, más que disolverse en el "error histórico", vos planteás que hay que disolverse en la literatura. Hay en tu novela un personaje que milita con Gramsci en la toma de las fábricas de Turín y después va a la Argentina. Además, ponés un puestero siciliano de apellido Portantiero que, si mal no recuerdo, no entiende bien cómo es eso del bloque de intereses para unir a los feriantes. La ironía sobre los gramscianos parece en verdad un homenaje a la idea la literatura como espejo de las culturas nacionales...*

–Sí, podemos verlo así, pero el "gramsciano" termina fanatizado por la pelea Firpo-Dempsey. En realidad podemos decir que hubo muchos nietos de italianos, como nosotros, que trabajaron intelectualmente sobre la herencia gramsciana... Pero qué bonita paradoja la de aquellos gramscianos de carne y hueso, que estuvieron con el propio Gramsci, y que se transformaron en habitantes de esta Buenos Aires. Me parece entonces que debemos invertir la cosa. Ver el Gramsci real dando "pasos perdidos" en nuestra historia antes que reconocernos ahora en alguna filiación gramsciana.

–*Ya que decís eso, puedo arriesgar otra cosa: tu novela parece rehacer al revés, el camino de Scalabrini, ya que él fue de la metafísica a la economía política, y vos...*

–No, yo te diría que lo nuestro es el camino hacia un texto más libertario.

(NUESTRA CULTURA ES HIJA DE) MENEM Y TARKOVSKI*

–Estudio los fenómenos de la cultura, reconociendo la importancia de lo económico social pero haciendo hincapié en que hoy se vive un momento cultural muy especial, donde los esquematismos estructura y superestructura ya no sirven, donde las miradas precisas y claras de los '70 se han opacado. 2 más 2 dejó de ser 4, aunque ya no sepamos qué es. En este marco me dediqué a la problemática de la posmodernidad que en nuestro país está muy bastardeada. Aunque a mí me interesa más el problema de la modernidad; en ese sentido lo posmoderno ha servido para jaquear a lo moderno, para obligarlo a dar nuevas respuestas. Hace un tiempo organizamos un seminario de dos años y medio sobre posmodernidad/modernidad, donde participaron Oscar Landi, José Aricó, Héctor Schmucler, Mario Dos Santos, Juan Carlos Portantiero, Oscar Terán. Digo que está bastardeado porque aquí posmoderno es casi un insulto, hasta se confunde al tipo que estudia la posmodernidad con un posmoderno. "Si se dedica a esas cosas, por algo será..." Reconozco que en la Argentina de hoy esto puede parecer un lujo, hablar de modernidad y posmodernidad mientras todos se cagan de hambre. Pero aun así, creo que vale la pena, que hay un espacio cultural que debe ser trabajado.

–¿De qué se habla cuando se habla de modernidad y posmodernidad?

–Lo posmoderno aparece en la esfera estética, y se amplía luego como poblemática al campo de la cultura, la política y la ideología. Hay cuatro o cinco elementos, resumiendo, que los posmodernos le plantean a la modernidad como crítica y posible idea de superación.

Creo que estamos en la modernidad, que no hemos pasado a la posmodernidad, pero que hay elementos en los que vale la pena detenerse. Habría que entender primero qué es la modernidad, ese amplísimo mundo

* Entrevista realizada por JORGE WARLEY, *El Porteño*, junio de 1989.

que tiene 200 ó 250 años de vida. El momento en que la burguesía constituye su universo, sus concepciones básicas, sus grandes discursos: la historia tiene una meta que hay que alcanzar, algo que tanto puede sostener el liberalismo como el marxismo; crece el discurso de la libertad, del progreso, de la humanización, de lo industrial como redentor; el discurso de que el sujeto moderno es una fuente de claridad y transparencia, que alberga el significado se las cosas, un sujeto –individual o colectivo– transformador... La posmodernidad dice que han estallado estos sentidos, la historia moderna se ha cumplido; la cultura –el modernismo– que amparaba el despliegue de lo moderno ha caducado.

Los grandes discursos, las totalizaciones, están en retirada, en declinación. Según esta concepción, hoy viviríamos en un eterno presente donde la posibilidad de algún futuro diferente es casi nula. Tampoco existiría el sujeto: la conciencia es un mito de la modernidad; la fábula más grande es la de creernos sujetos constitutivos de sentidos. Esto viene de una línea teórica, del estructuralismo, donde se habla de sujetos tachados, inexistentes como figura de conciencia autónoma; somos un punto en una serie de cruces y por lo tanto no hablamos sino somos hablados por dichas estructuras. El progreso se ha convertido en pesimismo sobre la suerte del mundo, el progreso no existe; el desarrollo tecnoindustrial termina en una catástrofe; la emancipación real del hombre no se produjo, la repartición equitativa de los bienes tampoco. La modernidad no pudo cumplir los grandes discursos que la cimentaron y constituyeron desde sus inicios. Desde esta perspectiva, la historia ya no produce acontecimientos hacia una meta sino seudoacontecimientos, donde declinan la política y los enfrentamientos ideológicos, entonces todo se transforma en espectáculo, show, simulacro. Allí la realidad desapareció: somos tan hijos de la mediación que ya no pensamos dónde está la realidad. La realidad se ha empequeñecido, se ha adelgazado, sólo nos quedan sus residuos, y no nos importa porque tenemos las virtualidades que la sustituyen, nos dicen qué es lo real. Hoy podemos meter la mano en el desván y agarrar a Marx, un brujo de la Edad Media, un cantante de rock... Todo vale.

El futuro al no existir se proyecta en el hoy, y entonces te quedaría un presente que satura, agobia... O que te divierte. El hombre habría dejado de estar en la historia para cumplir un sentido determinado.

–Los pensadores que reaccionan contra el posmodernismo desde una óptica moderna –como el caso de Marshall Berman– no ayudan mucho, en definitiva, a clarificar las cosas. Cuando Berman dice que la modernidad es una "experiencia común", pronuncia una linda y atractiva frase, pero que tal vez no vaya más allá de la metáfora...

–Berman es un optimista de la modernidad. Yo coincido con uno de sus pensamientos centrales: la modernidad es, por excelencia, crisis. Ni bien Voltaire saluda a la razón moderna, nace el Romanticismo alemán diciendo que la razón es angustia y enfermedad, y que no va a dar cuenta de las verdades necesidades del espíritu humano. La modernidad no surge sólo en un sentido positivo, esconde en su seno la negatividad, la crítica. Lo moderno es la historia de la razón y la técnica, pero también la de los poetas que dijeron que este mundo es invisible, que el progreso traerá la muerta para el alma. Esta es la grandiosidad de lo moderno. Berman rescata a Marx como alguien que critica pero modernamente, no porque se contente con la modernidad, claro, sino porque ve que las revoluciones burguesas gestan también al proletariado, es decir, un futuro posible y deseable, una superación. Entonces, se podría ver a los posmodernos como un nuevo eslabón en la historia de aquéllos que anunciaron que la modernidad había muerto. La modernidad siempre contuvo esa palabra crítica y acusatoria...

–*Sería como el reino superior de la dialéctica.*

–Claro. Ahí está el poder de lo moderno. Por eso yo insisto en que seguimos en ese reino, y acuerdo con las consideraciones de Berman. Si bien hay elementos de la realidad que pueden hacernos dudar –uno no sabe si las utopías no se cumplieron o se cumplieron en forma catastrófica–, sin embargo, la modernidad siempre contuvo esa voz secreta y permanente que le dice: "Esto así no va más". La posmodernidad trabajaría como una vanguardia, que escandalosamente está planteando: "Se acabó". Algo que también dijeron los vieneses de principios de siglo, o muchos intelectuales ante las guerras mundiales.

–*¿Qué pasa en la Argentina? Porque acá –salvo que pensemos que la posmodernidad es Marta Minujin– se habla mucho de posmodernidad, en general para atacarla, sin embargo nadie se reconoce como posmoderno.*

–Mirá, la posmodernidad adopta diversas formas y perspectivas. Para el pensamiento del filósofo alemán Habermas lo posmoderno es una variante del neoconservadurismo, que entra en auge en el momento de Reagan. Es un sector que repele la idea del modernismo cultura, sobre todo después del '68, etc. Es la figura de Daniel Bell que dice: "Acá hay algo que no encaja. La sociedad posinmdutrial no es compatible con una cultura del hedonismo y el cumplimiento de todos los deseos. Se necesita fe en la historia, cultura protestante del trabajo. Sin embargo reina una cultura de hippies, negros, homosexuales, marxistas". Bell dice que son los modernismos de vanguardia que, desde los cenáculos, se esparcieron por toda la sociedad; y, según él, se necesita una cultura que responda al puritanismo religioso...

–Una cultura WASP.

–Exacto, cuáquera. Para el neoconservador el posmodernismo es cultura de los '60. Para el español Eduardo Subirats el pensamiento de izquierda gestado en los últimos 150 años no puede dar cuenta de la realidad técnico-industrial-cultural del presente, y se entra en la posmodernidad. El socialismo iba a ser la coronación de la modernidad, el mundo futuro; cuando tal idea entra en crisis, adviene lo posmoderno. Para algunos, lo posmoderno pasa por una serie de nuevos datos que se dan en la relación estética-cultura-nuevas generaciones. El posmoderno reivindica la industria cultural, para él es lo único que vale y no la imagen del artista genial y solitario –ahí podrías meter a Marta Minujin–. "Los integrados", para Umberto Eco. El arte ya no es una conciencia aislada pero atenta al devenir, sino algo que se sumerge en la actualidad y la industrial-cultural. Crea desde la cultura de masas; sólo ahí encuentra placer, gozo, posibilidad de cierto avance. Para otros, la posmodernidad es cuando la historia se queda sin proyecto.

Este es el marco global, que permite entrever que hay muchas concepciones acerca de qué es la posmodernidad. Hay una posmodernidad crítica y otra conservadora, una que rechaza, otra que incorpora esa tradición rebelde. El problema –como diría Perry Anderson– es que ya no tendríamos contra quién pelear. La libertad sexual ya aconteció, ahora las parejas jóvenes podrían elegir libremente el curso que le quieren dar a su sexualidad pero ya no necesitarían pelear. Para Perry Anderson, este "no tener que pelear" también dice que la modernidad concluye; para él la modernidad es una tensión contra lo tradicional, lo atávico, lo clásico; si esa tensión ya no existe, la modernidad pierde su sustento. Perry Anderson no es un posmoderno, claro, pero anuncia también la aparición de ese otro espacio.

–En nuestro país, ¿no hay cierta inflación de estos temas? Quiero decir, ¿no se intenta proyectar sobre el conjunto de la intelectualidad una problemática que sólo interesa a un sector acotado? Hablar y hablar sobre lo posindustrial cuando en la Argentina amanecemos todos los días en la caverna preindustrial...

–Hay que aclarar los tantos, me parece. En la década del '80 aparecieron atisbos teóricos de posmodernidad, pero, como te decía, porque acá se llama posmodernidad a cualquier cosa que no se entiende. Se confunde cierto mecanismo de modernización del intelectual con posmodernismo. Por modernización postrevolucionaria quiero decir ese proceso por el cual los intelectuales abandonan puestos de lucha antisistema para tomar cargos oficiales, becas, recluirse en gabinetes académicos, convertirse en tecnócratas. Es la variable que afirma que se necesita modernizar ideológicamente, políticamente, democráticamente. Lo posmoderno aparece más bien ligado a ciertos movimientos estéticos, juveniles. Estudiar los nuevos sujetos sociales no tiene nada que ver con la posmodernidad –como a veces se plantea– sino con una modernización académica.

–Cierto. Hay una acusación pendiente, que dos por tres salta, y que dice que este debate sólo sirve para algunos afortunados que sintonizan las últimas ondas europeas y yanquis puedan comer caliente gracias a alguna bequita.

–Claro. Se habla de aquellos contestatarios del '68 que hoy forman parte de las elites del establishment europeo o estadounidense. Esa es una forma de la modernización que acá también ha operado. Más que posmodernos, son realistas tardomodernos. Están en la producción total, en el sentido de la historia total. Han sido chupados por los problemas de la gobernabilidad del sistema. Algunos confunden esto con posmodernidad debido a la insistencia de los posmodernos en la crisis del marxismo, el socialismo. Yo he escrito varios artículos sobre este tema.

Volviendo a lo anterior, América Latina siempre ha sido moderna desfasada. En Argentina, con la revolución de mayo brotan todos los grandes discursos de la modernidad. Es decir que somos modernos. Pero modernos descentrados, periféricos, complementarios. Para nosotros, la modernidad siempre apareció como un discurso que debíamos cumplir pero que estaba en contradicción con la realidad, o como una realidad que avanzaba y para la cual no teníamos discurso. Es la figura de Sarmiento, poco después de haber escrito el *Facundo*, que en París se pregunta por la relación entre aquello y esto. Discurso sin realidad o realidad sin discurso. Por eso algunos analistas dicen que nosotros somos posmodernos, que siempre lo fuimos, por nuestra condición de descentramiento frente a la modernidad. Los argentinos venimos de una revolución de 1810 jacobina, vanguardia armada, en un país de llanuras dehabitadas, donde faltan los habitantes. ¡Date cuenta el descentramiento! Vienen 3 ó 4 millones de blancos europeos –la modernidad en carne y hueso– pero acá se los lleva a la marginalidad y la pobreza; el blanco europeo diez años después es denunciado en las cámaras legislativas como anarquista revolucionario que había que expulsar.

Al propio Perón –y yo vengo del peronismo– cuesta verlo pensando exclusivamente desde Latinoamérica; él está pensando más bien desde una Argentina blanca europea. El concepto de "comunidad organizada" lo toma como desarrollo de la filosofía europea. Siempre tratamos de vernos en un espejo, que nos refleja mal o no nos refleja. Hoy estamos lejos de una Argentina posindustrial, pero el imaginario posible es el del posindustrialismo. Ya no se piensa en abrir una pequeña fábrica, sino en un capitalismo salvaje que venga y nos salve pero en términos posindustriales. Esto es lo que piensa Terragno, por ejemplo. Somos modernos: un país con 100 años de historia, con clases sociales, con instituciones, etc.; pero al mismo tiempo somos una modernidad frustrada y una posmodernidad anticipada.

—Ya que mencionaste a Rodolfo Terragno. En estos últimos cinco años, para el común de la gente, los adalides de la modernidad criolla adquirieron los nombres de Alfonsín, Sourrouille, Caputo, Terragno. Para el común de la gente también, la modernización terminó siendo una excusa, la pátina ideológica que ocultaba el saqueo salvaje, la expropiación de los sectores populares. Es lógico que se concluya que, de algún modo, muchos de los intelectuales que agitaron el debate modernidad/posmodernidad formaron parte importante de este dispositivo ideológico.

—El mundo en su conjunto, no sólo la Argentina, está viviendo un proceso de modernización en todos los aspectos, crisis de sujetos sociales, crisis de ideologías, crisis del liberalismo y la democracia, crisis de la izquierda, en fin, una profunda crisis cultural. De allí surge el mando para modernizar la política. Como dice Baudrillard, lo que está en crisis no es una política sino la política. La gente vive esta manera actual de hacer política, esta forma de construir consenso, de modo muy diferente a cómo lo hacía 40 años atrás. El gobierno de Alfonsín fue un ejemplo muy fuerte de esta modernización, como parte de un espíritu de época. Ahora, después de estos 6 años, se desnuda la escasa adecuación que tenía a lo real. Pero, ojo, que éste también es un proceso que ha penetrado en el peronismo, en la derecha y en la izquierda.

Sería interesante, por otra parte, que todos nos detuviéramos a pensar qué pasa por la cabeza de los jóvenes. Ellos forman parte de una cultura que no sé si será Sting un revival de Los Beatles, o qué, pero es algo que corre más allá de la propia situación económica. Si vos estás viendo la TV y te enterás de cómo pelean los estudiantes japoneses, cómo se dinamita un hotel en el Líbano, cómo una diputada italiana muestra las tetas, ya formás parte de una cultura de la que vas a salir moderno o posmoderno más allá de que tengas diez mangos en el bolsillo. Un joven obrero, que pasa 8 horas en su lugar de trabajo, forma parte de un sindicato y hace huelgas, a lo mejor encuentra su identidad en Charly García. La cultura es hoy algo muy complejo... Tipos sin un mango que corren dos horas todos los días por Palermo, que no tienen qué comer pero se consiguieron una computadora. Hay momentos culturales en los que solamente sos hincha de Boca... Somos una muchedumbre cultural, con las variables de una cultura transnacionalizada que te absorbe y modela tu vida cotidiana, te da una identidad. Ya no es, como dicen los marxistas, que cada uno tiene su lugar en la producción: tenés el lugar que vos elegís, y desde ahí hablás y sacás tus valores. Tipos sin un mango en el bolsillo pero que no votan a la izquierda, eso fue siempre la Argentina. En esos cruces culturales puede haber modernidad y posmodernidad de todo tipo. Será por nuestra ascendencia europea, será tal vez porque vivimos en una metrópolis, destruida pero metrópolis al fin, será porque discutimos de Tarkovski y de Menem. Lo que todavía, pese a todo, nos hace modernos, es que no hemos perdido el deseo. Lo conservamos. La privación, la injusticia social, nos llevan a un convencimiento fuerte: "Esto tiene que cambiar". Aunque no sepamos cómo, tiene que cambiar para mejor. La idea de cambio, la idea de que esta realidad no se soporta más, la idea de que acá hay unos cuantos que están jodidos y no –como dicen los formalismos– "todos somos hermosamente iguales", todas estas ideas, mal que le pese al posmodernismo, siguen vivas en nosotros. Yo no sé porque no le gustará la vida a un muchacho escéptico de París o a uno de Nueva York; pero nosotros sabemos bien por qué no nos gusta. Hay una injusticia terrible, un desamparo absoluto, por lo tanto hay necesidad y ganas de cambiar la realidad... En ese sentido somos modernos por excelencia.

Mirá, para terminar, son los españoles periodísticamente quienes más tergiversaron el término posmoderno: hablaron de moda posmoderna, comida posmoderna, etc. En otros países se conservó como discusión teórica, interesante para aquéllos a los que les interesa... Como puede ser interesante discutir a Sartre o a Marx. Pero, claro, eso no define ni redefine nada. Modernidad/posmodernidad es una discusión más, que se inventa, como todas las discusiones. Discutir algo es inventarlo; y yo reivindico la invención de problemáticas, en el mejor sentido. Lo único que existe es este agobio; ahora, cuando vos agarrás el agobio, te preguntás qué pasa y lo transformás en modernidad/posmodernidad yo me saco el sombrero: se convirtió en un problema, en un debate, en un apasionamiento. Mañana habrá otra temática y pasado mañana otra más. La discusión moderno/posmoderno es una problemática inventada para ver cómo se sigue adelante, y para ver si la cultura es una promesa, o no. En una feliz invención para discutir qué nos está pasando a nosotros. Porque, ¿cuál es nuestra modernización? Acá modernizó la generación del '80, modernizaron Yrigoyen, y Perón, y Frondizi, y Onganía... Tantos golpes de modernización para que nosotros no sepamos dónde estamos parados. Y asoma una nueva modernización que es casi la figura del espanto, que condena al 40% de la población a la marginalidad y a la muerte. Lo cual significa que es un debate que, por lo menos, nos deberíamos tomar en serio.

(EL PODER CONSTRUYE UNA MEMORIA)
CONTROLADA*)

–¿De qué manera estuvo presente en la historia argentina el problema de la memoria?

–Siempre estuvo presente. Un libro fundador de nuestra identidad y nuestra literatura, que es el *Facundo* de Sarmiento, comienza trabajando la idea de la memoria: "Sombra de Facundo voy a evocarte". Hay un personaje, Facundo, muerto hace diez años pero que sobrevive en el alma del pueblo argentino, según su interpretación. Ahí hay algo que desapareció pero está, hay una memoria. Él va a interpretarla de una manera, va a decir que es la memoria de la barbarie y que es una memoria que –desde el lugar del que está hablando Sarmiento– ha sido heredada por Juan Manuel de Rosas, que es el personaje a quien él detesta y contra quien escribe el libro. Pero lo importante es que ya en la fundación de la interpretación más fuerte que tiene la identidad argentina y la literatura argentina aparece la idea de que ya hay una memoria que está constituyendo una historia desde la sombra, que ha desaparecido pero no ha desaparecido, que ha muerto pero que no ha muerto, que no está pero está, y ahí aparece claramente la figura de que a Facundo no se lo olvida. Contra eso el propio Sarmiento plantea, yo creo que de una manera magistral, otra variable, que es: nuestro territorio, las inmensas pampas, esa especie de desierto chino, es la pérdida absoluta de la memoria, como sí nuestro territorio no conservara ninguna memoria. A tal punto que hasta la propia Revolución de Mayo se la ha olvidado. Sarmiento escribió esto en el 45-46 y ya hay un planteo de que acá se ha olvidado algo, que es la revolución, lo que él llama la revolución incompleta, que ha quedado diseminada en el desierto. A diferencia de ese Facundo que es memoria viviente, lo geográfico sería el olvido absoluto. En el desierto no hay marcas, no hay huellas, nada. Uno podría decir que ya es la primera gran obra de nuestra literatura aparece el problema de la memoria y el olvido de una manera fabulosa: seríamos personajes que viven de evocaciones

* Entrevista realizada por PAULA RODRÍGUEZ, *La Maga*, 17/11/1993.

de muertos que no murieron y vivimos en una inmensidad vacía que es la desmemoria absoluta. Esto va a tener su consecuencia política. Podríamos decir que el Estado liberal de los 80, más allá de todas las variables económicas y políticas que lo fundan, tiene como sustrato, como visión profunda, en los que hicieron este Estado moderno, la idea de este vacío sin memoria del que habla Sarmiento 40 años antes. Es un Estado que hay que poblarlo, hay que reconstituirlo, es un vacío. El Estado liberal moderno se funda sobre la idea de que nada hay atrás. Atrás quedaron las montoneras, las guerras gauchas, las variables federales, equivocaciones y cosas muy buenas que tuvo el mundo de lo podríamos llamar las guerras intestinas nacionales. Pero la idea con que se funda es que acá hay que traer otra memoria.

–¿Esa idea de que atrás no hay nada no es una constante en la política argentina?

–A eso voy. No es para nada ingenuo el problema de la memoria y el olvido en nosotros. En el Estado liberal del 80 se dice "acá tenemos que traer otra memoria", el inmigrante europeo. Ahora bien, 30 años después, en pleno apogeo del liberalismo, ¿qué dicen las cámaras de Diputados y Senadores? Se discute contra el anarquista. Hay que volver a echarlo, hay que mandarlo otra vez a Italia, o preso al Sur. Y en los diálogos de los diputados y senadores encontrás que lo que les resulta insoportable es la memoria de estos nuevos pobladores. Porque traen ideas socialistas, anarquistas, de la justicia del pobre, ideas redencionistas, mesiánicas. Quienes iban a traer la nueva memoria que iba a dejar atrás las viejas memorias de las barbaries nacionales, aparecen teniendo una memoria que hay que encarcelarla o volverla a Italia. El propio Miguel Cané, uno de nuestros hombres de letras, plantea que esta memoria es terrible, hay que expulsarla porque arrastra ideales europeos que le hacen mal al modelo liberal. Se le echa la culpa al extranjero. El tipo que venía a suplantar con una buena memoria la mala memoria para los poderes tiene justamente el peligro de la memoria, cosa que el poder le vuelve a plantear el problema de la memoria de los justos, como dirían los anarquistas. Hay un tercer momento en que la historia argentina vuelve a fundarse sobre el problema de la memoria y el olvido, cómo hacer para que esta gente olvide lo que trae de Europa. Los movimientos nacionales, tanto el yrigoyenismo como el peronismo, en los momentos de la catástrofe, cuando caen y su caudillo es destituido, se basan en la memoria. En los movimientos nacionales hay un momento mítico al que hay que volver; se conserva en la figura del caudillo esa idea, muy griega, de la edad de oro perdido. En el peronismo pasa lo mismo. Caído el peronismo en el 55 aparece de entrada la idea de que Perón tiene que volver. Y las generaciones de los 60 y los '70 hacen de esa memoria el eje central de su lucha. Se reivindica a Evita, a esa Evita que dice: "Volveré y seré millones", como diciendo: "Mi memoria no sólo no morirá sino que se hará millones"; o la idea del "Perón vuelve", que es hacer eje esencialmente en que lo que se va a reponer es lo que aconteció.

–¿Qué sucede con la memoria hoy, que todo pasado se plante como en un caos al que no se debe regresar?

–Hoy estaríamos en las antípodas de eso, en el sentido de que nuestra sociedad no vive esa perspectiva de reponer las cosas, sino que más bien vive una fuga hacia adelante que deje atrás este momento incierto y seguramente algo vendrá. Ninguna vuelta, ningún regreso. Hay una tendencia a plantear que lo bueno no es ningún volver sino lo inédito. Estos son los discursos de los poderes, si volviera lo anterior esto es un caos.

–¿Y cómo opera el poder para imponer el olvido?

–Aparecen diversas formas con las que los poderes trabajan la idea de la memoria. La memoria puede ser, desde el poder, un acoso permanente al que hay que olvidar. La historia puede ser un malentendido, que es lo que plantea Alfonsín en el 83; la historia es un malentendido desde el 30 hasta que él asumió. Alfonsín trabaja sobre esa idea de que la memoria es un malentendido, mejor dejarla atrás, porque ha traído dolor, sangre, muerte. Es una táctica astuta. Para Menem la historia, la memoria, sería un anacronismo. Como él parte de un peronismo y termina en otro, la historia es un anacronismo, tiene que quedar atrás. Fijate todas las variables que hacen que nosotros dejemos atrás todo el significado de la memoria, ya sea por el lado del malentendido, del acoso, del anacronismo. Y la otra variable, que la constituye la propia sociedad y es la más compleja de analizar, es que cuando en la historia suceden ciertas catástrofes es porque apareció un mal que ocupó la sociedad. Lo que la sociedad hace es desprenderse de ese mal. Esto se discutió mucho cuando los historiadores germanos trabajaron el nazismo, los alemanes aparecían con una ideología muy silvestre que dice que ninguno fue nazi, sino que hubo un mal que a la primera que ocupó es a Alemania. Es el mal que viene de afuera. Esa es una forma de plantear una teologización de la memoria. Como la teoría que en nuestro caso sería la de los dos demonios, que vinieron de afuera y ocuparon la sociedad. Nadie se siente responsable, nadie se siente comprometido. En la sociedad aparece claramente, frente a la memoria de algo insoportable, que sería gran parte de nuestra historia, la idea de una ocupación de visos teológicos que viene de afuera. Hay una necesidad de decir "acá hubo dos demonios", y la sociedad se absuelve. Esto no es ni malo ni bueno, es la actitud con que la sociedad se enfrenta a lo insoportable de su propia historia. Porque a nivel individual uno puede hablar con un analista o con un cura. Pero la sociedad no tiene esa posibilidad de resolver en términos absolutos sus crímenes. Entonces busca variables interpretativas de atajos donde la historia acosa, es un malentendido, es un anacronismo. Es una forma de resolver desde el olvido esa memoria insoportable. Acá no se ha hecho un trabajo para liberar la memoria en su más doloroso, peligroso, pero auténtico sentido, sino más bien para encapsularla, envolverla en algún lado y dejarla como paquete. Y esto lo estamos viviendo, porque el olvido es imposible. Lo que hay es una memoria que al poder político le resulta insoportable. El no olvido aparece en nuestras conductas, en nuestros traumas, en la sociedad que estamos viviendo. La sociedad tiene marcas, huellas, que son memoria permanente.

—Usted antes decía que la sociedad hoy está en una fuga hacia adelante. ¿Esto justifica cualquier olvido? ¿Es esa huida hacia adelante lo que permite que el que era un muerto político o un corrupto o un asesino la semana pasada pueda volver mañana?

—Es que la cultura actual ya no hace eje en la memoria. Esta cultura mediatizada lo único que sitúa es la escena. El que sube a la escena no tiene antecedentes, ni biografía, ni nada. En la cultura del espectáculo político al que sube a la escena no se le pregunta nada. No se le preguntan los antecedentes al periodista que está en auge, ni a Barrionuevo, ni se le pregunta a Menem por qué dijo lo contrario que antes. El que llega a la escena es simplemente la figura iluminada; todo lo demás queda a oscuras. A nadie se le piden los antecedentes. Y si se conocen los antecedentes de alguien, la memoria no sirve para nada, porque si entra en la escena la figura funciona. No hay posibilidad de plantearle nada aunque se sepa, se diga, se denuncie. Uno puede saber los antecedentes de algunas personas pero eso no evita que sigan estando donde están. Nadie renuncia a nada, porque hasta la biografía más inmediata, que es lo que hizo en los últimos dos años —que es la que tendría que hacerlo renunciar—, tampoco implica la posibilidad de que esa memoria actúe en función de si sigue o no. La memoria, en este sentido, ha perdido su valor. Ese pasado inmediato o lejano es olvido permanente. En la sociedad actúa como palabras que al mencionar la memoria la disuelve totalmente Por eso el problema de la memoria no es de información, es de significado, de valor. La memoria vuelve por el significado profundo que tienen las cosas. Hoy esta memoria de los significados, de los valores, está suplantada por la memoria de la saturante información, que te atraviesa como si fueras un sujeto transparente y que progresivamente te va adecuando tanto que terminás diciendo: "Si, ya lo sé todo, lo de Menem, lo de la Corte, es así". En la sociedad eso no se ha acumulado como un elemento como para decir: "Ustedes no tienen que estar". Estamos, en ese sentido, en las antípodas de cuando Sarmiento dice: "En la memoria de Facundo vengo a evocarte" o cuando la generación del '60 dice: "Evite vuelve".

–Más allá de la historia política argentina en particular, ¿cuál es el origen filosófico del problema de la memoria y el olvido? ¿Cuándo aparece como uno de los grandes temas de la humanidad?

–En el campo de la literatura, de la filosofía, es casi el tema que dio origen a todo. Fue siempre el gran drama del hombre, no es una cosa que nos sucede ahora. Es tan importante el tema de la memoria y el olvido que podríamos decir que la historia humana se funda sobre ese drama. Hoy está en discusión filosófica el mismo tema, que es que el hombre olvida el origen, olvida el tiempo de los dioses que lo fundaron. Y en ese olvido, en esa suerte de amnesia o pérdida de la memoria comienza el drama de la historia, cómo recuperar eso que aconteció en el origen, que es por qué nací, para qué estoy, por qué muero... El hombre inmediatamente remite eso al origen; en el origen debe estar la respuesta. Pero el origen fue olvidado, o los dioses se retiraron y no nos dejaron a nosotros las respuestas. Yo digo que ahí comienza la historia porque ahí comienza el drama. Precisamente por eso en la filosofía origen es verdad, porque ahí está la verdad, en lo olvidado está la verdad. Para Platón conocer es recordar: nosotros ya tenemos un cúmulo de ideas innatas, o provistas por los dioses, o constituidas por las esencias, pero las hemos olvidado. El filósofo para Platón es el que llega a recordar las huellas, el lugar de la verdad, la zona de las ideas, más acabadamente que el resto de los mortales. Pero la filosofía griega en realidad le quitó esa capacidad al poeta, porque en la Grecia arcaica es el poeta el que cuenta los relatos del tiempo primordial, porque está iluminado por la diosa Mnemosine, que es la diosa de la memoria. El primero que cuenta los relatos míticos es el poeta. Y aquí aparece una cosa importante, la diosa de la memoria es aquella que te espera del otro lado del río de la muerte. Acá hay una lucha entre dos diosas, la diosa Lete, que te hace olvidar, y Mnemosine, que repone ciertas huellas para que vos comiences luego con la reminiscencia.

–¿Ese mito explica las dos necesidades de la sociedad, recordar y olvidar?

–Claro, pero Mnemosine, para distinguirlo de la nostalgia, no es la que va hacia el pasado, es la que tiene en el presente la memoria, el origen. Mnemosine es la que cuenta. El poeta es el iluminado, el que tiene la chispa divina de esa diosa. Lo que hace la filosofía socrático-platónica es decir que en realidad el poeta cuenta fábulas, que la filosofía va a contar la verdad. Pero Platón se basa en el mito y plantea, ya filosóficamente, es decir a través del *logos*, de la razón, que conocer es recordar. Es ir progresivamente acercándonos a lo que desde el origen se sabía, y que no se sabe porque hubo alguna catástrofe: la primera catástrofe de la historia es que el hombre olvidó.

—¿Pero también en la Atenas de aquella época aparece un término, el origen de la palabra **amnistía**, *que significa la prohibición y a la vez el juramento de "olvidar todas las desgracias"?*

—Sí, el recuerdo, la memoria también empezó a ser algo fatídico. Hubo una suerte de prohibición de recordar. Cuando había que recordar cosas que conmovían a los atenienses comenzó cierta prohibición de la memoria, de la fatalidad. Y eso está mucho en la tragedia griega. ¿Por qué la memoria pasa a ser fatalidad? Porque la memoria contiene la posibilidad de hacer justicia, de la venganza. Si retenés la memoria, retenés la posibilidad de la venganza, o simplemente un dolor insoportable. Y hay ciertas tragedias griegas que eran temibles precisamente por eso.

—¿No aparece entonces una distinción entre la necesidad de toda sociedad de no recordar y el olvido impuesto desde el poder?

—Claro. El poder, en lo posible, construye un tipo de memoria, que sería una memoria regulada, controlada, e impide memorias descontroladas, que pueden originar violencias, venganzas, o simplemente dolor. Un dolor insoportable a la propia sociedad. Una de las causas por las que Platón en su gran utopía, *La república*, expulsa a los poetas de la ciudad es porque los poetas son aquellos personajes que arbitrariamente, según Platón, en las tragedias plantean la lamentación, el llanto. Lo no digno de representación. Platón se pregunta cómo un protagonista, un varón, llora, se lamenta por la muerte de su padre, pierde esa discreción, esa austeridad que tenía que tener el héroe y se lanza al gemido, a la lamentación, algo que para Platón era absolutamente irracional. La aparición del llanto es algo irracional que convoca a los espectadores, según Platón, en una zona absolutamente imprudente. Es la memoria: Antígona llora a su hermano, Edipo llora lo que ha cometido. Es la memoria que vuelve y los lleva a la imprudencia de no reprimir todo, censurarse todo y seguir actuando racionalmente. En ese sentido, la memoria aparece como algo que no debe excederse en términos filiales, sentimentales, atávicos. Eso es algo que también lo vivimos en nuestra sociedad, en el sentido que hoy parecería que conservar la memoria es sinónimo de volver a convocar a la violencia si uno regresa a épocas infaustas, dolorosas, que han acontecido en el país, pareciera que estuviera convocando, aunque no quiera, lo que pasó. La memoria es, por este origen griego, depositaria de una violencia que es mejor no despertar. La memoria siempre contiene, desde el plano de los poderes, ese elemento inadecuado. Entonces se la lleva a otro plano. En nuestro caso, por ejemplo, en vez de liberar la memoria se la ha llevado en algunos casos a una teologización. Por ejemplo, la teoría de los dos demonios. Es una forma de encerrar la violencia y dejarla atrás, sin posibilidad de revisión. Hay siempre una fuerte tendencia a esconderse de la memoria. El olvido es imposible, y eso a la propia memoria se le hace insoportable, pensar que nada en definitiva va a ser olvidado. Eso se hace insoportable a los poderes y a la propia memoria colectiva de la gente, el sentir que no va a poder dejar atrás momentos catastróficos porque siempre va a haber una instancia que los recuerde, que los vuelva a convocar. Desde el punto de vista judeo-cristiano también es fundamental cuando Yavé, el Dios Jehová, plantea "no olvidarás". Ahí aparece el olvido como condena. Eso es otra cosa que a nosotros, aunque pasaron cinco mil años, nos sigue dominando. Olvidar es una condena, en el sentido de que es pecado. En el pueblo judío aparece muy claramente la presencia del libro. Es un pueblo que pierde la tierra, que pierde lo que podríamos llamar la utopía geográfica, y la recobra en el libro, en la Torá, en el Talmud. Durante miles de años va a hacer de eso su patria, su geografía. Lo que va constituir como su territorio es la palabra, y la palabra es memoria. En la palabra, tanto la bíblica como en la de la Torá o el Talmud, está el origen, toda la verdad. En el pueblo judío se da, y esto lo hereda el cristianismo y los heredamos nosotros, que en la palabra reside la memoria.

—¿Puede decirse hoy que eso se ha revertido, que en la palabra reside el olvido, que un discurso borra el anterior?

–La memoria no es información. La memoria es, podríamos decir, significado. Uno podría decir que tiene infinidad de informaciones. Si uno fuera como el personaje de Borges, Funes, el memorioso, tendría que recordar todo. Lo que es memoria es aquello que tiene significado, que tiene valor. Por eso por un lado está la historia y por otro, la memoria. Hay un territorio de la palabra saturadora. Hoy nos encontraríamos en una situación en la que la memoria más bien rompe toda la posibilidad de memoria. Como dicen algunos ensayistas, estamos en una época de desmemorización absoluta. Casualmente en épocas en las que se hace una apología de la memoria. Hoy estamos en el reino del almacenamiento de la memoria, en las computadoras, en el que el hombre vive el mito de que puede almacenar toda la memoria. Sin embargo, junto con esto, y no casualmente, se produce una sensación de que la memoria se pierde, se desvanece, se diluye. Entonces ahí está la paradoja: en el tiempo del mayor almacenamiento de memoria uno lo que está viviendo es la pérdida progresiva de la memoria. Por otro lado vivimos en una época en la que en la estética de masas aparece permanentemente: la moda retro, el homenaje fílmico, las biografías. Pero frente a esta especie de utilización instrumental hay una especie de trabajo seco con la memoria, un trabajo vacuo, vacío. Uno sigue sintiendo que vive en una época que quiere borrar la memoria. Entre todas las biografías, los homenajes, supuestamente nuestra época estaría anclada en la memoria fuerte de la tradición, como pensaban los griegos, el pueblo judío o la propia época de la cristiandad. Sin embargo, uno está viendo que es una instrumentación, al contrario, es un mundo infinito de palabras que en realidad tapa la memoria, la está llevando a cadáver. Uno lee una biografía y cuando cierra el libro no le queda nada, le queda simplemente que eso está muerto. La idea es que todo esto está muerto. La memoria no está viva y precisamente por eso se la puede utilizar tan fácil y cotidianamente. La memoria, en todo caso, como decíamos en la historia de Platón y su preocupación por echar a los poetas, es realmente peligrosa cuando está viva.

(EL MUNDO DE LAS COMPUTADORAS)
(SOLAMENTE EXISTE EN MANHATTAN*)

—*En el número pasado de esta revista, el filósofo Alejandro Piscitelli hablaba de un brutal retroceso de las ciencias sociales. ¿Usted coincide en que las nuevas tecnologías avanzan tan vertiginosamente que no dan lugar a la reflexión o que los intelectuales no están preparados para eso?*

—A la sociología se la sigue sintiendo como una ciencia moderna, pero es del siglo pasado, de la gran modernidad del siglo XIX que es cuando frente a los grandes tumultos y crisis de las sociedades metropolitanas aparece una ciencia de la sociedad. En ese sentido podríamos decir que es la última de las ciencias modernas. Su retroceso forma parte de todo un pensamiento moderno, humanístico, que está en crisis, que no tiene las repuestas adecuadas como las llegó a tener en algún momento, que no hace pie en sus propias lógicas, en sus propias referencias, en sus propias teorías y que se encuentra frente al desconcierto del mundo actual. En ese sentido yo diría que es una combinación de ciencias sociales y estado teórico de crisis... No nos olvidemos que las ciencias sociales en la década del '60, sobre todo la sociología, eran la gran madre teórica de las ideas de la revolución. En ese momento parecía que sociología más política más fusil era la combinación, la trilogía necesaria para cambiar el mundo. Precisamente creo que el derrumbe y el fracaso de toda esa ilusión, entre otras cosas, arrastra el proceso del fracaso de las ciencias sociales para la transformación. Hoy nos encontramos con ciencias duras que trabajan fragmentariamente en experiencias de las que ni siquiera ellas mismas pueden dar cuenta de lo que acontece, llevadas adelante por un proceso tecnológico abusivo, y conciencias blandas que no pueden explicarse lo que pretendieron explicarse en sus momentos fundadores. Así como hoy podemos decir qué estrategias políticas han fracasado totalmente, también la sociología hace agua por todas partes, no tiene esa seguridad teórica que tenía en otras épocas.

* Entrevista realizada por INGRID BECK y PAULA RODRÍGUEZ, *La Maga,* 5/1/1994.

—¿Se recuperará, mutará, desaparecerá?

—Eso según de qué lado se mire. Por ejemplo un pensador como Gianni Vattimo, que acá es invitado frecuentemente y que está en la cresta de la ola por sus lecturas posmodernas, dice por lo contrario, que medios de comunicación más ciencias sociales son realmente el mundo libertario del futuro. Es decir, los medios de comunicación con su pluralidad y fragmentación nos harían vivir una especie de sueño final pero liberador, y las ciencias sociales que sistematizan y plantean lo que podríamos llamar la problemática de la sociedad tratarían teóricamente de resolverla. Son los dos grandes elementos con que la sociedad cuenta, en términos optimistas, para un nuevo tiempo. Yo no comparto esa idea. Hoy podemos decir que la sociología está en crisis pero como nunca es admitida en el poder, como nunca los políticos y los caudillos tienen sociólogos como asesores, como nunca los discursos de los políticos están escritos por los sociólogos, como nunca los caudillos políticos necesitan, llaman, contratan sociólogos. Hasta tal punto que la sociología ya casi se confunde con la política más pedestre. Y si hablamos de la sociología en el sentido de las encuestas parecería que el es triunfo total, que no solamente no está en crisis sino que por fin ha llegado un reconocimiento que la ubica en el campo del poder. No hay político sin sociólogos.

—Entonces cambia la pregunta: ¿es la desaparición del intelectual crítico?

—Sí, pero ese es otro tipo de problemática muy profunda. Hoy pareciera ser —y esto es conciencia de época— que el intelectual en el sentido clásico-moderno que podría ser un novelista como Zola, o un filósofo como Sartre, que desde su subjetividad crítica impugnaba el mundo, que tanta presencia tuvo en la cultura de Occidente parece una figura que está en absoluto retroceso, suplantada por un intelectual técnico, asesor, profesional, columnista de revistas, es decir, por un intelectual con un lugar en el mercado. Pero yo agregaría que indudablemente la figura del intelectual puede sufrir metamorfosis pero en algún lugar reaparece, puede ser a través de variables que no son ya claramente ensayísticas, sociológicas, sino tal vez en una muy buena novela. Precisamente la problemática de los '60 era cómo hacía ese intelectual sartreano para dejar de serlo y convertirse en un intelectual político-orgánico. O sea, perder su individualidad burguesa —aunque sea crítica— y pasar a tener un compromiso militante colectivo. Hoy estaríamos en otras variables: ya no tenemos al intelectual sartreano ni al intelectual orgánico militante, es más bien un intelectual de mercado a la intemperie.

—¿Se puede imaginar qué lugar ocuparía el intelectual crítico del futuro, qué saberes debería tener?

–El intelectual más que un tipo delicado específicamente a hacer determinada crítica será aquel que todavía va a conservar un cruce de saberes: filosofía, estética, crítica cultural, ciencia, teoría. Frente a la fragmentación total, alguien que vuelve a reunir todo. Va a ser como una memoria resistente, el intelectual es un personaje de la memoria, alguien que se sigue preguntando por qué el hombre tiene que tener sentido, aunque toda la maquinaria de la época le plantee que esa pregunta ya no tiene sentido. Yo creo que en ese sentido va a reaparecer.

–¿Cómo vislumbra la convivencia de estas figuras que ven lo que otros no quieren ver con el mundo de las pantallas y las realidades virtuales?

–Esa no es una pregunta del futuro, es absolutamente del presente, se puede decir que en estos últimos diez años de mi vida me siento absolutamente en resistencia con un mundo que ya es así. En un mundo que dentro de poco en Buenos Aires cada tipo va a tener entre 70 y 80 canales de televisión, donde apretás un botón y supuestamente resolvés determinada cosa, y la vidriera te ofrece absolutamente todo, y toda solución que te plantean es una solución técnica, no hay discusión sobre valores. El intelectual es el que resiste a eso, puede ser que resista y no consiga nada, pero progresivamente va dejando huellas.

–¿Qué tiene de malo este mundo hipertecnologizado?

–Lo que tiene de malo es no tanto el mundo en sí sino qué cosas nosotros ya no cuestionamos, qué cosas consideramos que ya no vale la pena preguntarse. Desde el momento en que ni siquiera esa pregunta nos hacemos, no tendría nada de malo. Lo malo es preguntar. Por eso digo que el intelectual es una determinada memoria, porque vos podés tranquilamente pasarte toda tu vida sin hacerte ese tipo de preguntas. El intelectual crítico es un tipo que sigue planteándose que un último sentido tenemos. Puede ser resolver la historia, que todo el mundo sea feliz. No puede existir un mundo de todos filósofos, lo que puede existir es un mundo donde se le preste atención al filósofo que se plantea esa pregunta, no para ser como él, o como el poeta o el crítico, pero vale la pena. Cuando un crítico como Raymond Williams dice "el futuro está oscuro, el futuro es pura oscuridad", pero si uno no lo lee, vive perfectamente igual. A lo mejor vive más "feliz".

–¿Entonces nadie que piense en la política, en la filosofía, en la religión pueden prever nada de lo que la tecnología ya tienen previsto de acá a cincuenta años?

–Sí, supongo que sí. Las ciencias pueden proyectar un encadenamiento de sucesos científico-técnicos programados, entonces se puede decir que dentro de cincuenta años podemos tener 27 estaciones orbitales, lo que no puede prever es lo que la filosofía, los santiagueños y la política pueden hacer cruzar en la historia, cúmulos de sentimiento, de reacciones, de memoria por los cuales pueden incendiar los tres poderes y el instituto científico que tenía tan bien previsto el futuro.

—¿Qué nuevas formas puede tener la democracia, lo colectivo, en un mundo donde, según la utopía tecnológica dada, uno trabajará en su casa...?

—Ese es el tonto sueño utópico científico. Todas las coordenadas económicas, políticas y sociales están llevando más bien a un mundo catastrófico, a un mundo de miles de millones de habitantes, a un mundo donde a Latinoamérica, para el 2000, le van a sobrar 600 millones de personas. Ese mundo de las computadoras solamente existe en Manhattan. Bajás a Venezuela y a Colombia y te encontrás con que hay millones de tipos que te van a comer vivo. Ese mundo donde cada tipo tiene una computadora y resuelve todo desde su casita afortunadamente no va a venir. En realidad todos los indicadores muestran que los problemas no se resolvieron, que las utopías que intentaron resolverlo y que tienen larga data como el comunismo o el socialismo están ausentes, que todo se sigue ahondando...

—Pero parece que la utopía del capitalismo también fracasó...

—A todo lo que dije le agrego que el capitalismo es una encerrona desesperante donde a la gente lo único que le ha quedado es sobrevivir como pueda a su estándar de vida, y si tiene que hundir al vecino lo hunde en la bañera... Desde estos indicadores podríamos decir que el futuro sí es bastante oscuro, más allá de que por ahí nosotros en el centro de la ciudad de Buenos Aires podamos seguir viviendo treinta o cuarenta años más sin que nos degüellen. El horizonte aparece desde un África con millones de infectados por el Sida, más un continente olvidado, una Europa que está absolutamente presa entre Japón y los Estados Unidos, y los Estados Unidos que tienen una deuda interna y un problema de capitalismo salvaje terrible, y una América latina a la que la sobran 600 millones de habitantes; en realidad la perspectiva es que el hombre no sólo no ha caminado hacia la resolución de la historia sino que tiene todos los problemas pendientes y sin utopía de resolución. Ahora bien, la historia también es absolutamente imprevisible y azarosa, siempre se nos cruza, para bien o para mal.

—¿Por qué cuando están todos los problemas por resolver aparece la idea del fin de la historia?

—Eso fue una cosa más bien de los 80. El fin de la historia fue precisamente el creer que todo esto que yo estoy diciendo era lo contrario, era una historia que se resolvía, porque no era una idea apocalíptica, al contrario, era que la historia, caído el régimen soviético, caídos los regímenes tercermundistas de corte socialista y vuelto el capitalismo a reinar como único horizonte en la tierra, se cerraba con el sueño liberal. Eso fue lo que nos vendieron los 80 como remate del auge del neoliberalismo y la embestida cultural conservadora; hoy está absolutamente destruido, por más que sigan las políticas liberales uno se da cuenta con sólo repasar el mundo, que no se resolvió nada y que eso fue un sueño de ejecutivos, de yuppies y de ministros corruptos o de socialdemócratas ingenuos. Lo que sucede es que la historia se reabre pero ya sin teorías que la puedan explicar. A tal punto no se puede explicar que si nosotros en los '60 pensábamos que únicamente podía haber una pueblada donde estaba el sector proletario más avanzado, o sea en Córdoba –el Cordobazo se explicó porque estaba la clase en su grado de conciencia más avanzada, hoy Santiago del Estero es el estallido del sector más retrasado. Y si en Córdoba los obreros de la Fiat incendiaron bancos yanquis pero se cuidaron muy bien –como dice Lenin– de no quemar los tres poderes porque esos poderes se heredan, hoy, esta suerte de retaguardia del más pobre y olvidado arrasa con todo, como diciendo "esta historia ya no me gusta". Acá están apareciendo nuevos elementos en la gente, que es quemar todo.

–En Francia hay autores contemporáneos que retoman a Marx, ¿por qué?
–No lo tengo muy claro todavía, pero es cierto que Marx, después de reinar durante cien años, se precipitó muy aceleradamente en un descrédito absoluto. Y como toda caída, olvido o extravío excesivamente acelerado no da cuenta realmente de muchísimas cosas que dijo Marx y que siguen absolutamente vigentes, la explotación del hombre, la irracionalidad del capitalismo, el sálvese quien pueda. Entonces se vuelve a un pensador que fue de mucha importancia y que tiene inmensidad de ideas que hoy estarían vigentes y que yo creo que van a volver a estar vigentes, lo que no quiere decir que vuelva la idea socialista, o la revolución armada, o el modelo soviético o castrista, sino que va a formar parte de recuperar muchas cosas.

–Hoy se dice, desde algunos sectores, que quienes van a marcar los cambios políticos en el futuro son las minorías, los grupos que aparecen como nuevos actores sociales. ¿Usted coincide con esta visión?
–De todo aquello que aparece homenajeado, festejado, como la izquierda que quedó, los grupos de la diferencia, las mujeres, la homosexualidad, los grupos culturales, la música, los ecologistas, lo que en lenguaje científico-social se llama los nuevos actores sociales, también hay que recelar y sospechar porque en cierta medida lo que ha producido es un proceso dual. Hay una

homogeneización cada vez mayor del mundo, a partir de un redespliegue absoluto de los medios de masas, de un único idioma, de un único lenguaje, de una única mediación que homogeniza todo. Entonces hay que ver de qué manera el sistema, una vez que logra esa homogeneización absoluta, permite y alienta la diferencia, pero diferencia entre comillas porque en realidad todo aquello que acontece está manejado y maniobrado por esa lógica massmediática homogeneizadora. Lo mismo con las mujeres. Toda la problemática de las mujeres desde que nació fue algo alternativo y cuestionador de toda la historia; de golpe, ¿qué pasa cuando aparece cada vez más celebrada, cada vez más presentada, cada vez más exitosa en el campo de este lenguaje homogeneizador? ¿Qué es eso? ¿El éxito de lo que se plantearon al principio o la absoluta captación y neutralización de eso? Cuando una revista en colores te presenta "este es el año de la mujer", ¿está avanzando lo que genuinamente planteó la mujer o está siendo neutralizado en esta idea homogeneizadora donde lo tenés todo en colores, leés todo en 60 líneas? Hay que sospechar del éxito de las causas porque el éxito hoy es en todas partes acercarte mucho más a la homogeneización que se plante en términos globales.

—*Como usted plantea las cosas, parece posible imaginar un mundo como lo imaginan hoy las historietas de ciencia ficción, en el que la única forma de escapar, es quedar en los márgenes del sistema.*

—Una especie de ciudad apocalíptica. Eso no es futuro, es presente, eso es San Pablo, eso es Bogotá, eso es Río de Janeiro. Yo estuve hace poco en un congreso de estudios culturales en México donde las ponencias de los brasileños eran sobre los chicos que viven de 11 a 21 años y saben que van a morir a los 20 o 21 años, en San Pablo. Son bandas que construyen su vida en esos diez años, con lo cual su relación con la vida y con la muerte no es como la nuestra. Esa ciudad apocalíptica ya está, no hace falta ver un *comic,* ni falta el héroe que aniquile todo, pero *Blade Runner* está más o menos situado, sobre todo en Latinoamérica, o en los Estados Unidos donde hay una violación cada 15 segundos o una muerte cada minuto y medio, ¿para qué hace falta el *comic*? En ese plano el futuro ya está, ya nos está dando todos los indicadores de lo que está siendo, no de lo que va a ser. De igual manera soy optimista, creo que en algún momento la respuesta a esto se va a producir porque la sofocación va a ser absoluta; lo invivible hace que la gente vuelva a pensar dónde está lo vivible. No sé si va a ser un retiro al campo o una respuesta de derecha de cómo matar a todo sospechoso, aquel que no es como uno en la ciudad de hoy. Ya hay zonas de la ciudad solamente de tipos con dinero, gente pudiente, en las que se vive como si cuando sucede otra cosa fuera allá, en lo otro, en la zona caliente. En ciertas ciudades cercanas a Los Ángeles, en la costa oeste de los Estados Unidos, una cosa es el blanco, que tiene coche, estudia, va a la iglesia metodista los domingos, y otra cosa es el chicano. El chicano sabe que Clinton es un problema de los blancos. Y allí tenés las zonas universitarias y las de los que siguen entrando por las fronteras. Ahí está la ciudad apocalíptica. Apocalipsis entendido no como el final sino como algo nuevo. Quiero decir que se está produciendo un fenómeno monstruoso de mutación de identidades, no sólo ahí sino también en otras ciudades. Berlín, Roma, París, ya no son las de los '60, ahora son ciudades que están llenas de todo ese mundo africano, asiático, que además no renuncia a su identidad sino que la confirma, van vestidos igual que en sus respectivos países. Son ciudades de cruce de identidades en mutación, en tránsito absoluto. Ese mundo es absolutamente presente y es el mundo de las grandes capitales metropolitanas.

–¿La historia dará una sorpresa?

–Yo en eso sigo creyendo. Como dijo (Walter) Benjamin, en el momento de mayor desesperanza, está más cerca la posibilidad de que llegue el Mesías. Cuando el pueblo de Israel ya no cree más en nada y está adorando el becerro de oro es cuando aparece el profeta crítico y guía. La historia sigue totalmente abierta. Y más cuando vamos teniendo conciencia del acabóse que es esto, cuando de ningún lado del mundo nos viene algo que nos sirva como modelo ¿Quién quiere vivir en Europa o en los Estados Unidos? Y no lo digo porque esto sea un paraíso. No hay ningún lugar respirable, hay simplemente televisión y vidriera. Hay que tener optimismo, peor sería no tener esta conciencia y creer que las cosas están andando bien. Hay lugares donde es imposible sostener esto, uno de ellos es la Argentina. Uno está como a la expectativa, sin saberlo, como esperando que suceda algo.

(EL HOLOCAUSTO VA A ACONTECER)
SIEMPRE MAÑANA*)

–*En la contratapa de* Página/12 *del sábado pasado José Pablo Feinmann cuestiona la idea de que la argentina es una sociedad inocente...*

–Él lo afirma en relación con lo que dijo Mariano Grondona el jueves 21 en *Hora clave* ("somos una sociedad inocente, latina y desprotegida"). Yo creo que para hablar de sociedad inocente o culpable, o no inocente, habría que pensar sobre qué horizontes se está trabajando. En un principio diría que ésta no es una sociedad inocente en relación con la tragedia de la AMIA, pero también me pregunto cuál sería la sociedad inocente. Es indudable que hoy estamos atravesados por un atentado de una envergadura incalculable y por eso nos hacemos esta pregunta. Si uno piensa en la sociedad alemana y lo que ha producido en este siglo; en Francia en cuanto a sus ideas antisemitas y en cuanto a su etapa de colaboracionismo durante el régimen nazi; si uno piensa en la Guerra Civil Española, donde por ideas distintas se mataron cientos de miles de personas; si uno piensa en Italia, en la etapa fascista, las miles de mujeres, que alzaban sus criaturas en la plaza y se las dedicaban a Mussolini, al Duce, en actos de cientos de miles de mujeres; si uno piensa en la revolución mexicana, que generó un millón de muertos, uno diría que la sociedad argentina no es ni más ni menos inocente que cualquier otra. Nosotros también tenemos una enorme cuota de violencia, de muerte, de agresividad, de intolerancia, de no aceptación del otro. Sobre todo en nuestra historia más reciente. En 1955 se bombardeó Plaza de Mayo, los aviones de la Marina bombardearon el centro de Buenos Aires sabiendo que había gente abajo. Luego, los fusilamientos de 1956 y todo lo que culmina en las estrategias guerrilleras, en la dictadura genocida del '76. Efectivamente no somos una sociedad que se tiene que quedar azorada frente a acontecimientos de violencia porque resulta

* Entrevista realizada por PAULA RODRÍGUEZ e INGRID BECK *La Maga,* 27/7/1994.

que no es lo que pensaba que era. Pero eso, en la historia moderna, no la diferencia del resto de las sociedades.

—Todas las sociedades "resuelven" sus conflictos con matanzas...

—Nos podemos detener en la historia moderna, de los últimos 200 años, en la que todo el mundo queda involucrado. Cuando Stalin produce las políticas de rigor económico productivo en 1930, hay quince millones de habitantes de la Unión Soviética que mueren, y eso en plena construcción del socialismo. Lo que digo es que la sociedad queda involucrada en su conjunto, tanto aquel que participa, que directamente es verdugo, como aquel otro que no participa, que aparece como una conciencia ingenua. También en el drama alemán participa tanto el nazi como aquel que no supo que había campos de concentración en donde estaban asesinando a judíos. Como también en la dictadura, en las miles de muertes que hubo acá, todo el mundo está involucrado, más allá de que se sienta o no involucrado. Yo diría entonces: nuestra sociedad no es inocente, pero no hay sociedad inocente, por lo cual es una discusión que no tiene sentido. Si alguien dice "nuestra sociedad es inocente", está haciendo uso ideológico, un eslogan, una ocurrencia, una ingeniosidad, una lectura absolutamente antojadiza e interesada, sobre todo en este país que en el pasado inmediato tiene violencia, muerte, secuestros, tortura, un genocidio, no en la escala del genocidio judío, pero que lo llevamos en la piel. No hay sociedades inocentes, por lo menos entre las sociedades capitalistas occidentales desarrolladas. Y la nuestra, mucho menos.

Cuando aparecen los miles de muertos, la sociedad es cómplice pero al mismo tiempo se pregunta cómo pudo ser posible. Una cosa no contradice lo otro, porque si no estaríamos locos. Nuestra sociedad tiene enormes elementos, referencias y datos que uno podría decir que indican que es una sociedad de rápido pensamiento antisemita, que es una sociedad que ha tenido distintas experiencias muy relacionadas con el régimen nazi. Eso no significa que esto haya producido el atentado, sino que el atentado puede desplegarse sobre una sociedad que tiene un latente antisemitismo o grupos, experiencias e ideologías diversas de minorías actuantes y militantes nazis y que puede ser un caldo de cultivo.

—Pero eso que está latente se potencia.

—Por eso digo que el tema es cómo se despliega, cómo se potencia esto. Efectivamente un hecho de estas características sí puede movilizar en el peor sentido a una sociedad que tiene latentes todas esas variantes y que tiene registradas en la historia infinidad de manifestaciones antisemitas.

—Usted hablaba antes de lo que convenientemente se olvida o no, ¿esos antecedentes antisemitas se registran en la historia oficial?

—Nuestro país no es ni cálido, ni armonioso, ni ingenuo ni inocente respecto de este tipo de problemáticas. La historia lo muestra claramente. Este es un país que hasta ha sido racista con el cabecita negra peronista, que tiene a flor de piel elementos blancos, racistas, que se expresaron y se siguen expresando innumerables veces. Además, con datos concretos en la historia, se ha puesto en evidencia siempre una tendencia de corte racista, diferenciadora y antisemita. Eso es indudable.

Hay una frase que a mí siempre me resultó fabulosa pero que pienso que no voy a utilizar nunca más, que es "Todos somos judíos". Sin embargo una cosa es cuando un estudiante francés dice "Todos somos judíos" en las barricadas de Mayo del 68 y otra cosa es cuando lo dice Carlos Corach. Cuando lo dice él, yo empiezo a sospechar que esas palabras ya no sirven para nada.

—Algunos pensadores, y usted mismo, toman el problema del Holocausto judío como explicación de la modernidad. ¿Podría explicar mejor esa idea?

—Esta idea parte un poco de cierto pensamiento de posguerra, un pensamiento que yo había analizado hace poco en un artículo sobre la película *La lista de Schindler*. Hay determinados textos como el del filósofo de la Escuela de Frankfurt, Theodor Adorno, en su crítica al iluminismo, o cuando dice que "después de Auschwitz ya nadie puede escribir un poema", en el que está planteando —él, que es un analista del curso de nuestra historia de los últimos 200 años— que este acontecimiento de Auschwitz, donde la condición humana es tocada a través de la condición judía en su punto de mayor irracionalidad y genocidio, impide seguir hablando de los beneficios de la razón, del progreso, de la posibilidad humana. Invalida absolutamente todo. Adorno encuentra en Auschwitz, en el Holocausto judío, el ejemplo mayor para hacer la crítica más rotunda a la modernidad. Después hay un personaje como François Lyotard, que se hizo famoso con su libro sobre la posmodernidad, que plantea emparentada con esta idea de Adorno, que la solución final de Hitler es el final del sueño de la razón moderna, es el lugar donde la razón moderna no puede dar cuenta de su propio monstruo. Lyotard dijo, hace siete u ocho años, que si la modernidad es la historia de la razón, con la solución final acaba la modernidad y ya no sabemos qué viene después. Entonces, aparece la problemática de la bestialidad, del racismo, del Holocausto judío como un elemento concreto en la historia en el que la condición humana queda absolutamente cuestionada e invalidada a través del sufrimiento judío. En el artículo que escribí sobre *La lista de Schindler* digo que esa película es una banalización absoluta porque lo que se quiere hacer es decir "el Holocausto fue, y además tiene salida: esos 1500 zafaron". Yo digo que del Holocausto nadie sale, el Holocausto va a acontecer siempre mañana, el Holocausto sigue. La solución final va a acontecer mañana. Pero este es un problema a más filosófico, que podría expresarse así: no es el judío la víctima, sino que toda víctima es judía. Quiere decir que cuando somos víctimas somos judíos, que es muy distinto. Exponemos la barbarie de un tiempo, tal como en los '40 en Europa. Ese es el sentido del lema del 68, "somos todos judíos alemanes", que coreaban los universitarios en las calles.

–Dicho en ese sentido emblemático, ¿si toda víctima es judío, todo el sistema occidental es nazi?

–Yo diría que el palestino represaliado por el Estado de Israel es judío. Entonces cambia totalmente el análisis. Nazi puede ser el Estado de Israel, y "judío" puede ser un palestino, así como en estas circunstancias como la de Amia se junta la identidad judía con el ser judío, frente a la barbarie fundamentalista. Esta es la lectura que hace Adorno, por eso dice que después de Auschwitz nadie podrá escribir un poema, porque ha quedado absolutamente invalidada la condición humana. No es que no se hayan vuelto a escribir poemas, pero él dice que ningún poema va a revolver lo que ya aconteció, ningún gesto.

–La irracionalidad entonces queda implantada como parte necesaria de un sistema que se plantea como racional.

–La tragedia queda implantada, lo trágico de la condición humana que es capaz de hacer esto. Lo que pasa es que en Auschwitz estaría la totalidad, el Holocausto es: "Mueren todos". Por eso soy crítico de la película de Spielberg, porque no se puede tratar el Holocausto desde los que se salvaron, porque, como diría Benjamin, ni nosotros, que estamos vivitos y coleando, nos salvamos. Es precisamente la condición judía en el Holocausto, que define lo que es la modernidad, la que nos interpela permanentemente. Por eso ese "Somos todos judíos" es "Cuando sos víctima, sos judío". Y no tiene nada que ver que lo seas o no.

–¿Lo que usted dice podría sintetizarse en que el modelo occidental evita que existan otros?

–Claro, el judío es el otro, siempre. Es el otro discriminado, avasallado, víctima, pasado por encima, muerto; aquel sobre el cual ejercés una violencia porque es lo diferente.

–¿Cómo se manifiesta hoy esta sociedad que produce nazis en el sentido de la no aceptación del otro?

–Nos toca una época de pérdida absoluta de solidaridades, de un sálvese quien pueda infinito, una sociedad hija de: "El otro es un incordio, el otro es una molestia", lo que significa que no creo que se produzcan en una cultura, que no es solamente argentina sino que es occidental, las grandes reacciones de solidaridad que uno estaría pidiendo. Pero yo creo que se va a producir más eso de: "Este edificio está lleno de judíos, mejor me mudo". Pero no es una cuestión argentina sino de cómo esta planteada la cultura capitalista en nuestra época: el estándar, el poder adquisitivo, el único valor que tiene la vida es vivirla circunstancialmente sin ninguna trascendencia, renuncia, utopía del bien común, y se pierde toda posibilidad de solidaridad. En términos amplios, la cultura de la época conspira totalmente como para que esto tenga una solución humanística.

Ustedes se fijaron: se habla de desaparecidos, se habla de guerra sucia, se habla de terrorismo... ¿a qué les hace acordar? Sobre una especie de cementerio al que nunca más volvimos porque está ahí y todavía lo tenemos que elaborar, se trabaja sobre palabras de una significación muy fuerte. Eso hay que despejarlo, si no realmente nosotros vamos a vivir con chaleco de fuerza.

(LOS NAUFRAGIOS DE LA CRÍTICA*)

–¿Cuáles fueron los itinerarios que marcaron su participación en la investigación en comunicación?

–Fue durante mis años de vida en México, en el Instituto de Estudios Latinoamericanos (ILET) donde retomé el tema de las comunicaciones de una manera más global e interrelacionada con el conjunto de los aspectos políticos, culturales, filosóficos y estéticos de una época latinoamericana y mundial de profundas mutaciones. Desde 1977 a 1983 México fue, en algunos de sus sectores intelectuales, un espacio privilegiado para la indagación de lo que había acontecido y de un presente en estado crítico de perspectivas y lecturas. Ahí confluían muchos exilios latinoamericanos y una izquierda mexicana abierta a los nuevos vientos cuestionadores de las circunstancias. En un seminario permanente sobre Comunicación, Cultura y Crisis que se prolongó por cuatro años, conformamos un equipo que se planteó el análisis de la comunicación en relación a las crisis teóricas, a las limitaciones del marxismo y de distintos populismos, al recorrido y consecuencias de lógicas y variables técnicas, a las nuevas problemáticas de la democracia, al recorrido del campo disciplinario en la última década, a la declinación y nacimiento de actores sociales, al debate sobre las propias referencias civilizatorias que fundaban los saberes, a la necesidad de jerarquizar el campo de estudio y propender a un investigador en comunicaciones que se abriese a preguntas importantes sobre la suerte del hombre en la cultura capitalista. Nos preguntábamos: ¿cómo pensar la comunicación para un mundo de pensamiento y teorización en profunda crisis de paradigmas y de pluralización de sedes epistémicas? ¿Cómo sustraerlo del economicismo, del denuncismo, de un tecnologicismo entre usos buenos y usos malos? ¿Cómo resituarlo en el desafío de otros lenguajes del conocimiento, más fecundos, para una época de profunda crisis de sentido,

---

* Entrevista realizada por revista *Mapa Nocturno* N° 6, Buenos Aires, diciembre de 1995.

de fundamentos, de incertidumbre teórica, de crisis de las representaciones también en las discursividades analíticas, científico sociales?

Paralelamente desde 1980 a 1983 trabajé sobre la aparición del llamado nuevo pensamiento conservador, o neoconservadurismo, como entramados de discursos, prácticas y políticas dominantes que planteaban una reinterpretación de la encrucijada en lo internacional y en lo nacional. Una nueva derecha pensante en términos culturales, filosóficos, comunicacionales, en tanto revisión de época de los propios discursos hegemónicos del capitalismo. Sus argumentos sobre la crisis, los límites del desarrollo, la necesidad de acotar el modelo democrático, su crítica a la época de la protesta, su reconsideración de la cultura y valores modernos. Las conclusiones de este trabajo investigativo ya señalaban que el dato de esta revitalización de las ideas conservadoras, frente a la desestructuración del pensamiento de izquierda en muchos de sus planos teóricos y políticos, exigía volver a pensar los posicionamientos críticos, frente a la amenaza de su disolución en la práctica y en la teoría. La nueva intelectualidad postulada por el neoconservadurismo, de expertos, de asesores, de profesionales, de especialistas refuncionalizados, de consultores, aparecía como práctica remodelada a desplegarse en la totalidad de una cultura, donde la academia, revalorizada, debía pasar a cumplir un papel suplementario en la gobernabilidad, cumplir hasta con nuevo lenguaje de masas según los estrategas ideológicos neoconservadores, servir de referente de realidad, de adultez realista, de universidad y mercado aceleradamente reconciliados. En lo teórico significaba, por la trascendencia que el neoconservadurismo le otorgaba a lo que entendía problemática cultural del presente, un campo del conocimiento y de la investigación adecuándose a las lógicas del capital en la nueva escena vencedora del mercado, un campo situado en la post-protesta, que aportase a un juicioso relevamiento de las contradicciones, cortocircuitos, irracionalidades y lógicas de dominio ya no puestas en cuestión. La academia como una ayuda memoria para esclarecer los caóticos datos y lo que anda mal.

La etapa de México fue una época intensa en términos de reflexión colectiva, de investigación permanente y de escritura en distintos planos, donde paralelamente participaba en un grupo de exilio que editaba la revista *Controversia* de corte teórico político y hecha por socialistas y peronistas para analizar la historia argentina reciente. Un tiempo donde también retomé la literatura y escribí una novela en la cual me propuse, desde un hacer aparecer nuestra historia nacional, bucear los antecedentes, los orígenes nacionales de esto otro que políticamente buscaba descifrar en la crónica de la violencia armada en al Argentina. La narración persigue los pasos de un inmigrante italiano de fin de siglo, lo que me permitía, ficcionalmente, repasar pesadillas, mitos, sueños, arcanos, atavismos y contradicciones de nuestra conformación cultural. Y pienso que fue precisamente ese recorrido de la trama novelística sobre nuestra primera mitad de siglo, el primer disparador para que tiempo después me interesase indagar que fue la modernidad como cultura modeladora de ensueños y barbaries.

–¿Cuáles fueron los temas trabajados a tu regreso a la Argentina?

A mi regreso a la Argentina, y hasta 1988, en el Ilet Buenos Aires y en la Universidad encaré entonces, más decididamente, el tema de la modernidad como proceso de autoconciencia que imprescindiblemente nos concernía. Antes, había analizado distintos modelos comunicacionales de nuestro tiempo desde una perspectiva crítica. Estudié el caso Polonia, el caso Mozambique tal cual lo planteaba Mattelart, ciertas facetas de los países capitalistas desarrollados, los debates y temas del proceso por un nuevo orden internacional en la información, la comparación entre comunicación en el alto capitalismo, en el socialismo real, en el tercer mundo, llegando a la conclusión de que lo comunicacional y sus políticas, sus experiencias, se inscribían en irreversibles lógicas más amplias, civilizatorias, de desarrollo, de progreso, de concepción de vida, siempre omitidas en los análisis, pero que determinaban por encima de las llamadas formas alternativas o de cambio histórico o de nuevo modelo de sociedad comunicacional.

Se necesitaba poner en tela de juicio la mayoría de nuestros presupuestos de análisis y voluntades políticas, también nuestras miradas académicas, los facilismos de posicionamientos, la aceptación, naturalizada, de las lógicas capitalistas en lo tecnocultural. No solo lo real parecía entrar en estado de precariedad, sino también y sobre todo el intérprete de esa realidad. Nosotros mismos, jaqueados por un oleaje neoconservador que aterrizaba con sus neoideologismos sobre nuestro campo, y donde iba desapareciendo aceleradamente la capacidad crítica, la herencia de la función intelectual, el pensamiento de la sospecha, la suficiente negatividad frente a un mundo dado que apestaba cada vez más, en fin, los legados de una extensa teoría crítica que contenía la propia historia moderna. En este sentido el tema de las comunicaciones se inscribían en las generales de la ley de todas las ciencias sociales en cuanto a su pertinaz tendencia a la superficialidad y lo obvio, con el agregado, para comunicaciones, de su paulatino auge en cuanto a ser "temática en ascenso" y espacio de un nuevo y numeroso alumnado en Buenos Aires y en el resto del país. Comprendí que la comunicación como tema errabundo, de mil caras, atrayente para todos, necesitaba pasar a convivir con el pensamiento ensayístico más lúcido sobre lo moderno, con una biografía de ideas que el arte, la teoría crítica, la ciencia, la literatura, la filosofía y la propia poética, no academizadas, habían derramado sobre los meandros culturales de la sociedad moderna.

Una conciencia de la sospecha

–Participé con otros numerosos profesores en la gestación y en la currícula de la carrera. Pero eso fue una experiencia incluida en un marco más general de datos y referencias que hacían a nuestra situación política nacional, universitaria, a nuestro lugar y papel en una época de metamorfosis profunda de parámetros en todos los planos. Entre otras cosas, por ese tiempo y luego de largos y fructíferos debates, con un grupo de intelectuales peronistas, ex militantes de los '60, renunciamos al movimiento en carta pública, a esa historia cuajada de hedores para ese entonces, renuncia que apuntaba a criticar tanto a la derecha parapolicial peronista, como a la modernización renovadora caffierista menemista que llenaba de emoción a muchos. Pensaba en ese tiempo, y pienso, en una universidad, en un pensamiento teórico, político, que resista de manera adecuada, a veces categórica, a los moldes, demandas y lógicas del mercado. A los nuevos espejismos –modernizadores–. Digo, una formación crítica que no se funcionalice ni se mimetice con los paradigmas de la nueva escena cultural, tecnológica y de concepciones que propone las nuevas hegemonías y formas económicas neoconservadoras. Que no se profesionalice de acuerdo a normatividades que le resten a lo universitario autonomía de pensamiento.

En ningún momento discuto el hecho de que la universidad debe generar egresados aptos y capacitados para cumplir sus trabajos, pero hoy más que nunca, frente a la degradación de valores, conciencias, fraternidades y relaciones entre humanos que nos muestra el mundo, la universidad debe procurar ser pensamiento deslindado. Debe ser tensión crítica contra las lógicas, ofertas variables, mitos y adecuaciones del mercado, de los intereses privados, de los dueños de los ajustes económicos que plantean qué tipo de recorridos, de ganancias, de metas, de globalizaciones, de investigaciones, de instrumentales, de financiaciones, y también de academia, de escrituras, de textos, de objetos de estudio "sirven" para emprender la nueva escena, para re-racionalizarla globalmente. El lugar del saber, del conocimiento universitario en sociales y humanidades, debe ser otra enunciación, además de preparación de profesionales.

Otro entramado de memoria, otra herencia de palabras, otro legado de cicatrices humanas vencidas, otra intención de intervención contra "lo que se impone", contra "el mundo dado". Esto no es nuevo, la universidad crítica de los '60 ya lo puntualizaba de manera rotunda y clara: no ser engranajes en la brutal maquinaria y financiaciones de los que imponen qué tiene que ser el mundo y los objetivos del saber. El alumno que pasa por los claustros debe ser un profesional, pero en total y plena conciencia de este estado de cosas, y del significado de lo que sabe. Es decir, antes que profesional, es un hombre de ideas, una conciencia de la sospecha. Y en este sentido debe imperar en la universidad una concepción de alta libertad de enfoques, de no ceñir la docencia y la investigación a una modernización que acote, que cierre, que ordene, que clausure caminos, miradas, lenguajes. Por el contrario, la revitalización de un pensamiento crítico, cuestionador, sólo vive a condición de abrirse a lo que supuestamente "no compete", de vincular lo desvinculado, de recuperar caminos del saber. De hermanar (no quiero decir interdisciplinar) formas de conocimiento que la modernización del mercado divorcia: ciencias sociales, filosofía, literatura, política, poética, ensayismo crítico, historia, teología, estética, es la constelación a recuperar como rearmado de un espíritu auténticamente crítico, reintegrado a la mejor historia de las ideas, refractario al fetichismo de la profesionalización. En ese sentido yo nunca estuve de acuerdo con la partición de la humanidades en tres facultades, y pienso que hoy más que nunca, frente al vacío de la exclusiva utopía técnica, frente al desierto de futuros deshumanizadores, se precisa reunir nuevamente el saber, la memoria, la herencia y las nuevas prospectivas críticas.

El fabuloso sueño de lo moderno

–¿Cuáles fueron las problemáticas que estudiaste en estos últimos años?
–Por lo que te contaba antes, con la investigación específicamente comunicaciones llegué a punto de arribo, lo que me planteó la necesidad de trabajar con el entramado de una lógica civilizatoria moderna, su reexamen. Lógica moderna en la cual precisamente las comunicaciones, en todos sus planos, habían tenido una incidencia superlativa. El propio Marx, en su *Manifiesto Comunista* desde 1848, resaltaba de manera permanente el tema comunicacional en su descripción del capitalismo presente y futuro. Ya en 1985 comienzo a trabajar sobre e debate modernidad-posmodernidad, y descifro que esa tensión en el campo estético, teórico, histórico, habilita un amplio margen para una posible autoconciencia, autorreflexión de lo moderno, donde está absolutamente involucrada nuestra vida y nuestras ideas. No me importó lo feliz o poco feliz de ese término posmoderno, sino lo que gestaba, lo que convocaba como debate en algunas de sus formas de ser encarado.

La línea alemana que remitía a rediscutir la Ilustración, la línea francesa que reponía el papel de la sensibilidad estética en la comprensión de lo moderno, la línea italiana que cruza estética con todo el aporte de Frankfurt y Benjamin, la línea norteamericana que relee culturalmente de manera distinta el período de los '50 a los '80. Esto es, me interesó una modernidad que se rediscutía desde el conjunto de saberes, sensibilidades, teorías y cientismo social, filosofía, estética, literatura, poética y religión. Toda problemática que adquiere un perfil es finalmente un invento teórico, un campo imaginativo –lucha de clases, consciente-inconsciente, Dionisios y Apolo– que importa si permite pensar, iluminar, romper inercias, rutinas, repeticiones y burocratismos del conocimiento. Este debate exigía repensar desde disímiles puntos e historias lo que había sido la modernidad. De esa experiencia surgen las dos cátedras que tengo en Comunicación y años de trabajar el tema, que concluye en una antología y en varios ensayos míos al respecto, con un posicionamiento desde el principio claramente confrontador con gran parte de las argumentaciones posmodernas, y un tratar de recuperar de la historia moderna lo más genuino del pensamiento crítico teórico, crítico estético, crítico literario, crítico filosófico.

También trabajé sobre un momento particular de la Viena de fin de siglo. En realidad mi relación con Viena nace por varios azarosos encuentros con esa ciudad en los años '70, donde percibí que en esa vieja metrópolis se escondía, en piedra, el fabuloso sueño de lo moderno. Es decir, yo como un flaneur a destiempo, y con la idea, en principio, de trabajar una novela donde uno de los protagonistas habitara esa ciudad. Novela que pienso y mastico mucho pero después no escribo, aunque me sirve para indagar y apasionarme con aquel tiempo vienés. Y discutirlo mucho con José Aricó, que sorprendentemente una tarde saca de su biblioteca unos diez libros sobre el tema y sobre autores que lo trataron y me los da para leerlos. Desde ahí parto, pero ya en términos ensayísticos, y cumplo mi sueño novelístico como investigación cultural. Me sumerjo en Viena, esa suerte de eslabón perdido de la modernidad que preanuncia lo posmoderno, al decir del teórico italiano Franco Rella. Me inundo de autores, Kraus, Musil, Hofmannsthal, Adolf Loos, Otto Weininger, Elías Canetti, Franz Werfel, Peter Altenberg, Schnitzler, Joseph Roth, Walter Gropius, Otto Wagner, Herman Broch, Camilo Sitte, Freud, y sus miradas críticas a lo moderno desde el punto de vista estético, filosófico ensayístico, literario, poético, científico, arquitectónico y periodístico, también desde el punto de vista de la comunicación de masas leída lúcidamente en los alrededores de 1910. Nunca sospechamos del todo el recorrido de nuestro conocimiento, hacia dónde apunta pero en realidad hacia dónde va. A veces una lejanía, eso lo supo muy bien Borges, nos permite hablar de lo cercano sin citar nuestro destino, este país, Buenos Aires. Todo este período termina en un libro, en una antología con un trabajo introductorio que trata de relacionar, salvando las diferencias, dos modernidades desfasadas a principio de siglo, Viena, y nuestra historia. Existirían como cruces enigmáticos, similitudes, paralelismo en términos culturales, que nos aproximan a aquella cultura vienesa. El sueño liberal, el de la urbe utópica aceleradamente modernizada, viviendo provincianamente su fascinación por París y Londres. Gestando por debajo un mundo masivo que no escucha a ese Estado Liberal educador, organizador. Culturas, ambas viviendo una larga encrucijada de fuerte multiculturalismo, de identidades, lenguas y dialectos de otros países europeos en una mezcla que da cuenta de historias superpuestas, incomunicadas unas de otras, en las afueras del Estado elitista, que quieren estar y no quieran estar en ese sitio y momento histórico. Que gestan una realidad donde la literatura, más que las ciencias sociales, se aproximará a sus claves y cifras. Tanto Viena, como la Buenas Aires tumultuosa de principios de siglo, aprenden a vivir la dificultad de enunciar lo real, de dar cuenta de la realidad. Aprenden los perpetuos descentramientos de la modernidad como acto histórico permanente, discursos que no remiten a la realidad, realidad que no remite a los discursos, promesas de la modernidad que no se cumple, pasados que no fueron resueltos y reaparecen fantasmagóricamente, simulacros de ser "como Europa", es decir, como París-Londres, y ser apenas un eco, una lejanía, un complejo de inferioridad, y al mismo tiempo, por todo eso que reúne promesa y desencanto moderno, ciudades voces, en ocasiones, de extrema lucidez, tanto en una u otra parte, que deletrean anticipadamente ciertos fracasos de la modernidad.

Ahora estoy investigando en equipo, con Ricardo Forster, Alejandro Kaufman y Matías Bruera, la histórica relación en lo moderno entre la llamada alta cultura y la cultura massmediática. Pero invirtiendo el objeto de interés, siguiendo las huellas, avatares y actualidad de los tradicionalmente se llamó alta cultura, y desde ese universo releer la cultura massmediática. La alta cultura es aquello que pareciera, siempre, quedar arrasada por la cultura industrial, banal, seriada, kitch, ahora massmediática. Es aquella cultura que precipita en lo moderno histórico, clásico, como mundo que retiene la posibilidad de la sensibilidad, de la idea ética, de una libertad denunciativa, como expresará Schiller: de formación de un individuo deslindado del fracaso burgués, su revolución y su Estado. Se denominaba Cultura, única y casi excluyente, hasta por lo menos la segunda guerra mundial. La cultura culta: libros, teatro, poesía, ópera, plástica, música clásica, aportes de vanguardias. Esta es una tradición que persiste hasta nuestros días, y que indudablemente incluye la historia del pensamiento, del gusto, del valor, de lo filosófico, lo científico social humanístico, que hoy de múltiples formas tiene sus sitios, su lugar mítico, su relación con lo masivo, y que aparece de manera evidente, como paradigma actualizado, en la cultura massmediática.

La alta cultura, (y aquí incluyo hoy lo académico y su producción) más allá de lo que nos parezcan sus productos, es aquello que permanentemente se siente interpelado por la industria cultural, por la cultura popular, por la cultura subalterna, por la cultural industrial. Al mismo tiempo, hoy la industria del cine, de la televisión, las formas cosméticas del Estado, reencuentran el producto cultura "alta cultura" y el mercado reconoce en eso claros éxitos. La poesía, la filosofía, la estética, crecen como protagonistas de películas, de series, teniendo audiencias juveniles que parecieron detectar esa otra puerta de salida que ofrece el propio mercado como caminos "puros, genuinos, éticos", deslindados del basural mundano, de sus políticas, intereses y corrupciones. Entonces, el interés nuestro es ver cómo se constituye esta idea de alta cultura en lo masmediático, cómo desemboca en el presente, amenazada siempre, sobreviviente siempre. Cómo se constituyen, en los histórico y en la actualidad, los paradigmas no de la cultura masmediática, sino de la alta cultura. Cómo nos queda, cómo nos sobrevive. Es decir, cómo nos sigue constituyendo en tanto intelectuales, aunque después tengamos distintas posiciones frente a la alta cultura. Pero evidentemente es una cosa que nos pertenece.

–Para entender un poco este recorrido, volvamos a los años '60 y '70 en el estudio de las comunicaciones. Nos interesa ver un poco cómo se fue dando el paso de esos primeros trabajos en comunicación a temas más generales de la cultura, por ejemplo a partir de la primera experiencia en Filosofía y Letras.

–En aquella época, fines de los sesenta y principios de los setenta, aparece fuertemente el fenómeno de las comunicaciones y sus problemáticas, la necesidad de analizarlas, de investigarlas, pero en el marco de un tiempo tramado en lo político ideológico como lengua madre dominante, lo que no quiere decir que todas las madres sean dominantes. Digo, donde la lectura de este fenómeno estaba comprometida fuertemente con el posicionamiento político-ideológico del intérprete o del investigador. Las comunicaciones de masas aparecían, por lo menos en América Latina, como parte de una batalla que enfrentaba una lógica de dominio con una lógica subalterna que indudablemente se iba a procesar e iba a poder realizar en el campo de la revolución triunfante. El tema de las comunicaciones, en sus distintas epistemologías investigativas, situaban de fondo una disputa económico y política que imponía el marco de época.

Fue un tiempo donde hubo influencias, Mattelart, por ejemplo, donde el tipo de investigación que se hacía era más bien una investigación denuncista sobre los medios, las instrumentalizaciones y las manipulaciones de ese poder que se sumaba a las formas de poder del dominio imperialista o del dominio aliado al imperialismo. Aparece una época de denuncia investigativa de la manipulación de la información, de la instrumentación de la información, de los poderes y las ordenamientos económicos que estaban por detrás de los medios. Todo tenía un carácter acusatorio y de compromiso fuerte con una causa política ideológica, más allá de dónde se ubicase uno. Equivocadamente, pienso, se asimilaba toda industria cultural a pérdida de la identidad nacional, cuando en el caso argentino, una larga crónica de industria cultural sirvió para fines de alto reconocimiento de lo propio, y dónde ya era investigada y recuperada en ese sentido.

En ese contexto se constituye la problemática de comunicación sin que existiese en Buenos Aires una carrera de comunicación, ni un instituto de investigación en la materia, ni siquiera una cátedra que aludiera muy directamente a la problemática. Es interesante este dato, porque en ese primer período la temática va a ser asumida por un campo claramente extrauniversitario. Se reúnen periodistas, analistas, ensayistas, escritores, investigadores solitarios, sociólogos, artistas, cuadros políticos, intelectuales, que trabajaban o le dan importancia a esta temática. De ahí emergen, como un sello que tal vez ustedes ignoran, los que hoy serían los profesores históricos de la carrera, nosotros, que venimos cada uno de distintas variantes pero sobre todo en las afueras de cualquier marco institucional. En esa encrucijada, llega el gobierno popular de 1973 y en la carrera de Letras, por ejemplo, con Héctor Schmucler –que editaba y dirigía la revista *Comunicación y Cultura*, fundadora aquí de la problemática– dictamos una materia-seminario, "Literatura y medios Masivos de Comunicación", que se dicta con éxito de alumnado en el viejo edificio de 25 de Mayo. El poeta y escritor, y además alto cuadro montonero, Paco Urondo, dirigía la carrera, y alienta también la creación de un centro de estudio en Comunicación, que se va a fundar y dirigirá también Schmucler, y donde participamos varios, con Margarita Graciano.

En ese momento trabajamos en un proyecto de Carrera de Comunicación y Periodismo en la Universidad, también a partir de una decisión del rectorado. Entre otros con los periodistas Luis Guagnini y Harito Walker, con el cual tenemos varias reuniones al respecto. Se llegó a gestar un proyecto de carrera y a elevarlo a rectorado, pero no pudo ser aprobado por las dramáticas circunstancias políticas que en ese momento golpeaban fuertemente a la Universidad de Buenos Aires. Pero ahí ya estaba presente de qué manera se arribaba al nuevo campo, a través de gente proveniente de revistas alternativas, político-culturales, del periodismo, de grupos de estudio y de investigación, convocadas por una necesidad universitaria. Y se venía gestando desde distintas perspectivas: desde una perspectiva semiótica, desde una perspectiva política, desde una perspectiva de denuncia, desde una perspectiva sociológica, literaria, desde perspectivas culturales populares, desde debates de grupos estéticos, desde perspectivas de análisis económicos, donde de muchas manera se trató de coagular la importancia del tema y la reflexión sobre lo comunicacional, en un tiempo de profundos enfrentamiento y violencia política que se corta abruptamente.

Luego vivo la dictadura y finalmente la carrera aparece en 1983. Y cuando se llama a aquellos que se van a reunir para constituir la carrera de comunicación se llama a aquella gente de los '70. Se tienen larguísimas reuniones, entre otros Steimberg, Ford, Traversa, Argumedo, Schmûcler, Rivera, Muraro, y por decisión de la Universidad de Buenos Aires, que en ese momento tenía como rector a Delich, se gesta la carrera de Comunicación que hoy tiene la UBA. La carrera que propusimos, pienso que responde al espíritu de esa historia, en cuanto a cómo se gesta y quiénes la gestamos. El 99% no provenimos esencialmente de la academia comunicacional, quizás afortunadamente, sino de la investigación como vocación de vida, de los medios de comunicación, de experiencias fuertes de periodismo político y cultural, de grupos de estudio, del campo intelectual-estético-literario, de la participación política, de experiencias editoriales, del ensayo y la tarea indagadora de la realidad y sus distintos campos, entre científica, apasionada y bohemia. Es decir, la carrera se discute buscando un equilibrio entre la formación técnico-profesional para un mercado social dónde debe intervenir el egresado, y la posibilidad de que, como carrera universitaria en el área social humanística, retenga y crezca en esa impronta cultural, política, crítica, concientizadora de la relación comunicación-sistema dominante, de la cual de diferentes modos proveníamos por biografía personal e intelectual. En este sentido diría que la carrera de comunicación, por historia, por epistemes fundacionales personales y colectivas, por sus peculiaridades transinstitucionales, por la libertad y hasta el desorden de toda carrera nueva, está absolutamente pregnada de problemática cultural hacia atrás y hacia adelante. Mucho más que otras carreras de la propia Facultad de Sociales y de Filosofía y Letras, donde el tema cultura aparece acotado a "sociología de la cultura", a "filosofía de la cultura", o a remanentes de disciplinas constituidas allá lejos y hace tiempo que hoy descubren los *Cultural Studies* de las universidades anglosajonas como moda de los tiempos.

–¿Cómo ve hoy en día esa relación entre el investigación y política en la Argentina?

La relación, en cuanto a aquellas lógicas, aquellas referencias, aquel pautado de época de los '60, está naturalmente quebrada. Superada. Quizás no demasiado analizada retrospectivamente. Superada no quiere decir que para mejor. Digo dejada atrás, desde el momento en que desaparecieron, en términos teóricos, políticos, culturales e ideológicos, los grandes ejes que marcaban una idea de cambio social, de cambio histórico, desde una perspectiva popular. La relación intelectual-política sigue subsistiendo, porque no hay ningún hecho intelectual, ningún hecho cultural, ni la coma de un artículo que no sea política. Pero esto ya responde más a un posicionamiento individual, personal, donde el compromiso no se entronca con ningún proyecto colectivo en particular, sino que se entronca con un sitio del intérprete, en relación a la historia y a su conciencia sobre la condición humana y a sus ideas sobre el presente.

No obstante, el que no exista un proyecto de cambio no significa que no existan posiciones confrontadoras, de resistencia a lo dado. Hoy la investigación en la universidad parecería alentar un proceso que se vive como de modernización, para ponernos a tono con la época y con las exigencias de las universidades a escala internacional. Podríamos decir que en aquella época de los '60 y '70, no existía una aceptación inmediata de las lógicas académicas. Por el contrario, en aquella época uno se marginaba de lo académico, se marginaba de lo institucional. El artista no quería hacer teatro en el teatro comercial sino que quería ir hacia otros lados, fuera de los veredictos del mercado, y aparecían entonces las experiencias de teatro popular. El sociólogo no quería hacer sociología en la facultad sino que quería insertar sus ideas en un proyecto militante. En aquel momento había más bien una fuga de lo institucional. Hoy podríamos decir que mercado e institución cubren el mayor porcentaje de las lógicas que se construyen.

Entonces, evidentemente, el campo de la investigación está tramado por estas nuevas variables académico-institucionales y de mercado que podríamos decir, intentan cuadricularnos. Se trata, entonces, de preguntarse por el sentido de la investigación universitaria más allá de la rutina académica o de lo 'e exige el mercado. Es decir, toda interrogación crítica se plantea en prim lugar por el lugar propio. ¿Qué investigación? ¿Para qué investigar? Por cierto la investigación es un momento liminar de lo universitario en humanidades.

Ahí se concretiza la reflexión, la crítica, la narración, nuestra escritura del mundo. Pesquisa, huellas, encadenación de muescas, viaje a los orígenes de la problemática, desfondamiento de las retóricas imperantes, rigurosidad de seguimientos, autorreflexión colectiva, consideración de teorías y su aplicación, discusión con el conocimientos y con el tema. Conocimiento y política es un matrimonio turbulento a veces, aquietado y senil en otras temporadas. Pero persiste. No hay investigación ingenua ni inocente, y la investigación necesita un amplio trazo de libertad, de re-creación del mundo, de creer en alguna medida que reinaugurará las representaciones del mundo. Faltan en nuestra facultad postgrados, maestrías que armen y preparen ese mundo amplio y diferenciado de tendencias, variables, caminos de futuras investigaciones y de futuros investigadores, pero siempre desde la conciencia de la autonomía del pensar universitario. De la necesidad de preservar ese espacio con respecto al afuera, cuando este último vía mercado y lógicas de ofertas, fagocita el pensar, la voz propia, la enunciación en términos de discusión crítica, y nos aproxima a la desaparición de una identidad universitaria en este campo clave.

Discursividades intensas

–Y a nivel de las teorías, ¿cómo se reflejan en el presente en cuanto a discusión?

Que cada uno cuente lo que hace. Hablé de mi posicionamiento, que es crítico frente a ésto que aparece como uno de los elementos fuertes de la investigación actual, como son ciertas tendencias exitosas de los estudios culturales, donde la comunicación evidentemente tiene su protagonismo. Estudios que de distintas maneras constriñen, desproblematizan, cosifican un área, llevando el tema de la cultura a rutina, empobrecimiento y a texto académico intrascendente. Particularmente planteo que es un momento muy bajo de la crítica, de la crítica como parte de la investigación. Es un momento muy liviano, muy light. Recupero en ese sentido legados y sagas investigativas en donde, en todo caso, toda investigación sobre algo es un pretexto para denunciar la condición del hombre, denunciar la condición de la cultura. Mi posicionamiento en cuanto a la cultura es muy crítico. Me sitúo en un campo de profunda indisposición con la situación dada, con la cultura hegemónica. En ese sentido retomo legados críticos que mostró la modernidad, como discursividades intensas al decir del filósofo cordobés Oscar del Barco. Considero que estamos viviendo y de manera cada vez más agudizada, como dijo Marx y como dijeron tantos otros, Nietzsche, Freud, y antes varios ensayistas románticos, y después de Freud, Adorno, Benjamin, Steiner, Rella, Bloom, Cacciari, un incesante proceso de barbarización cultural. Un exceso civilizatorio, diría Marx, al parecer sin recambio ni contrafuerza como él pensaba. Es decir entonces, de radicalización del nihilismo, en el cual estamos dolientes o gozosos. Por eso me ha interesado trasladar lo que podríamos llamar la discusión en comunicación y cultura, al campo de la cultura moderna en general. Y en ella, al campo de los valores, al campo de la creación genuina, al campo del sentido, al campo de la frágil construcción de las verdades, y por lo tanto al campo de las éticas, al campo que coteja mirar teórico y mirar trágico. Al campo de una comprensión no solamente sobre lo que acontece, sino sobre lo que nos acontece, a nosotros, en ese permanente reacomodamiento que hacemos de nuestra tarea intelectual, teórica, docente, investigativa. Pensar filosófico de la sospecha, teoría crítica de la cultura y la modernidad, una hermenéutica de textos de cultura políticos, teóricos y estéticos, teoría de las ideologías. Me sitúo en ese cruce. Los últimos tres o cuatro textos míos han sido ensayos sobre lo que podríamos llamar el momento extremadamente débil de la crítica a la condición cultural, en el campo de la investigación. Como cultura, la palabra ha pasado a ser, desde lo académico internacional, más bien el nombre de un departamento con ficheros y una secretaria.

Mi idea es de que toda investigación en cultura tiene que concluir señalando, con rigor de análisis, la nulificación casi absoluta del valor del hombre en las actuales circunstancias históricas capitalistas, y al mismo tiempo investigar las ideas que conforman lógicas, paradigmas, normativas de una cultura que nos hace irónica o patéticamente intérpretes especializados. Esta es mi posición dentro de un campo muy rico de variables y de posiciones diferentes, que reconozco como imprescindibles que se den, que crezcan, que tengan legitimidad, donde pienso que todas tienen que tener su lugar, su formulación en sentido abierto, democrático, universitario, sin policías que reglen de qué se trata la cosa y de qué no.

Academia-alta cultura

—¿Todos situados en la alta cultura?
—Situados en la academia, en la universidad, también estamos situados en la alta cultura. Podemos tener una actitud populista, podemos tener una actitud pragmática, o cientificista, de izquierda o de derecha, pero evidentemente la academia es hoy un fallido, u oportuno, lugar de la alta cultura. Es el lugar donde nos constituiríamos como conciencia interpretativa, especulativa, abarcativa, cotejadora. Alta cultura quiere decir, en este caso, saber y conocer infinidad de teorías, ideas, elementos de análisis, formas metodológicas y herencias pensantes en el campo de lo social, de lo histórico, de lo ideológico, de los cultural en resumidas cuentas, con las que se trabaja sobre la índole de ciertos problemas, también sobre lo moderno en sus viejas y nuevas manifestaciones, y donde se proyectan aproximaciones de estudio a nuestras actuales circunstancias. No quiere decir pertenecer a una elite, pero al mismo tiempo quiere decir pertenecer a una elite. Pienso que lo más importante de la crítica a la cultura que ha dado la modernidad, y este siglo, ha sido desde posiciones que hoy por hoy podríamos llamar privilegiadas, enunciaciones desde una formación de alta cultura, ya sea en términos de intelectualidad y de sensibilidad. Ya sea que el personaje se arrastre por los meandros de la bohemia o dedique su vida a una política revolucionaria.

Alta cultura es una herencia y una formación constituyente de la figura intelectual. En este plano, la pertenencia a una alta cultura de carácter académico, investigativo, significa tener la posibilidad de una herencia de pensamiento, saberes, crítica, que podríamos situar como parte de la historia de las ciencias sociales, del arte, de la historia, de la filosofía, de la teología. Hace poco estaba leyendo un texto de un teórico marxista, José Aricó, que hace algunos años escribía que el marxismo no tuvo nunca, frente a lo civilizatorio moderno, la radicalidad que tuvo la crítica de derecha. Y él planteaba que en algún momento el pensamiento de izquierda iba a tener que enfrentar, sin subterfugios ni desacreditaciones, el reto que le planteó la alta cultura burguesa en complejas instancias literarias, ensayísticas, filosóficas y hasta políticas.

Hoy estaríamos desafortunadamente en una época con atmósfera antiteórica, de relativismo pos, donde en la cultura, el arte y hasta en la comprensión estetizada de la sociedad, campea el juego hedonista, una exacerbación de la sensibilidad como punto de partida para entender las cosas, una lectura tecnologizante de la historia y sus modalidades demasiado exclusora, en contra del legado de la reflexión y la especulación filosófica, instancia madre que deviene legado de la teoría. Viviríamos un nihilismo sin tragedia que da cuenta que las crisis de la política y la teoría son profundas, y hay que recuperar la discusión sobre el sentido en su ausencia. Me sitúo tratando de recobrar y actualizar desde otra invención reflexiva ese mundo, reformulando, superando lo que quedó en el camino, pero atendiendo a esa herencia desde la crítica a ella, y desde ella. Tratando de despojarla de totalizaciones, dogmas, intencionalidades unificantes, capacidad descalificadora de otros caminos y visiones. En todo esto, se llame docencia, investigación, escritura, obra, diálogo, argumento, se trata de recobrar el pensar. Ni siquiera, diría, recobrar la figura del intelectual, sino del pensar. ¿Todavía podemos genuinamente pensar o evidentemente ya está todo tan lleno, ofertado, saturado, que ni siquiera nos deja una mínima distancia para pensar? Yo rescato ese momento del pensar como posibilidad de volver a interrogar la época desde un lugar crítico de disconformidad cierta.

Una disconformidad radical con el mundo

—¿Cómo se enlazan, entonces, la tarea intelectual y la investigación social como forma particular de esta tarea?

—Creo, antes que todo, que la investigación es el arma de la crítica para expresar la disconformidad con el estado de las cosas, en el objeto construido. Más allá de que haya políticas de izquierda reales y convocantes, o no existan. Más allá de que estemos lejos o cerca del cambio de una historia cuajada de irracionalismos, no podemos perder ese momento de disconformidad radical con la situación del mundo, con el curso de los saberes y con el estado de lo que podríamos llamar lo humano social y cultural. Quisiera una facultad no absolutizada en eso, pero sí con plena conciencia de que toda cátedra, o recinto investigativo, es también una impugnación a la historia que nos toca. En una sociedad plagada de injusticia, olvido, corrupción, salvajismo del mercado y que sin embargo funciona, la universidad solo debe aspirar a ser el sitio de la trasmisión de un pensar desnormatizante, deslegalizante de eso que "sin embargo funciona".

Esa tensión no se debe perder, porque si se pierde, la cátedra, la investigación, pasa, se lo quiera o no se lo quiera, a un terreno festivo, a un terreno de distracción con respecto a la injusticia y el dolor humano pasado y presente. Esto creo que poco a poco va a formar parte importante de un debate de época, ante la amenaza de la muerte de la crítica. En ese campo mi intención aspira a esa impronta, discusión crítica ya no sólo con el objeto analítico sino con los intérpretes de la crítica. Estamos viviendo un tiempo de modernización neoconservadora donde se hace más simbólicamente notorio el momento tecno-académico. Por eso es importante la participación de todas las instancias, corrientes y enfoques de la disconformidad, y el debate abierto y democrático desde los distintos obrares. La carrera de Comunicación en ese sentido tiene una fuerte riqueza culturalista. Muchos de sus profesores, cada uno desde perspectivas similares o diferentes, plantean una lectura no complaciente ni del estado de las comunicaciones, ni de la organización de los saberes, ni siquiera del perfil de egresado sobre el que muchas veces nos vemos obligados a trabajar. Esto forma parte también de una discusión entre ustedes: qué se está produciendo, cómo los "estamos produciendo" a ustedes, qué se está generando, qué tipo de alumnos egresan. Están las posiciones más pragmáticas, más tecnicistas, más culturalistas, más críticas, yo creo que se debe defender esta pluralidad. Nunca debiera haber un perfil definido y sí más bien una tensión permanente entre variables de uno y otro lado. Los alumnos mismos la tienen, la llevan adelante, están más conformes con una cosa que con otra, sueñan más con una cosa que con otra. Les parece mucho más lógico que la carrera enseñe una técnica, a saber manejar un monitor en la radio, que discutir por qué este pensador o teórico pensó a esto o aquello. O están aquellos otros que se ven interesados en esa enorme riqueza de reflexión en el campo de las ideas y sus fragores, que de golpe se descubren atravesando un terciario y entonces tienden más hacia las indagaciones culturales, hacia las investigaciones, y les va preocupando quizás menos el ser comunicador, periodista, publicista, que interrogar desde la comunicación al hombre y su época.

—Pero más allá de estos espacios institucionales, ¿ve algunos lugares en donde circule algún tipo de discusión, de polémica que vaya más

allá de la cita o las referencias cruzadas de autores?

–A mí siempre me extraña la poca capacidad que ha tenido hasta hoy la carrera, desde sus alumnos, para gestar espacios, revistas, lugares, proyectos en sus márgenes y en sus afueras. Siendo una carrera de Comunicación donde tendría que haber una intencionalidad inmediata de querer publicar algo, sacar algo, generar, agruparse, decir "bueno, vamos a sacar la mejor revista del mundo, con la cual vamos a partir en dos la historia y todo lo que ha sucedido hasta ahora".

En este sentido el proyecto que tienen ustedes y su revista los está marcando en un camino siempre extraño, ingrato pero gestador de apasionamiento intelectual. Porque en general uno nunca termina de contestarse por qué no es un feliz distraído del mundo. Pero junto con esto aparece ese otro punto que yo creo que da el conocimiento, que da la conciencia politizada mucho o poco, y es el deseo de investigación, el saber aplicado, la aventura de indagar. Y esta es una elección absolutamente personal. Yo de los muchos libros que tengo, menos del diez por ciento me los habrá solicitado explícitamente la Universidad, los otros han sido derroteros propios, personales. La Universidad abre un espacio de interrogantes, de constelaciones ignoradas, de disciplinamiento en las búsquedas. Después hay que seguir, absolutamente solo o en grupo, pero con el fardo a cuesta al que nadie en particular te obliga, pero a la que la crítica te destina. Y cuando digo crítica no estoy diciendo escepticismo, pesimismo, amargura, pálida sobre el mundo, sino tal vez lo contrario, toda actitud crítica intelectual esconde una resistencia a la cancelación de los sentidos, a lo indefectible, guarda una inconfesable promesa de reversión de las circunstancias.

En el caso de Comunicación el problema es más conflictivo, pero al mismo tiempo más incitante. Nosotros estamos trabajando en un campo que por un lado nos procura un alto nivel de lucidez y dinamización interpretativa: las comunicaciones precisamente definen hoy las formas societales, la forma de la política, la forma de la cultura, del deporte, de nuestro propio pensar. Por otro lado diría, estamos en el lugar del mal por excelencia, las comunicaciones, lo massmediático, esa suerte de pérdida casi definitiva de experiencia con lo real si es que todavía existe detrás de la pantalla, de pérdida de nosotros mismos. Yo supongo que un estudiante de Medicina tiene infinidad de problemáticas, pero no tan acuciantes culturalmente, ideológicamente, como el de comunicaciones, en el sentido de que nosotros estamos tratando de ser comunicadores en un mundo donde vemos que las comunicaciones se nos escapan totalmente en cuanto a la posibilidad de lo que querríamos, ya que por lo general la comunicación que experimentamos definen cotidianamente al mundo en las antípodas de una recuperación del espíritu del hombre.

Ese es un desafío difícil, un lugar arduo, una experiencia de extrema conciencia y de alto riesgo. Partir reconociendo la enorme influencia que tiene el material sobre el cual estás trabajando. Yo creo que ahora estamos en un pasaje hacia una mayor importancia del aspecto investigativo. Además paradojalmente, lo más importante de lo comunicacional en América Latina nació en el campo investigativo, no nació en el campo docente, sería una suerte de volver a las fuentes. Los que edificaron inicialmente la problemática fueron aquellos que constituyeron un campo de investigación. Esto también les tiene que decir a ustedes la importancia de la investigación, porque para ustedes tal vez hoy las comunicaciones sean 30 materias, 30 profesores, 30 ayudantes y 30 aulas por las que pasan con mayor o menor fortuna, pero el primer tramo de nuestra biografía fuerte no fue docente sino que fue investigativo y crítico. Quizás a la carrera, por bisoña, le falte tener una saga propia, tener una leyenda propia, tener un relato de drama, misterio, transparencias y oscuridades, en fin, una historia. Es importante esa leyenda, ese saber de dónde vienen, ese momento mítico que por ejemplo tiene sociología: sociología fue aquella carrera que en los años '60 aportó más a los procesos teóricos, de conciencia para los lineamientos políticos. Tiene ya zonas decibles, indecibles, interpretables, sepultadas, recordadas, duelos, divorcios, hijos ilegítimos, reyes olvidados, como toda carrera de larga data. Comunicación tiene apenas diez años, le falta eso, como dirían los poetas de la Grecia arcaica, los mitos de origen, el pasaje al tiempo de los hombres, el recuerdo de las teodiceas. Quizás ustedes lo están empezando a realizar. Lo peor es el distraído, el indiferente, el personaje que pasa sin darse cuenta por dónde está pasando. Sería interesante una carrera con diez revistas que estuviesen discutiendo sobre lo que acontece con la carrera, con las concepciones, con la necesidad investigativa.

El proyecto, por ejemplo, de la Orientación en Estudios Culturales –que está ya aprobado por la junta de la carrera– una orientación en la que estuvo trabajando una comisión de profesores en estos dos últimos años y está absolutamente afincada en la investigación. Está pensada para aquellos que quieran investigar en el campo de la cultura y las comunicaciones. Ojalá que este año se pueda implementar.

–¿Cuál sería, en esta línea, tu modelo de investigador, en relación al tipo de trabajo que debería realizar, a su formación, etc.?

–Pienso en una constitución imaginaria que asemejan mucho la obsesión del científico social, del filósofo, del artista, del escritor, con un investigador de ideas, de cultura, de mentalidades, de obras, de cosas que la historia pareciera invisibilizar. ¿Qué harían todos ellos? Ensayan un mundo aproximado, cuya verdad es precisamente esa postergación del mundo. El médico dice, este hígado está infectado, y el ingeniero, esto es un puente, y el juez, usted es culpable. Ahí nunca el mundo queda postergado, en estado de ensayo, hay siempre un cumplimiento del mundo. Trabajan sobre lo iluminado. Aquellas figuras en cambio, también el investigador en este caso, trabajarían sobre un terreno ambiguo, donde la verdad sería una alusión, la búsqueda de algo que no está antes pero tampoco después. Entonces, lo que aparece iluminado es su ensayo, al costo de una distancia infranqueable, de una oscuridad inaccesible, eso que debe seguir siendo el mundo.

Yo me perfilo en ese campo más bien ambiguo. Tal vez por eso hago tan explícita la idea del ensayo investigativo. La lectura de un secreto de época, de una tendencia social, de una atmósfera, de un modo de vida, de una injusticia, de una memoria, de una identidad, de un tiempo, de un imaginario, de una escritura. ¿Qué son esas cosas? El ensayo es ese punto donde, desde tu metodología, desde tu aplicación, desde la rigurosidad de un modelo, autor, escritura, desde tus datos, desde tus hilados, vas persiguiendo esas cosas fantasmales donde en realidad el mundo nunca pareciera cumplirse, pero sí explicarse. Y donde tiene mucha importancia la escritura para alcanzar ese secreto. La escritura no como un simple instrumento que vuelca datos, sino como la clave de aproximación. Quizás lo que más me iluminó en la vida es la literatura, la novelística, por ejemplo la investigación de Proust, o de Musil, o de Joyce, o la escritura de Sarmiento hablando de la revolución traicionada, la invención de una tragedia donde casi no había nada. Ese respeto por el arte hace que trabajes investigativamente sabiendo que en la verdad de la investigación es decisivo el lenguaje.

(CUADRAS Y CUADRAS DE GENTE*)

HG: — *Te escuché muchas veces medir el entusiasmo político de décadas pasadas con una alegoría numérica: "20 cuadras de gente"; "50 cuadras de gente". Como si esa medida antigua, la "cuadra", fuera a la vez un indicio de ebullición social y de actividad urbana.*

—La relación de la juventud de los '70 con la ciudad fue un momento breve pero muy fuerte. Fue el gran momento en que produjo una irrupción en la ciudad. Había una ciudad desierta de política, donde culturalmente deambulaban ciertos fantasmas literarios, y de repente se produce la irrupción. Esa primera situación de ciudad antigua yo la intenté trasponer a mi novela *Para hacer el amor en los parques,* donde un grupo de deambuladores, un poco a la manera marechaliana, intentaban hacer una revista. Era una ciudad anterior a la embestida de las masas juveniles. Después vinieron las "cuadras y cuadras de gente". Yo recuerdo los rostros de quienes nos miraban pasar cuando nosotros marchábamos. Rostros escrutadores; eran la ciudad inmóvil y real, que nos miraba. Nos veían como una comparsa a la manera de Homero Manzi, quizá con la convicción de que nunca tendríamos una relación con ellos, que eran los porteños medios dueños de su historia y modernizados por el frondizismo y las cuotas, de los ciudadanos arquetípicos de los '60 en Buenos Aires. Aplaudían, pero exteriores a todo. Cuando volví de México, en los '80, fui a casi todas las grandes manifestaciones, pero también me quedé mucho en la vereda. En el lugar de aquellos porteños que nos miraban o aplaudían. Fue tan intenso y tan breve aquel período, que esas 20 cuadras de jóvenes hacían un efecto de ciudad avasallada. Ahora, Buenos Aires no parece retener la memoria de lo que fue eso.

HG: — *Pero ahora hay cada vez más estadios repletos por las multitudes de rock. La medida aquí no es la cuadra sino el "estadio". Se dice "cuatro Obras", "dos River".*

---

* Entrevista realizada por HORACIO GONZÁLEZ y CHRISTIAN FERRER, en revista *El Ojo Mocho*, Buenos Aires, Nº 7/8, mayo de 1996.

–Quizá nosotros impusimos un modelo: si en los '70 era algo cierto es que éramos jóvenes los que estábamos allí. Ese gesto perdura, aunque en el estadio es una cosa distinta. Aquéllas eran marchas de una extraña figura: de Congreso a Olivos, del Obelisco a Ezeiza, de Plaza de Mayo a Devoto, como si dibujásemos anticipadamente la despedida de la ciudad. Precisamente la marcha más que unir lugares, distancia, tiempos, en la marcha no hay nada en el medio, únicamente el viejo desierto, sólo significan sus extremos simbólicos. Las convocatorias juveniles actuales no son actos deambulantes.

HG: –No sólo eso. Son multitudes vigiladísimas. Es un espectáculo en el cual los jóvenes aceptan sofisticados esquemas de control, cientos de funcionarios de agencias privadas con brazaletes... Me espantaría que fueran los mismos brazaletes que supimos usar nosotros...

–Ojo, que las juventudes del '70 eran juventudes ordenadas, con modelos de marcha muy regimentadas, era un orden que se concebía como parte de un orden que solíamos llamar revolucionario. Algo de eso se heredó, pero la función de autocontrol ha pasado a las agencias privadas. Lo que no perduró son las pancartas, que tendían a hacer más plásticos los desfiles juveniles.

CF: –¿Pero percibís una diferente ocupación de la ciudad por parte de esas dos juventudes?

–A la del '60, yo no la veo "en la ciudad". Del '64 al '66 participé de una revista literaria que discutía cuestiones como "el compromiso sartreano", si publicar o no un texto del Che, o el boom de la literatura latinoamericana, o íbamos una vez por semana a visitar a Marechal para que nos contase de las revistas y andanzas literarias de los años '20, '30, los ancestros de nuestra ciudad, una marcha por las biografías. Pero en 1965 era una Buenos Aires con clima de familia, a lo que contribuía el cuestionado aire democrático que se respiraba en las universidades. No es que no hubiera manifestaciones, pero no dejaban huellas en la ciudad que para nosotros permanecía "poética" o "bohemia" y no para los usos de la política. Están, sí, los signos de violencia, pero en los '60 no hay ocupación plena de la ciudad. Eso es de los '70.

HG: –Me acuerdo de la Plaza de Mayo del '73, donde en el balcón se divisaba a Cámpora, Salvador Allende y Dorticós, presidente de Cuba. Y Leonardo Bettanin –una amigo nuestro, luego desaparecido, dirigente juvenil de aquel momento– tenía el micrófono pues era el locutor improvisado de ese acto. Y escuché: "Se ha perdido la cédula de identidad número tal y tal". ¡En medio de ese enorme cambio de escenario histórico, Bettanin introducía el sabor de un altoparlante del club de barrio!

CF: *–Antecedentes había: en Woodstock una pareja celebró su matrimonio en el escenario, ante medio millón de personas. Y también continuadores: el "un médico allí" de Alfonsín...*

–Ese día están todos los sectores en la Plaza de Mayo. Recuerdo que se pasaba continuamente la marcha peronista, como una cortina musical ya sin significado. Pero luego acaba ese aspecto repetitivo o mítico y salen las columnas hacia la cárcel de Villa Devoto, a liberar a los presos. Fue la primera columna que en los '70 atraviesa de lado a lado la ciudad. Ahí ya habían surgido todas las técnicas de autocontrol, que querían decir: "no es necesaria la policía. Estamos nosotros".

HG: *–Bueno, el autocontrol genera una burocracia de control. Ése era un tema permanente de debate. El propio Perón se quejaba que los hechos de Ezeiza se debían a esa falta de control. Ese lamento se lo escuché en Olivos a Perón en una reunión muy terrible y trágica en la que participé. La discusión de la época se podía resumir en el arco que va del autocontrol al control. Y la sospecha de época es si el primero podía ser éticamente superior a lo que ya se sabía de las abominaciones del segundo.*

–Hay que decir que, en ese momento, Perón no tenía ningún entusiasmo por la ocupación urbana a través de las juventudes. Íntimamente, estaba en contra de esa forma de querer ejercer multitudinariamente la política. Por otro lado, las juventudes políticas hacían esto cada vez más extensa y contundentemente. Montoneros podía sacar de un día para el otro 50 mil personas a la calle, lo cual lindaba con el burocratismo de "sacar a la calle en orden y disciplina". De ahí la gran polémica de la multitud que se retira de la plaza el 1º de Mayo: ¿era una retirada espontánea?, ¿eran órdenes previamente discutidas?, ¿era parte de la mecánica de masas o el fin de una historia? Es, fue otro debate. Pero lo cierto es que esa vez por primera vez se desarma lo afiatado y calibrado de 50 mil personas en marcha. La última vez que vi entrar a la plaza a juventudes organizadas, fue con la sublevación de Rico: Franja Morada y la Juventud intransigente, por momentos, me hicieron recordar a esa otra época.

HG: *–Pero allí con una mayoría de gente dispersa y un aire familiar, como contrapunto de la tragedia que se estaba viviendo. De todos modos, aquellas "cuadras de gente" de los '70 no tenían un correlato cultural muy diversificado e investigativo. Había una cultura literaria un tanto monocorde, acompañando los hechos. Sin duda, Crisis renovaba el ambiente, pero estaba el peligro de crear un canon de "cultura movilizada" donde faltaban experiencias de vanguardia, como dice Christian. Piglia afirma hoy que los* *fuertes compromisos políticos llevaban a leer mal la literatura, sea por verlo a Borges como antagonista, sea por verlo a Walsh como partisano.*

–Es que en, esa época, todas las obras funcionaban más como eco que como lectura. Walsh podía leerse en eco, pero en cambio Hernández Arregui se leía literalmente. De Walsh recibíamos el eco de la utilización de un género periodístico, con enorme eficacia. Con eco quiero decir como si la historia de las ideas ya hubiese leído por nosotros, y los escuchásemos desde nuestra lectura confirmatoria, en todo caso esa generación se alejó de las obras de la duda, de la ambigüedad, del claroscuro. Al hacer la historia se hacía la crítica, se licuaban otras textualidades y otras críticas. Hasta las contradicciones del peronismo aparecían como lectura afirmada, en eco con la historia.

CF: –*¿Cómo se explicaría entonces la mitologización actual de una época que no era tan plena culturalmente?*

–La mitologización de los '60 proviene incluso de recientes esfuerzos de la industria cultural, con centro en el Mayo francés. En todo caso, se leía lo que se tenía que leer. Hasta el punto que llegado un momento sólo podían leerse documentos internos de las organizaciones políticas. De hecho se estaba revitalizando una larga herencia de izquierda y de marxismos libertarios, pero los debates habían perdido el prestigio que de otro modo, por ejemplo, les podría dar su traducción a hechos estéticos. Pero aquí no había grandes novedades, precisamente porque en el terreno político había verdades fuertes y seguras que creaban la sensación de que era innecesario discutir demasiado. La generación de los '60 llegó a pensar así que estaba en posesión de los textos fundamentales para resolver la historia. Cioran dice que las épocas de decadencia contienen mayor creatividad cultural que las épocas de grandes construcciones políticas. La generación del '60 no dejó una gran impronta cultural, aunque es recordada por una gran derrota, en la medida que ésta origina diversas memorias y leyendas. Cuando yo estaba en FATRAC, que era lo que se llamaba un frente de lucha cultural, lo que leíamos era Althusser. Es cierto que le daba un papel intelectual al afirmar que la lucha de clases se daba también en la filosofía. Pero ése fue el último gran aliento de asociar una tradición intelectual a las prácticas revolucionarias. Fue el último gran gesto mitológico del intelectual, al que le incumbía construir las grandes ciencias y filosofías revolucionarias. Recuerdo que Daniel Hopen era un entusiasta de Althusser. Quizás habría que ver ahora hasta qué punto Althusser se acercaba a Marcuse, pues ambos postulaban un activismo regido por acontecimientos del mundo cultural. En ese momento, el mundo comenzaba a transformarse en "hablas". "¿Cuáles son las hablas de la revolución?" La cultura: territorio de las hablas. Nosotros, en las calles de Buenos Aires, con FATRAC y gente del Di Tella, habíamos derramado unos tanques de petróleo aludiendo a la huelga de los petroleros de Ensenada. Fue en la esquina de Florida y Paraguay. Y después nos íbamos a leer a Althusser. Al otro día, podíamos ir a poner los entonces pioneros pasacalles, pero eran actividades escénicas, donde intervenía más la gente del Di Tella que la gente, digamos así, de la calle Corrientes, más ligada a las organizaciones políticas. En el "Politeama" o en "La Comedia" podías encontrar a los que leían *Hoy en la cultura*, pero no veían la política en alianza con vanguardias estéticas... El FATRAC, que era de orientación trotskista, podía tener esa intuición. Pero lo central era la lectura de Althusser, donde se condenaba a las ciencias sociales como armados ideológicos que nos apartaban de la intuición obrera revolucionaria. Si el trotskismo a veces ordenaba proletarizarse, renegar del libro y de una pared con biblioteca, el althusserianismo recuperaba otra escena también mítica en la prosapia revolucionaria: los precursores enfrascados en la ilustración libresca para renegar del mundo y develarlo desde el amparo argumental y escrito. El intelectual como centinela de la veracidad científica de la revolución.

HG: *—Hace poco leí el discurso de Balibar en el entierro de Althusser. Decía algo así como que acá somos pocos pero, en ese momento, cientos de personas en Londres, Praga o Bogotá estarán contritas. Es cierto, se lo leía en todos esos lados y es emocionante pensar hoy que había una confraternidad althusseriana. Lo extraño es que Balibar no menciona a Buenos Aires. Buenos Aires tiene lugares desdoblados que imaginariamente le pertenecen, como el cuarto donde Althusser mató a la mujer. Ese primer piso de la Escuela Normal Superior es como una parte de la historia intelectual de la Buenos Aires contemporánea.*

—Es que la generación del '60 va abandonando los escenarios constituidos, institucionales. El teatro, las galerías de exposición, la propia universidad... Althusser habilitaba todo eso con similar abandono de los conocimientos como la sociología y la antropología, que se habían situado en la universidad. Al proponer una vuelta a un Marx que aún no había sido descubierto, arrasaba no sólo con el viejo y bohemio existencialismo sino con cierto camino que habían emprendido las ciencias sociales institucionales. De todos modos, hoy podemos decir que Althusser no termina en Daniel Hopen, sino en el actual debate sobre Lacan. De algún modo siguen en Buenos Aires.

CF: *—Traigo a colación un concepto de moda, de índole agronómica, ¿dirías vos que en los '60 había un campo cultural unificado?*

—Sí, unificado por la idea de revolución social y política como plena actualidad, todo el campo cultural tenía que dar cuenta y tomar posición frente a esa orden del día. La revista *Los libros*, que sacaba Héctor Schmucler no podía evitar tomar partido frente a un caso como el del poeta Padilla. ¿Qué debería hacer un poeta en la revolución? Acusar y aprobar su conducta y su condena se hacía en relación a un punto unificante que podía unificar Walsh al decir –recuerdo una entrevista que creo que le hace Piglia– que no era imprescindible escribir más novelas. Walsh siempre aparecía como desde las catacumbas. No sabías de dónde, y de repente se presentaba con sus imágenes contundentes. No era el escritor que iba circulando entre mesas redondas. Era el escritor de un tiempo de cambio social a la orden del día. Eso ensamblaba todo. Recuerdo que había personas que veían eso con prevenciones, como Germán García, pero cuando nos quedábamos con él discutiendo hasta las tres o cuatro de la madrugada, era porque el eje estaba puesto ahí, en el cambio de la vida y las circunstancias nacionales. Y eran discusiones cuando todavía no estaban los kilómetros de personas marchando en la ciudad. Diría que en los '60 la cultura fue el último escenario industrial donde sobrevivió la revolución como posibilidad del presente. Más que verificar la revolución en el conjunto de la sociedad, la cultura guardó, actuó sus escrituras. Como los cristianos radicales que siglos después del calvario conmocionaron a Europa anunciando el milenio. En ese sentido hay algo portentoso y a la vez patético en esa deriva del mundo de las ideas, cuando anuda y explica a su manera la dispersión y la injusticia de la vida. La cultura entonces, era el único recinto de la revolución en su sentido genuino. En lo social, económico, político había protesta, conciencia, revuelta, anticolonialismo, reivindicaciones, la mala vida, pero no la revolución. En este sentido podría decirse que fuimos una vanguardia que consumó culturalmente una escritura, un legado ya en retaguardia. Esto también explicaría nuestro presente ideológico y político.

CF: –Aun así es muy significativa la ausencia en ese momento de un discurso estético vanguardista que se correspondiera con la política, como el que en los años 20 intentaron los surrealistas.

–Bueno, esto da en el corazón de lo que yo viví íntimamente. En los '70 nosotros vivimos en el renunciamiento de todas esas problemáticas. No sólo los dilemas estéticos y filosóficos en su sentido intrínseco, sino la posibilidad de conjugarlos con la política. La vanguardia política asumió características muy sumarias, reductivas del problema estético. Alguna vez lo discutí en estos términos con Walsh: ¿cómo podemos renunciar a lo que amamos?, que podía ser tanto Joyce como Thomas Mann, como Kafka. Renunciar en el sentido, caso mío, que venía de la literatura, de los temas de la creación genuina o impostada, para qué sirve el hecho de la novela o el cuento, y de las inconfesables relaciones con el universo literario que se interiorizaban como figuras de vida, como formas de situarse frente a las cosas. ¿Dónde quedaban esos mundos frente a la simpleza binaria de la política, a sus formas éticas extorsionantes? O preguntando al revés: ¿dónde ponías tus universos íntimos, sofocados, narcotizantes, ideologizados, al abrirte a lo impostergable de cambiar el mundo desde un compromiso total con la política?

HG: *—Sin embargo, ese renunciamiento a las revelaciones culturales podía ser amputador, pero daba un sujeto más cauteloso respecto a las revelaciones de su propia identidad en el mercado. Por ejemplo, en el periodismo...*

—En el periodismo, en lo que va de ayer a hoy, podemos percibir las épocas diferentes, las diferentes relaciones entre información y política, cómo discutirla, cómo hacerla presente. Claro, en el periodismo ya se pasó a otro plano. El periodismo tradicional no tenía notas firmadas, excepto en los suplementos culturales. La firma del periodista aparece con *Primera Plana* y *La Opinión*. Pero en general se creaba una relación ascética en el periodismo, despojado de la autoría. Pero hoy la autoría incluso está alimentada por la radio. Parece que el mercado precisa más que antes revelar figuras. Antes estaba más velada la figura, y la actual tensión entre periodistas e intelectuales se daba de otra manera. Lo digo con una humorada que he escuchado: "en los '60 todo periodista quería ser escritor; hoy todo escritor quiere ser periodista". El periodista de los '60, que se había instruido por las suyas, era en realidad un intelectual que quería ser otra cosa. O comandante guerrillero, o novelista o poeta. También puede decirse que son los años '60 los que plantean el dilema del periodismo de "autor" desde el compromiso y la subjetivación de la noticia, hasta ese entonces supuestamente "anónima". Recuerdo cuando en 1971 sacamos la revista *Nuevo Hombre*, una revista semanal. La sacaba Harito Walker que invitó a participar a Ortega Peña, a Duhalde, a Dardo Cabo, Alicia Eguren, Zito Lema, Daniel Hopen y a mí. En las discusiones internas nos preguntábamos si teníamos que escribir con nombre y apellido, pero no sólo por un problema de seguridad en plena dictadura. Te diría que se discutían cuatro marcas que disolvían viejas figuras o no terminaban de gestar una nueva: el cuadro político, el escritor orgánico, el intelectual universitario y el periodista comprometido. Las cuatro formaban parte de la saga de la revolución y estaban reunidas en esa revista. Ortega y Cabo pensaban que las cuatro eran necesarias y había "que sacar la cabeza" para mostrarlas a lo largo de la marcha. Daniel Hopen, de una manera más cruda y verídica, planteaba el anonimato porque todos esos roles iban a ser tragados por la estrategia revolucionaria. Con los años la recordé como una extraña escena gremial, pero tardomedioeval, mezcla de oficios y artesanías en desuso y sueños del hombre nuevo guevarista. Porque roles, profesiones, lugar cultural, se discutía en función ideológica, política, lo que estaba absolutamente ausente era la normatividad del mercado capitalista que nos contenía. Yo escribí una serie de seis o siete artículos sobre "el intelectual", buscando fallidamente preservar esas clásicas siluetas de la cultura de izquierda y llevarlas a un punto límite de compromiso con la política sin disolver sus identidades. Por supuesto fueron argumentaciones ilusorias, más tercas que lúcidas, más bien intencionadas que realistas. Cómo armonizar arte, filosofía, literatura y política en tanto cultura revolucionaria en la revolución, sin caer en el leninismo acusatorio del pequeño burgués ni en el maoísmo policíaco de los guardias rojos. Hoy el intelectual sería un personaje al margen del protagonismo, y su actividad sustituida por el periodista. Esas notas de *Clarín*, firmadas, del tipo "¿Dónde va la juventud?", y que devora la clase media, son pequeñas novelas rápidas que están sustituyendo las "Aguafuertes Porteñas", al intelectual, al sociólogo... ¿Qué sería de un Sartre en la Argentina? Un tipo al que se le pediría su opinión para una nota destacada de *Clarín* de los domingos. Y quizás vacilase al decirle a Grondona, no, no voy a tu programa. Hoy, la aventura periodística desea alcanzar todos los niveles. *Noticias* llegó a sacar una tapa heideggeriana.

HG: *—Bueno, la industria cultural se caracteriza por reutilizar pedazos de la filosofía...*

—A veces me planteo si nosotros mismos no somos otra estética de masas que se agrega a la industria cultural. Somos los "críticos". Como diría Silvina Walger, en tal reunión estuvieron los pensadores... ¿Quiénes somos? ¡Los pensadores!

CF: *—La relación de los linajes intelectuales con los medios es una relación compleja, forjada a partir de necesidades y de intercambio mutuos. No parece fácil para los que se reclaman "intelectuales" resolverla con la condena.*

—Con los grandes medios masivos audiovisuales salimos afortunadamente, ilesos, porque cada vez estamos más alejados. Pero en cuanto al periodismo podemos decir que la tendencia es la contraria. El periodismo articula su producto con los aportes de los intelectuales. Es decir, articula la banalidad con opiniones que debe presentar como "especializadas". "¿Qué opina de los chicos que vuelven a las cuatro de la mañana?" Y ahí opina el sociólogo, el psicólogo, el comunicólogo. Se genera una "autoridad intelectual" como validación de la nota, autoridad que provendría de las "afueras" del periodismo...

HG: *—Al cual de algún modo ya le dictaron qué pensar desde el propio periodismo...*

—Por eso, es una autoridad entre comillas dispuesta a opinar, por ejemplo sobre cosas como la moda de los pechos grandes entre las mujeres. El antropólogo, el sexólogo, el psicoanalista, amparan o validan la banalidad articulándose con ella. Para el mercado de lectores parece indispensable la aparición de estos "pensadores"...

HG: *—De ahí que los llamados pensadores deben recrear un lenguaje capaz de introducirlos en la lógica de los medios...*

CF: *—Los "pensadores", que hoy desean ser periodistas, ejercen la última estribación de esa lógica. O si no, se transforman en políticos o técnicos que se incorporan a la política progresista.*

—Sí, todo eso funciona como una compactadora tan tremenda que es difícil pensar desde afuera de esta radicalidad de mercado. Aun nuestras propias maneras de quedar al margen, pueden ser incorporadas por el mercado. Como consumo decorativo, crítica inocua o valor agregado.

HG: *—Vos decías que los "años '60" eran un mito de la industria cultural. Recuerdo a Carlos Olmedo, que era un alto dirigente de la guerrilla, y al mismo tiempo trabajaba en la sección publicidad de Gillette. Lo digo por las grandes dotes intelectuales de Olmedo, quizá de las más sutiles que tuvo la guerrilla argentina, y su participación en el mundo avanzado de la creación de ideologías de consumo en el alto capitalismo. Estaba en los dos lados, pero desde el punto de vista de las grandes ideas de la época, quizá había un único lado de modernidad y vanguardismo... En las décadas siguientes sólo quedaron expresiones unilaterales en el mercado, que da la impresión que pacientemente estaba a la espera, para depurar todo.*

—Es que, además, en aquellos años había cosas que el mercado no integraba. Hoy, aunque no es fácil decirlo, *El caso Satanowsky* de Walsh podría tranquilamente aparecer en *Noticias*, si descontás el riesgo y al periodista solitario contra el Estado "de los batatas". Pero incluso en la época de Karl Kraus, en la Viena de 1910, ya existía la idea de que los medios masivos generaban otro tiempo en la historia del sujeto. Nietzsche ya lo ve en el filisteo que queda compactado por un nuevo periodismo y se siente culto al leerlo. Pero en la Viena de Kraus existe la posibilidad de marcar las diferencias, y él escribe en nombre de eso, se pelea y se trompea en nombre de eso. Hoy podríamos imaginar que Kraus se pegó un tiro o ya fue invitado a trabajar al mejor diario de Viena, como efectivamente fue muchas veces invitado a trabajar. La historia trazada sería la de los tantos y tantos que surgen en circuitos alternativos y luego pasan al aparato central, al que renuevan culturalmente.

HG: *—Quizá el recurso a la Viena de principios de siglo pueda resolver, no sé si en tu caso, el encuentro con una invención cultural como la que no hubo en Buenos Aires de los años '60. Por lo menos si la comparamos con lo* *que en aquella Viena era el psicoanálisis, el marxismo, el expresionismo, la filosofía del lenguaje, etc. Walsh y Karl Kraus quedan como ejemplos de no integración.*

—¿Cómo podemos saber nosotros hasta qué punto nuestra intención de intervenir con éxito en la cultura provoca un éxito que puede ser reubicado y procesado en otras instancias? Si un libro nuestro vende 25 mil ejemplares, ¿qué pasamos a ser? ¿Los mismos con 25 mil ejemplares? ¿O va a venir un canal de televisión que diga: escúcheme, a usted lo preciso acá...?

CF: —*Elías Canetti recuerda las conferencias de Kraus como grandes espectáculos públicos. Se iba a ver el espectáculo "Kraus". En ese sentido, la figura del intelectual y del escritor no sólo eran constituidas a partir de juramentos a la vocación trascendental, sino también como oficios públicos dependientes de un mercado de opiniones. La diferencia con nuestra actualidad no parece residir en el grado de manipulación que se hace de las opiniones de los intelectuales, banales o no, por parte de los medios, sino en poder de distinguir si aún se sostiene la figura del intelectual o del escritor como alguien que por oficio es capaz de intervenir en los asuntos públicos.*

—Es lo mismo que preguntar si es posible pensar aún. Me parece que ya se ha compactado todo: en la época de Canetti o de Thomas Mann, la cultura era la cultura "culta", separada de los medios de masas, que, sin embargo, para la Primera Guerra Mundial, ya tenían su historia. Mann, aun siendo escritor conocido, va a la ópera, hace tertulia con intelectuales, escucha sus discos en 78, y cuando describe el mundo, notás que es un mundo para nosotros claramente "incompleto": no está la televisión. Nosotros seremos los últimos representantes de una cultura "culta", porque estamos en la Universidad, pero situados en el marco de una cultura massmediática, absolutamente. Sería imposible que nuestra cotidianidad esté contada como la que cuenta Thomas Mann en 1935. Él lee los aburridos diarios alemanes sin títulos catástrofe, en medio de la guerra. Pero nada lo acosa: saca al perro y de tanto en tanto va al cine, que todavía está en discusión si va a ser arte o qué. Nosotros estamos situados en un lugar más anegadizo, donde se superponen la cultura culta y la cultura massmediática, en una gran mescolanza donde terminamos viendo a las dos de la madrugada una gran película de Visconti en la televisión. Sabemos lo que estamos viendo pero es una película más entre las trescientas que dan en ese momento. Cuando Canetti va a ver a Kraus a Viena, estaba rodeado por un mundo que dejaba espacios al pensar. Cuando digo hoy todo está "lleno", imagino que ni tengo diez centímetros para construir un pequeño desierto. ¿O aún hay posibilidades para eso? Aun Adorno, atormentado por la industria de Hollywood, tenía ese espacio. Llamo espacio a la posibilidad de desprendernos de las lógicas que nos constituyen, deslindarnos efectivamente. Desprendernos del "pensador" como nueva estética que el mercado establece para anular toda diferencia entre palabra y mundos instituidos. ¿Qué sería hoy Kraus con su histrionismo y su lectura durante tres horas de una obra teatral? ¡Un fracaso! O quizás algo que de hacerse dejaría todo en claro, pues te dirían, mirá viejo, estás en el tiempo de la televisión. La sensación es que está todo lleno y nosotros formamos parte de ese lleno. Ahí se insinúa cierta posibilidad salvadora del fracaso. Porque si ahora también puede vivenciarse una gran catástrofe como lo sospechó la cultura vienesa, la diferencia es que ya el fin del mundo es también ofertable en el mercado, quiero decir, es programación, creativos, raiting, entrevista anestesiante.

CF: *—¿La alternativa supondría entonces el silencio o la retirada?*

—Creo que siempre hay un sueño nuestro de retirada. Y al mismo tiempo una no desmentida necesidad de intervención, caminar hacia el silencio medio barbarizante, una especie de rusticidad heideggeriana, me da miedo. Más bien soy de mantener la crítica y la palabra. Crítica radicalizada, aunque el silencio sea tentador por herencia estética. La cotidianeidad te permite cierto deslizamiento hacia un punto propio. No exageraría nuestra penuria, pero, ¿cómo deslindarse del "lleno"? En la política en algún momento te expulsan. Pero en el mercado no te expulsan nunca. Siempre estás entrando saliendo.

HG: *—Sin embargo, el mercado traza una línea brusca y dura de inteligibilidad. Y en general quedamos detrás de la muralla, no consumibles.*

CF: *—Pero los periodistas traducen. Peor es el caso de los que escriben alguna columna, pues ahí tienen que modificar su lenguaje.*

—Bueno, queda una capacidad de contrapelo: la capacidad de anacronizarte, de actuar a destiempo. Un determinado nivel de crítica que no es comprable, porque arruina negocios. Esto nos da la posibilidad de implantar la crítica en un momento en que se ausenta de hablar de otra cosa, de no salirte de tu agenda, de poner en cuestión lo que en cada gesto cultural no está puesto en cuestión de sí mismo. De otra manera, no entiendo el malestar en la cultura ni lo contestatario en tiempos culturalmente no contestatarios. Si uno lee a Marx, a Nietzsche, a Freud, a Kraus, a Musil, sin duda exageraron, extremaron, inventaron la insoportabilidad de la vida. Inmensa trampa burguesa: el que piensa por lo general nunca está tan mal como lo escribe. En todo caso escribe, el basural lo ilumina, paga en íntima moneda de oro. ¿Qué quiere decir entonces que el que piensa el mundo se sienta bien? Diga, esto no es tan malo. Para eso que deje lugar al locutor progresista, que por otra parte no anda pidiendo licencia.

HG: *–Hay que pensar que* Pizza con champán *pudo aparecer como un libro de crítica. Pero otro problema es cómo situar libros como* El vuelo *de Verbitsky.*

–No lo leí, excepto en los adelantos que salieron. Yo pienso que lo que escribe el "Perro" tiene importancia porque la denuncia nos desafía siempre a estar a una altura, a ver si sabemos crear alguna instancia de pensamiento que las acompañe. Una instancia iluminante que rompa la naturalidad de los hechos. En ese sentido al mantener los cortes históricos donde aparecen flujos secretos o grandes confesiones, el "Perro" casi ha logrado más que Walsh...

HG: *–Verbitsky era acreedor de ese apodo, que, ahora que pienso, es también un estilo, ¿no? Adustez, sarcasmo que se prende a las botamangas de una época sin gloria. Pero a mí me parece difícil rastrear ese itinerario que va de Walsh a Verbitsky. El debate sobre las versiones de la muerte de Walsh tiene que ver con eso, Verbitsky es un crítico realista, un realista crítico, como diría Luckács. La versión realista de la muerte de Walsh, al contraponerse a la leyenda del escritor que cambia su muerte por verdades escritas, permite con más facilidad pasar de un estilo crítico que se realiza con instituciones políticas funcionando y un espacio público democrático que recoge las denuncias.*

–Sin embargo yo siempre me incliné, también tomando la figura de Walsh, a desmitificar la historia de una muerte que no llega como respuesta exclusivamente por lo que había escrito. Soy partidario de verlo en un plano donde la tensión de la literatura con el periodismo y de éstos con la política –que también es la tensión entre armas, escritura y muerte– nos permitiría pensarlo hoy con más riqueza. Poner toda su épica en la carta final, creo que no consigue dar la talla entera de su figura. Lilia Walsh me contaba que en los últimos días Rodolfo estaba preocupado por las hormigas que invadían la huerta y andaba de aquí para allá con los insecticidas. Quizás aporte más a la enorme dificultad de contar lo sucedido, ese Rodolfo Walsh que se ocupaba de lo cotidiano, que el que se sentaba a esperar la muerte como respuesta a la carta que había escrito. Creo que de todos modos hay que preservar esa tensión entre los dos Walsh, para poder explicarnos ahora qué hacemos nosotros acá. De lo contrario podría considerarse que hay sobrevidas inexplicables y que deberíamos haber muerto.

HG: *–Bueno, pero el relato "realista" que cotidianiza lo ocurrido, permite un pasaje menos abrupto a la profesionalidad periodística de los años 80.*

–Me parece que ese pasaje es complejo de todos modos, y no hay que abandonar la pregunta ésta: "¿qué fue de nuestras vidas?". Tenemos que asumir que estamos bajo la tensión entre lo intempestivo y la academia, entre lo gremial y la búsqueda reflexiva, entre lo intelectual y la sobrevivencia, entre la profesionalización o el fracaso. Entre la incorporación y el rechazo, se abren circunstancias mucho más complejas, aunque de otra gravedad, respecto al vértigo de los tiempos de Walsh. En términos de reflexión tendría que salir de aquí una riqueza fuerte y no por eso menos dolorosa, debido a la complejidad de los acontecimientos y de la memoria. No puede haber versiones totalmente selladas de la historia.

HG: –*Entonces, verías que la nueva tensión debe incorporar lo que no estaba fuertemente activado en los '60: la nueva tensión debería ser entre estética y política, a la manera de los surrealistas...*

–Esta nueva tensión –que por otra parte es muy vieja– debe ocurrir porque en el plano de la política hoy estamos en una mendicidad muy grande. La política se encuentra hoy entre un progresismo inocuo y un redencionismo que perdió la capacidad de convencer. En ese sentido, hay que componer las imágenes del pasado que nos corresponden. Entre conciencia y destino siempre hay imágenes, historias tapiadas, que inauditamente se corresponden. Quiero decir, no hay un destino mítico que al final simplemente nos sorprenda, nos supere, como parte de nuestra conciencia fracasada sobre las cosas. Entre lo que elegimos y lo que nos espera siempre hay una cita a develar, sería la historia más cierta entre tantas historias. Hay equívocos y correspondencias. Hay una artesanía íntima, inconfesable, de cómo nos vamos contando el tiempo y las circunstancias, hay un eros político irredimible. En definitiva, somos lo que quisimos ser, también en el caso de Rodolfo. Nunca algo tragado por el minotauro, por lo simplemente aciago. Nunca sólo la muerte, lo suicida, las estéticas de masas, el museo de los héroes. Siempre recuerdo un episodio de mi vida. En mayo del 68 estaba en Francia, andaba por París hacia dos meses, por el barrio latino. En plena revuelta nos juntamos con algunos plásticos que reunía Le Parc, hasta que él mismo fue amenazado y buscado para portarlo a la frontera por extranjero activista. Para junio vimos con dos q tres latinoamericanos lo conveniente de retirarse por un tiempito a España. Salimos en un auto en plena lluvia y viento por los Pirineos. Yo manejaba, los otros contenían la respiración en cada curva de cornisa. A la noche, llegamos a Port Bouy discutimos si dormir ahí y cruzar la frontera a la mañana, o salir de Francia esa misma noche. Nos quedamos en un hotelucho de Port Bou, tremendamente insomnes. Ni idea en ese tiempo de Walter Benjamin y el final de su vida en ese lugar. Pero fue una noche muy particular, en una fonda de noctámbulos escuché las historias de vida de algunos de ellos, y por primera vez conté extensamente sobre mi abuelo pastor protestante, sobre mi madre trabajadora y gremialista peronista. La conté mucho más emocionante de lo que había sido aquello, como siempre sucede. Y uno me dice: escribí esa novela. Sentí que debía empezar a escribirla al día siguiente. Después, a eso de las tres o cuatro de la mañana, un brasileño me cuenta de sus ya tres años de exilio en Francia. Pensé en esa idea, el exilio político, no me lo imaginaba ni me nombraba. Pensaba en la novela, ya la estaba escribiendo, apunté algunas cosas en una pequeña libreta de viajes. Pensé en mi país, sentía que posiblemente no volviese nunca, cortazarianamente. Ya tenía hasta la novela para escribir, hablamos de las barricadas de París, fundamenté con precisión por qué nunca habría barricadas en la Argentina. Pero mientras amanecía en Port Bou me sentía pletórico, sentía que esa noche había valido la pena para empezar todo otra vez. En realidad regresé a Buenos Aires a los dos meses, y viví de alguna manera todas las barricadas ciertas o imaginarias de mi país, y me exilié políticamente, y me encontré en el exilio con Benjamin y su obra, y esa novela recién la escribí 26 años después, el año pasado, en 1994, casi tal cual la charlé esa noche. A lo mejor las cosas fueron así, como se las cuento. Siempre hay una artesanía íntima que nos escribe, entre el fracaso y el destino, entre lo buscado y lo encontrado. En el caso de Walsh, entre un Rodolfo que asumió su destino conscientemente o un Rodolfo que deseaba crear otra visión de la naturaleza y el mundo.

HG: *—A eso voy yo. En la versión de Walsh que "asume su destino", se presenta la leyenda del intelectual al que la época nunca comprende y le cae con reprimendas de extrema dureza. Es la versión sacrificial del intelectual, que pondría a Walsh junto a Cooke y a Lugones, en casos diferentes, pero igualmente representativos de la disidencia irreversible de una vida con la marcha del mundo.*

—Es cierto que un momento final, en la historia de los intelectuales argentinos, no es la batalla, sino más bien la inmensidad de un fracaso. En Walsh es absolutamente recuperable la idea que es superior una ficción a una situación cotidiana. Borges imagina a Hernández en un cuartucho de hotel pensando en el duelo de Martín Fierro. ¿Qué sería más impresionante, la ficción de un destino épico o una retirada de lo cotidiano? Indudablemente, si fuera lo segundo, se le quitan componentes épicos a la vida de Walsh. El desafío nuestro es evitar una mitología que pueda anular el juego cotidiano, pero también preguntarnos qué hubiera sido Walsh en la televisión. Incluso ya se pasó varias veces "Esa mujer" en televisión. ¿Qué es lo que hoy no puede ser integrado? Por eso, la paradoja es que un muerto heroico de la política y la literatura puede ser más integrado —hasta por Grondona— que alguien que buscaba otros lenguajes para desarmar las cosas. Ése es el precipicio que nos provocan muchos personajes argentinos en la historia. El propio Cooke que se diluye de golpe en el momento en que todo está por ser celebrado, una de las últimas cosas que hace es ir a ver a Racing en Escocia. En ese sentido, una ética maciza permitiría una mayor integración que un cotidianismo popular. Con Walsh ocurre que lo que se sabe de sus últimos momentos –esa llegada a la ESMA– es pobre, es un relato muy escaso. Es uno más entre miles. Hay acontecimientos de muerte más ostensibles. Con todo, el hecho de que saca el arma para apresurar su propio fin, lo liga absolutamente a muchos personajes de la literatura argentina, como ése que sale al duelo en el cuento de Borges.

HG: –*Dahlman*...

–En mi primera novela, *Para hacer el amor en los parques*, que escribo en 1969, hay dos historias que terminan en una tercera nunca contada. Cuento el que asume su destino literario y se va a Europa, el que en cambio reconvierte la ciudad letrada y entra en la guerrilla, y un tercero, el loco, callado testigo de las reuniones de la revista que un día se topa con los asesinos, saca el arma con la intención de no dispararla y muere acribillado. Era el más viejo, con una historia pesada y callada. La novela termina cuando el resto del grupo va a buscarlo a la morgue y no lo encuentra. Como si en esa muerte empezara nuestra historia. En ese sentido, creo que hay que dejar de ver los '70 como una época que nos condena a preguntarnos por qué nos salvamos. ¿Quién se salvó? Estamos de entrada buscando en las morgues. Será una historia decible o indecible, pero no un equívoco.

HG: –*Sin embargo, en relación a lo que vos decís respecto a que no hay nada que no pueda ser pasado por la televisión: hubo una confesión en cámaras, la de Scilingo. Por otro lado, recuerdo la idea de Piglia en* La ciudad ausente, *de que hay relatos (perdidos) de lo ocurrido en el subsuelo del país y que sólo se pueden escuchar entre balbuceos y repeticiones de una máquina medio enloquecida. Si uno de esos relatos aparece por la televisión, ya introduce un cambio en la idea de que no pueden saberse los hechos secretos del horror de Estado. Scilingo hace una de esas confesiones que están en las hagiografías. Se dio cuenta de repente de su abyección, pero no sabe si arrepentirse, etc. Sin embargo, es juzgado en relación a términos clásicos, de ética, culpabilidad, etc. Y muchos menos en relación a que quizás es la primera gran confesión pública de una escena primordial y secreta de un Estado terrorista...*

–Sin embargo, puede ser que un tratamiento por televisión de esta confesión termine integrando esos relatos secretos a un estilo público de tratar esos temas. Hay una integración al presente, creando versiones duras pero aceptables. Que incluso pueden no ser exactas, como el tratamiento que le dio

Grondona a la muerte del padre Mujica. Pensá un programa sobre Walsh. Incluso Verbitsky larga el caso Scilingo en el programa de Grondona.

HG: *–¿Entonces ya no sería posible pensar en la revelación de aquello que "nunca antes se había oído"...? ¿Es necesario cambiar los modelos novelísticos?*

–Indudablemente, hoy tenemos una suerte de transparentación absoluta. Por otro lado, la televisión nunca puede trabajar un tema hasta el grado de iluminación total. Todo puede ser tratado, y nada puede ser tratado hasta un punto de revelación. Esta misma conversación merecería esta pregunta de la televisión: "¿no pueden decir todo esto en dos minutos?". Por eso, hay que aceptar que la televisión no deja de digerir nada, pero que hay elementos de nuestra vida que no pueden ser absorbidos. En ese sentido, tenemos que actuar como si poseyéramos una máquina secreta.

CF: *–Cuando vos decís que todo puede ser integrado, te referís a que todo puede ser convertido en un espectáculo. Pero, al mismo tiempo, en la televisión existen soterradamente oficios secretos. Los montajistas de televisión administran permanentemente en silencio lo que se muestra visiblemente. Casos obvios: la policía secreta, la DEA en el país, la policía antinarcóticos, la DGI; el aparato del Estado está constituido también por máquinas secretas. Así, la televisión puede ser un espectáculo que todo lo ingiera, pero allí actúa también lo invisible y el secreto.*

HG: *–Sin embargo, una confesión se hacía antes en un gabinete secreto y se juzgaba enseguida o ya estaba juzgada de antemano. La de Scilingo se hace en la televisión abierta y después todos tienen que debatir sobre cómo juzgarla.*

–El periodismo en ese sentido hereda la idea de que los problemas pueden ser tratados después que son denunciados. *Operación masacre* es una gran puesta en escena, una develación. Pero era un libro "nuestro", mientras que hoy todo ilusoriamente es de todos. Para tener en cuenta que esos organismos secretos del Estado pueden ser telenovelas que duren 15 días, y que salten de repente a la prensa. "Argentina, gran centro del narcotráfico, 200 pistas de aterrizaje, etc." Y ahí no tenés la posibilidad de una participación deslindada. Hace unos días, Aída Bortnik anunció que el superproductor Putnam, el de películas políticas terceristas y de historias de Vietnam, la llamó para hacer en lo inmediato una película con las declaraciones de Scilingo. Él termina industrialmente contando nuestra historia, tal vez con la ventaja o el derecho de que está conmovido, conmovido a secas. Como diría Benjamin, escuchó a un narrador que viene de afuera. No hay mayor consuelo o éxito para una causa, que cuando el gran producto cultural del norte nos presta unos metros de su fotograma. El archivo de Hollywood es como la resonancia de lo olvidable: veremos caer de los aviones al río los cuerpos inconscientes. ¿Rubios o morochos? ¿Cabecitas negras o hijos de europeos? Actores de reparto sin duda adecuadamente elegidos. Después basta, la denuncia desde la industria cultural es triunfo, no aburre, no distrae, no cansa, es totalmente atrapante, casi ya lenguaje de los vencedores, que generalmente no reflexiona con los sentidos de las historias y los pasados. ¿Qué podés agregar ahí? La posibilidad que tiene Habermas de reponer el tema de la memoria frente a los nazis, es precisamente porque durante muchos años no se habló. Por el contrario, Spielberg describe en *La lista de Schindler* uno de esos momentos ocultos e impensables de la cámara de gas. Ya no queda espacio en este "lleno" de imágenes y de información. Menem, caracterizador de sí mismo, ¿qué espacio te deja? Él dice que le gusta la farándula. Y vos, ¿qué vas a interpretar? ¿Qué es farandulero? Es lo mismo que él te está diciendo. Y entonces caés en "estudios culturales", te dicen lo mismo que tu tía sabe hace dos años.

CF: *–A punto de finalizar Menem su mandato, ¿cómo describirías la época menemista?*

–El menemismo es absolutamente hijo nuestro. En los años '60 al peronismo se lo quedaría uno u otro, pero tenía que ser llevado a otra instancia. Bueno, Menem acabó siendo esa otra instancia. El peronismo con Menem certifica algo esencial al peronismo: una forma de presencia de absoluta maleabilidad y astucia respecto a las grandes encrucijadas nacionales e internacionales. Son respuestas decisorias y adaptativas en términos absolutos. Hay una capacidad fuerte de impregnarse de las realidades dominantes. Menem es así absolutamente peronista. El peronismo es "lo que hay que hacer". En eso es irremplazable. Ésa es su enorme capacidad. Si hay que comprar los ferrocarriles, hay que comprar los ferrocarriles; si hay que vender los ferrocarriles, hay que vender los ferrocarriles. La maleabilidad salvífica infinita. En nuestra discusión con el peronismo, nosotros le hubiésemos modificado el 80% de lo que tenía, pero con otro signo. El de esa época. Pero el peronismo no permitía esto, era esto que siempre podía llegar a ser.

HG: *–Dirías que en esas "cuadras de gente" de los '60 estaba latente Menem, el Mercado, etc....*

–Menem actúa en función también de un ideal de los '60. El ideal de que el peronismo es susceptible de una mutación fuerte "que salve a la patria amenazada". Su discurso es conservador reparador.

HG: *–Menem es el que dice que el horror puede volver a suceder. Versión cíclica de la historia, donde tampoco el peronismo sabe quién es. No sabe* *si tiene que asumir el horror del Estado o sentirse en prisión en un barco. Por eso la culpabilidad implícita del peronismo. Se siente, secretamente, co-responsable... Explícitamente, no sabe si es parte del horror, si lo causó, contribuyó a causarlo, o fue una de sus víctimas casuales.*

–Coincido. Se siente culpable de algo. De cómo es. Nunca pudo presentarse puro, inmaculado, como en ciertas épocas ciertos comunismos para sus propios adeptos.

HG: *–Ahora, tu novela* El frutero de los ojos radiantes *es un modelo de reconstrucción de la historia basada en un aprendizaje biográfico, en una saga familiar. ¿No considerás que ese método genético y arborescente para componer un pasado, choca con las actuales formas de memoria; choca con el modelo de la televisión, que tiene un fuerte presente, para luego ir para atrás con absoluta irresponsabilidad?*

–En esa novela, lo que en realidad invertí es la pregunta que haría el que elige la mutación. Éste se pregunta: ¿cómo puedo cambiar para adecuarme a lo que pasa? Yo partí de una historia ya consumada en el presente, para preguntarme cómo habíamos llegado hasta esta situación. Estaba convencido de la idea de que los cadáveres eran constitutivos, que se habían gestado desde el principio. Era un desvelamiento personal de la Argentina. Lo escribí en el exilio para decir: "esto lo gestamos entre nosotros". Esto lo gestamos y escribimos nosotros, en los '60. Pero la novela termina en el 45 y el protagonista, sobre el final, es de la Unión Democrática. En la propia figura de un personaje, el frutero, está integrada esa cosa siniestra que yo sentí como constitutiva. Estaba rearmando una historia cuyo final ya sabía. No me cabía un robo utópico hacia izquierda o hacia derecha. Pensé que había un destino trágico, y la generación quedaba recuperada, porque el destino estaba trazado. Pero también ambiguamente la historia estaba abierta, con la inaudita pregunta: ¿para qué murieron? ¿Para que nosotros estemos ahora dando clases en la Universidad? En ese sentido me pareció mejor cerrar y abrir la historia en el 45. En otra novela que ya terminé, *La cátedra*, retomo la época del 45 en adelante. Sigo rastreando hasta el fondo la pregunta de quien supo resolver la historia argentina. ¿La generación del 80? Cavallo hoy te diría: "¿Vieron? Yo resolví la historia argentina". Pero la historia argentina es una no-solución. Y quizás allí hemos contribuido nosotros, de una manera brillante.

HG: *–Si uno recuerda lo que escribe Ingenieros sobre los "euroargentinos", ve un futuro espléndido. Ducha para los niños, leyendas populares ejemplarizadoras y tiernas, un ejército democrático con buen andar en el desfile, vacuna obligatoria. Pero los años '60 fueron una lucha sangrienta entre euroargentinos...*

—Que cumple también el sueño oscuro de Perón, con el "cabecita negra". Éste que no habría tenido nada que ver, al margen de la guerra europea, continente donde Perón siempre imaginó la Argentina, a la manera de nuestra clase dirigente.

HG: *—Por eso te decía: en tu novela está el Abasto como parte del Cosmos, de un destino inmigratorio. Luca Prodan ve el Abasto en los años 80, ya decadente, y lo pinta con un gran lirismo. Prodan es la mirada última de un "euroargentino", pero ya creyendo que la Argentina es imposible.*

—Ahora que vivo otra vez cerca del Abasto, se puede comprobar. No existe más nada. Lo euroargentino era una forma de ver la historia que tenía primacía sobre todo lo demás. Buenos Aires, como Viena en 1900 es la ciudad utópica del sueño liberal, la gran urbe moderna de Sudamérica. Ninguna de las dos tiene conciencia de que adentro juntan otro insomnio, seres, idiomas, historias de vida que piensan de manera atávica, colectiva, redencionista, fundamentalista. Una torrentada de nacionalidad en movimientos políticos, como verdadero fin de los dialectos. Esta europeidad de la problemática primó incluso en Perón. Los migrantes internos hacia Buenos Aires fueron figuras subordinadas, aunque se los celebrara. El "cabecita negra" aparece en el peronismo como muchas veces Marx hace aparecer al proletariado en *El Capital*: hijos castigados, un poco tontos, protegidos por un lado y explotados por otro, mientras la historia la juega la burguesía. Las grandes masas migratorias, siempre muy estetizadas, de todos modos siempre han sido sujetos poco definidores de los dramas. En cuanto a hoy, la historia define, entre nosotros, lo euro-norteamericano-argentino. No el sujeto de clase que estudiábamos con Portantiero y Murmis y que estaba desde antes de la peronización sindical, mientras había otros que llegaban recién a la ciudad.

CF: *—¿Te parece que la guerra de Malvinas fue la última batalla de los euroargentinos?*

—Tengo la sensación de que la Argentina fue moldeada en su aspecto profundo de ideal de nación, por Inglaterra. Ahora paso de Viena a Londres para saber lo que somos. Pensaba esto ante un hecho que no sé hasta qué punto es una certificación fundamental: 350 mil jóvenes cantando las canciones de los Rolling Stones en River. De Francia hubo una referencia literaria, de España salían referencias problemáticas porque las tomaba la derecha, con Estados Unidos siempre hubo una confrontación cultural, aunque de tantas películas que vi, el barrio mío es el Abasto y también Manhattan. En cambio Inglaterra aparece como una paradoja. Por un lado poseería secretos de lo que la Argentina fue y podría haber sido, y eso fracasó en los años 30. Por otro lado, está la derrota militar de Malvinas en los años 80, como una resolución de la historia argentina en otros términos, ya no el tratado Roca-Runciman, sino los Rolling Stones. Una resolución de la historia que diría: acá no ha pasado nada y el redentismo nunca es superior a la gravitación de las culturas paradigmáticas.

HG: *–En ese sentido, te recuerdo lo enigmático de* **Los Pichiciegos,** *la novela de Fogwill, que huye de cualquier clave de interpretación, pero parece el canto de insatisfacción por una derrota.*

CF: *–Es muy significativa esa novela, en relación al momento de su edición. La palabra "pichicera" bien podría ser una homofonía de la "pecera" de la ESMA. Los pichis negocian con unos y con otros, están inmersos en estrategias de deserción, traición, trastocamiento de identidades.*

–A mí me da la sensación, en ese sentido, de que la Argentina no acabó de constituir sus verdaderos mitos de delirio o de horror. Nosotros habíamos vivido dentro de una cultura crítica hacia los vínculos de dependencia con Londres, inmersos en una conciencia antiinglesa. Ahora me pregunto tanto la razón de esa conciencia como el hecho de que, para las generaciones posteriores, eso no justifique ya nada y menos explique algo.

CF: *–En el fútbol, como en el rock, patas fundamentales de la cultura argentina actual, se conservan nombres ingleses. Racing –no es necesario recordártelo– es un nombre inglés. Cuando gana la copa intercontinental, derrota al Celtic, un equipo que no lleva nombre inglés.*

HG: *–La desaparición actual de los ferrocarriles en la Argentina es vista con desesperación por sectores literarios de la cultura inglesa. Desaparece ahí una parte de la historia inglesa mundial.*

–Lo británico de Racing se puede ver en la discreción, sobriedad y recatada alcurnia con que sus adictos asumen la tragedia de su extinción definitiva. Imaginate eso mismo en manos de los gallegos de Independiente o los tanos de Boca. Pero volviendo al tema, lo cierto es que hay una constitución idiomática que no supimos resolver nunca. Además, el vínculo trágico con Inglaterra se da cuando comienza su ciclo desfalleciente.

HG: *–Pinedo, un gran probritánico, un socialista-conservador notable, terminó percibiendo positivamente al peronismo, pero éste ya caía. Creo que faltó esa conjunción final: Peronismo-Gran Bretaña, aunque públicamente el peronismo siempre tuvo simpatía hacia Estados Unidos.*

–De ahí que la presente generación nos devuelva la imagen de que nos constituyó a la vera de una nación que tuvo ribetes novelescos, con sus espías, Lawrence de Arabia, llaves inglesas, nieblas elegantes, don de gente, textiles, invasiones.

HG: *–Entonces no olvidemos la raíz irlandesa de Walsh... No encaja su filiación irlandesa. Mejor dicho: encaja como disidencia.*

CF: *–El primero que pone una bandera argentina en las Malvinas es Fitzgerald, también un irlandés.*

–Quedó trazado el hecho de que la Argentina peleó con un imperio en decadencia cuya última gran victoria fue sobre nosotros... Hicimos el último pago. Le devolvimos la gloria de cuando ganaba guerras en serio.

CF: *–A Inglaterra la tienen ahí, sin respiro, los de la Comunidad Económica Europea. Hasta el IRA se pavonea en sus suburbios.*

–Inglaterra siempre tuvo la última elegancia del negociador económico. En las primeras invasiones, es como si dijera "bueno, señores, ganaron, teníamos algunos ases, nos faltó alguno más...". El tratado Roca-Runciman, también, no nos noqueaba, nos deja boqueando. La confrontación tuvo siempre grados de simulacro. Y los chicos de hoy lo perciben, Habrá una generación de ensayistas de tanto ir a River.

HG: *– Tu visión de una relación secreta de favores mutuos no concuerda con la poesía de Borges sobre John Ward y Juan López, que quizás es de lo peor que ha escrito. Allí Borges lamenta la guerra e imagina una nueva mancomunión entre los dos muertos, el inglés y el argentino, dos lectores que estaban destinados a entenderse.*

–Sí, Borges pensó que se exacerbó un drama que se presentaba siempre de otro modo. Incluso de un modo que Borges representó muy bien, escribiendo en castellano y también en inglés. No tiene empacho en reivindicar reyes del 1200 de Inglaterra junto a oscuros antepasados de él que nadie conoce, soldados de tal o cual batalla argentina del siglo XIX.

HG: *–Scalabrini Ortiz solo podía darse en Argentina o quizás en la India. El hombre que más odiaba y más sabía sobre Inglaterra. Los bares que cambiaron de nombre durante la guerra de Malvinas son ilustrativos. Los bares siempre buscan nombres remotos y no pueden arriesgarse en cargar una guerra perdida. Si uno hubiera mirado antes el nombre de los bares, se hubiera dado cuenta que Galtieri no podría haber ganado.*

–Por eso digo que hoy, juega otra sombra, que es una pregunta terrible. ¿Dónde está el imperio que reconstituya a esto como país? Los ingleses pusieron ferrocarriles, etc., hicieron una red de intervención que pudo ser siniestra, como dijo Scalabrini Ortiz. Yo no quito toda la lectura económico-social que puede hacerse sobre un país periférico y complementario, exportador de materias primas. Pero ante todo lo que ocurrió, hoy una generación joven se reúne a cantar en inglés con un grupo que en todo caso es el rescate que ellos hacen de los años '60. Y allí se celebran restos de un imperio y de una relación de dependencia. Es una relación que se debería contar también desde otros ángulos...

CF: *–Esa última batalla de los euroargentinos señala la decadencia de ambos contendientes...*

–Imperio y complemento, tienen su ocaso juntos, sólo falta Víctor Hugo...

HG: *–La Baring ya es holandesa... Nuestros eternos acreedores ya no existen.*

–Mirá de lo que terminamos hablando.

HG: *–Ya estaba todo anunciado en esas cuadras de gente... Marchábamos sin saber que quizá teníamos esta conversación a la espera...*

–En fin, sobre la desintegración de las identidades...

HG: *–Es decir...*

–... la memoria.

(VIVIR A CONTRAPELO*)

—¿Cómo pensar el ejercicio de la reflexión en un universo discursivo regido de manera casi unidireccional por la lógica massmediática?

—Hay que trabajar permanentemente a contrapelo. Frente a la idea del rating, de los éxitos, se debe actuar de manera contrarating desde algo que el sistema denomina fracaso. Plantearse formas contra lo establecido. En la escritura, si se busca la simplificación, hay que trabajar con la complicación, con la complejidad de las cosas, en términos de discusión crítica permanente con todas aquellas variantes que hoy, no el sistema sino nosotros mismos pensamos que es lo adecuado, lo que habría que hacer, lo exitoso. En lo personal, sigo pensando que tengo que discutirle al mundo, pero no creo en la gran alternativa. Yo encuentro que, por ejemplo, si la revista *Confines* que saco es leída por mil personas, eso me asegura que es valiosa.

—¿Es posible encontrar en los medios audiovisuales resquicios desde los cuales cuestionar y modificar algunas de las reglas de juego propuestas por el mercado? ¿O toda estrategia de resistencia que pretenda intervenir en ese ámbito está condenada de antemano a ser neutralizada?

—Creo que es cada vez más costoso poder plantearlo, porque el periodismo está pasando por un momento de éxito. Cuando la cosa es tan exitosa, tan protagónica, es muy difícil pensar si alguien puede hacer algo totalmente distinto. Si uno aparece con planteos a contrapelo desde el periodismo, no sé si puede llegar a tener la cabida que pueden tener aquellos programas con la lógica del mercado. Yo elijo no ir a los programas que convocan para opinar. Hoy es un tiempo más bien de resistencia que hace reaparecer el valor de lo subjetivo, lo individual, a lo sumo de lo grupal. Puede ser un determinado grupo, una tendencia, un planteo, pero siempre en términos más bien micro, donde se confronta con las normatividades, con la lógica del éxito. En ese plano, la tarea del intelectual más que retirarse de la massmediático es, por un

* Entrevista de DANIELA SPÓSITO, en *La Voz del Interior*, 10/10/1996.

lado, plantearse de qué manera es su relación con lo masmediático, y también reconocer y tratar de analizar la relación mercado-medio-intelectual. Hoy la participación del experto, del especialista, de la autoridad del saber está muy demandada en los medios de comunicación, en cualquier nota, sobre cualquier tema. Por un lado, declina la figura del intelectual en términos político-ideológicos, esa imagen sartreana, pero por otro lado, el mercado tiene capacidad de ofrecer un intelectual que "diaria, prolija y adecuadamente", opina sobre todo y da su palabra autorizada. El mercado reinventa así un simulacro intelectual que opera con mucha eficacia.

–¿Qué tipo de subjetividades conforma el poder del universo audiovisual?
–El mercado ha producido una suerte de intelectual reciclable cuyo lenguaje, escritura, forma de enunciación no se distingue de una media periodística. Cada vez más hay un solo texto en el cual el trabajo intelectual no se diferencia de una crónica. Todo es digerible, consumible, todo es una operación gastronómica. Así como el entrevistado de un noticiero sabe cómo contar la violación de su hija, así también el intelectual sabe cómo actuar cuando se le requiere, esto dicho en sentido crítico. Hay un lenguaje que impone una lógica, y pareciera que es el único audible: el massmediático. Y el intelectual, o los restos, lo que ha quedado, el espectro de una posición genuinamente crítica, se ha adaptado totalmente, no hay diferencia, no hay tensión.

Periodismo y Justicia

–A partir del fenómeno de juridización de la retórica mediática, ¿puede hacerse una analogía entre medios y Poder Judicial en relación a una función generadora de orden, productora de significado, valoradora?
–Yo creo que sí. La democracia argentina se recuperó en un trípode que fue libertad de prensa, nueva libertad de información y juicio a la Junta Militar. Eso dio una primera gran impronta de vinculación entre democracia y periodismo de masas, y quedó como una clave de bóveda fuerte en nuestra democracia. Luego, el angostamiento de lo político, las políticas corruptas y demás yerbas provocaron que esta trilogía se expandiera y adquiriera otras formas. A tal punto que hubo diarios que obtuvieron su asentamiento definitivo y su éxito a partir de esta vinculación periodista-justiciero, periodista-denunciador, quien cubre lo que el político y el Poder Judicial no alcanzan a responder. Esta trilogía: democracia, periodismo, caso judicial, fue un signo inicial, desde el '84 en adelante. Un periodismo con un nuevo tipo de sujeto, un nuevo tipo de heroicidad en cuanto a su capacidad de hacer denuncias.

–¿Cuáles son las diferencias entre el comunicador que hoy asume el rol

de denunciante y el periodismo de investigación de Rodolfo Walsh, por
ejemplo?

—Rodolfo Walsh tiene un periodismo que también en último término clama por justicia, exige que se haga justicia frente a los casos que él analiza, investiga.

—Pero, ¿pertenecen al mismo paradigma?

—No, son dos lógicas absolutamente diferentes. Walsh trabajaba en campos incluidos dentro de la militancia, dentro de perspectivas políticas a las cuales adhería, a proyectos ideológicos colectivos de agregación de subjetividades y de relación muy fuerte con las clases obreras en términos de corte revolucionario. Trabajaba en la antítesis absoluta de las políticas de mercado: por ejemplo, en las denuncias que fue haciendo en el diario de la CGT de los Argentinos, un diario sindical, fuera de toda perspectiva de mercado.

Política y estética

—¿De qué manera se articula en la biografía de Nicolás Casullo el conflicto planteado entre política y estética, si es que en algún momento la relación entre estos dos ámbitos se le presentó como problemática?

—Sí, entre mi primera novela, que escribí en el '69, y el momento posterior en que asumo un compromiso político, como mucha gente de mi generación renuncio a la escritura, a la novela, a la producción estética. Recién retomo y comienzo a escribir ficción en el 77, 78, en mi segunda novela en México. En ese lapso la relación arte-política estuvo dada por un reduccionismo a lo político, no hubo ni planteo ni ideología que pudiese defender lo estético literario. A partir de ahí trabajo en una relación muy individual, muy de discusión crítica entre mi ser novelista, mi ser ensayista y mi ser intelectual. Hoy estamos atravesando una época en donde las viejas discusiones entre arte y política han caducado y hay que volver a reformularlas. A su vez, no considero que exista una lógica, un llamado, una horma, un molde político que pueda hoy, a lo mejor afortunadamente, definir y redefinir el campo estético. Hoy estoy mucho más situado en un campo ensayístico-estético-reflexivo que en un campo político, campo ensayístico-estético-reflexivo que indudablemente configura una relación política.

—Desde una perspectiva, ¿podría considerarse política toda práctica que evitase la hegemonía de un metalenguaje que intentara traducir todo texto según sus propias reglas?

—Yo creo que sí. La crisis de lo utópico, la crisis de las ideologías, genera la imposibilidad de que exista un metalenguaje de esa índole. Aunque se lo intentara, habría una gran resistencia a adherirse a ese discurso totalizante de las circunstancias. Estamos lejos de un matrimonio arte-política como se dio en los '60, pero aquella relación no dio mucho interesante. Los términos de esa reflexión fueron de muy escasas luces, absolutamente poco envidiables y olvidables. Pero hubo en otros países, en otras épocas, debates entre arte y política desde la izquierda que fueron muy significativos para la historia del arte como lo que plantearon Sartre/Luckács.

La resistencia de lo biográfico

—Su discurso valoriza el papel de las biografías, rescata el aconteci-miento singular como lo no integrable. Pero una industria cultural que ha fagocitado incluso el discurso político, ¿no podría llegar a amenazar la pretendida invulnerabilidad de lo biográfico?

—En una sociedad massmediatizada, informacional extrema, cuyas lógicas y consecuencias todavía desconocemos, son importantes las biografías, mucho más que las tendencias, las identidades, los programas y lo que podríamos llamar los sistemas. Hoy lo que decide una posición u otra, lo importante de leer en cada caso, es la biografía del que lo lleva adelante. Esa es una última lectura a contrapelo frente a los que se adaptan definitivamente a las variables de mercado, a quienes dicen que la televisión no es tan mala, frente a toda esta precarización del campo reflexivo y del pensamiento, toda esta especie de fraude de pensadores que en un momento se postularon como críticos y que hoy terminan manejados por el mercado, tratando de tener más audiencia para sus pequeñas escrituras. Lo importante es situarse en el campo de las biografías, eso es lo decisivo. Lo demás es compraventa de almas y de intelectuales en el campo del mercado. Ahora, como vos preguntás, y sí, el mercado intenta absorberlo todo, incluso lo biográfico, lo que hay que hacer es deslindarse de sus lógicas y trabajar en otro sentido, ver si sigo diciendo cosas interesantes, o lo obvio, y explico todo para que doña Rosa entienda, sin saber yo si valen la pena las cosas que escribo.

—Esta puesta en relieve de la subjetividad, ¿se inscribe dentro del planteo de la ética de Foucault, en cuanto a resistir a partir del ejercicio de una ascética?

—Hay que revalorizar el momento de la subjetividad porque es un último momento que nos queda. Yo hablo de puntos, intersecciones subjetivas que a lo sumo podrían ser grupales y que les discuten críticamente a los poderes. Es una recuperación en el campo de la cultura de ese momento de la memoria para seguir otorgándole un sentido y no darse por derrotado acoplándose a la lógica del éxito.

(ANTES EL FUTURO SIGNIFICABA PROGRESO,)
AHORA PROVOCA TEMOR*

–Hay una pregunta que pese a haber sido reiterada mantiene su vigencia: ¿qué nos depara el futuro?

–El interrogante ha aparecido una y otra vez en los últimos años. El hombre enfrenta un período nuevo, confuso, del cual se conoce poco. Hace ya veinte años, el pensador inglés Raymond Williams intuyó este proceso y habló de la "oscuridad del futuro". Para él esta frase no tiene un significado negativo sino más bien de desconocimiento, de incapacidad de saber qué va a suceder. Durante más de dos siglos la humanidad vivió una etapa que se caracterizó por la idea de progreso. La ciencia, la industria, la educación masiva, la democratización del poder eran pilares que indicaban evolución positiva. Pero ahora, por primera vez, estamos ante un mundo que se maneja por ideologías no centradas en el hombre y esto genera una incertidumbre que contamina el futuro.

–¿Qué significa una ideología no centrada en el hombre?

–El ser humano siempre construyó teorías que dieran sentido al mundo y brindaran una razón para existir. Durante mucho tiempo se privilegió la lógica religiosa: Dios puso al hombre sobre la Tierra, y la felicidad y salvación última de cada persona estaba ligada a la obediencia de los preceptos divinos. La fe en algo superior y la lucha por esos ideales daban lógica a la vida. Unos tres o cuatro siglos atrás nació la modernidad, una etapa donde se colocó a Dios en el ámbito de lo privado y se fomentó el estudio científico y lógico. A partir de ese pensamiento al que se consideraba objetivo se imaginó un progreso permanente, sin fin de una historia a hacer, a fabricar.

–¿Se reemplazó el culto a Dios por el de la razón?

–Claro. Y se hizo sobre una base optimista y utópica. Se creyó que no sólo se alcanzaría el progreso sino también la perfección, la felicidad terrenal y el conocimiento tanto de la naturaleza exterior como de la interior de cada hom-

* Entrevista de DANIEL ULANOVSKY SACK, Clarín, 5/10/1997.

bre. Incluso las injusticias que se vivían, como la pobreza o los privilegios, eran consideradas etapas que se irían superando, fuera por la creación de mayor riqueza como pensaba la burguesía o por un cambio en la forma de producir y distribuir esa riqueza, como suponía Carlos Marx. Lo importante de las dos cosmovisiones, tanto la religiosa como la de la modernidad, radicaba en su acento en el ser humano. Le aseguraban que si cumplía determinadas reglas y ritos, tenía asegurado un lugar en la comunidad.

—Ahora, en cambio, el fantasma de quedar marginado aparece como una posibilidad cierta.

—Sí. El problema no sólo se centra en la exclusión sino en que no existe idea de cómo combatirla. Por eso se dice que el hombre dejó de ser medida de la ideología. En cambio, hay temas como la productividad inversión que se convirtieron en los nuevos pilares de la sociedad, más allá de los efectos que puedan causar en el hombre. Veamos un ejemplo: una compañía transnacional de alcance planetario decide desplazar una fábrica porque consigue mano de obra más barata o mejores condiciones de producción en otra región. El problema de esos obreros nuevos desempleados no es medida de nada, no se piensa la decisión en función de ellos. Tampoco los ministros de economía piensan en la gente concreta de su país sino en cómo ceñirse a las políticas de la burocracia financiera internacional. Los números desplazaron al hombre del centro de la escena.

—¿Por primera vez aparece un mundo que no necesita de la gente?

—En cierta forma, sí. Durante siglos imperó la sociedad del trabajo donde una persona podía ser analfabeta, mal paga, pobrísima pero tenía su ubicación social como campesino o como obrero no calificado. Ahora eso ya no sucede más y se abren descorazonadores interrogantes para el futuro. ¿Cómo se construye un país que necesita apenas de un porcentaje de su gente? Hay cifras alarmantes: en Alemania pronostican que en quince años habrá 38 % menos de trabajadores industriales y en los Estados Unidos piensan que en 25 años el 40 % de los estudiantes universitarios no va a tener empleo cuando se reciba. Estos datos, presentados por el investigador francés André Gorz, plantean no sólo la falta de empleo sino de identidad. Un trabajador, sea un tornero o un médico, se integran a la comunidad a partir de su lugar de producción, de sus saberes y de sus rutinas. Ahora empiezan a quedar desclasados.

Vínculos en terapia intensiva

—¿Qué sucede con la ciudad y el espacio urbano en una sociedad donde hay "gente de más"?

–Voy a recurrir a los comics, cuyos guionistas ya vislumbraron este proceso tiempo atrás. Es usual que en las historietas aparezca la lucha entre la ciudad del Bien y la ciudad del Mal. Ambas conviven en lo geográfico pero se desconocen en la vida cotidiana. El temor al otro aparece reflejado en casi todas las conductas sociales: se pasea dentro del shopping, que es como un dibujo del paisaje, y si se quiere vida natural, se opta por barrios cerrados que protegen esa isla perteneciente a la ciudad del Bien. El hecho de que la sociedad cree tantos desclasados genera un espacio urbano peligroso que, simbólicamente, parece controlado por personas malignas de las cuales hay que protegerse. Y algo interesante para la Argentina: parte de esa protección está a cargo de policías privadas que no queda claro quiénes las controlan. Aquí aparece el rol del Estado en esta nueva sociedad: los servicios, por más que sean básicos como la seguridad, hay que pagarlos en forma particular.

–Lo que usted dice parece creíble. ¿Pero qué se puede hacer a nivel individual? Si uno siente que un barrio es peligroso, intentará no vivir ni pasar por allí.

–En un contexto tan violentador de las condiciones de vida, lo primero que entra en crisis son las actitudes solidarias. Reaparece, en cambio, una inmediata actitud de búsqueda de seguridad. Acá no es cuestión de culpar a una persona individual sino a una cultura que no ofrece material ni ideológicamente una forma de vida apacible. Hay que subrayar, sin embargo, que este tipo de convivencia no sólo le quita espiritualidad a cada hombre sino que también complica la comunicación con el otro: se entierra la comprensión, resurge la desconfianza.

–¿Cómo aparece la familia en el futuro?

–Hay distintas teorías. Una de ellas, defendida por el pensador francés Gilles Lipovetzky, asegura que se va a diluir que cada vez la gente será más autónoma de los lazos familiares. Se piensa en su disgregación y en su pérdida como institución central y fundante de la comunidad. Creo que este proceso tiene algunas bases reales: en los países más desarrollados los chicos suelen abandonar el hogar a los 17 años para ir a estudiar y ya no vuelven a la casa paterna. Mientras tanto, crece el número de gente que vive sola y otras formas de sociabilidad, como las parejas de un mismo sexo y la decisión de tener o adoptar hijos siendo soltero. Desaparece la familia obligatoria, heredada, y surge la posibilidad de que cada uno construya su propio núcleo de relaciones, a menudo sólo temporales.

–¿Esto no genera mayor sensación de soledad? Porque con la familia uno puede pelearse, pero los lazos son tan viscerales que casi siempre resurgen.

–En un mundo pensado en función de hombres y de mujeres aislados, la soledad ocupa un rol protagónico. Si nos fijamos en la estética de este modelo, aparece el loft como el tipo de cada ideal. ¿Y que es un loft? Un lugar sin paredes ni divisiones: no hacen falta porque sólo vive allí una persona que de vez en cuando recibe a alguna pareja para un amorío sin compromisos. Algo más parecido a una conducta de higiene sexual que a una relación en el sentido clásico. Es una forma de vida despojada de sentimientos, tal como la presentan algunas películas de Hollywood que exhiben modelos exitosos a nivel económico. Se privilegia la realización profesional y la alta competitividad, en parte para no fracasar y pasar a residir en aquella ciudad del Mal a la que nos referíamos antes.

–¿Se puede vivir así? ¿El hombrc no necesita los sentimientos para lograr cierta estabilidad?

–A nivel personal, creo que sí. Pero si retomamos la idea de que el mundo evoluciona hacia una situación donde el hombre no es lo central ni lo importante, la pregunta pierde un poco de importancia. Sin duda que el problema de la incomunicación atraviesa este nuevo modelo que se vislumbra. Por una parte, uno puede estar on-line con un japonés que vive en la otra punta del planeta y se interesa en temas parecidos a los que uno trabaja. Pero, por otro lado, no se conoce a los vecinos que se esconden detrás de la puerta de enfrente. Los sistemas de comunicación que rompen las barreras geográficas brindan la ilusión de estar vinculado con todo el mundo. Sin embargo, la soledad se acentúa en lo cotidiano.

–¿No es curioso que esta tendencia se dé al mismo tiempo en que muchas películas y novelas vuelven a valorar el rol de la casa, de la comida casera, del espacio familiar?

–Quizá sea la otra cara del mismo proceso. Pero no se sabe si esa representación que no surge en forma natural, sino que se construye voluntariamente para encontrarse con el pasado perdido va a perdurar o si se trata sólo de una reminiscencia pasajera. Cuando existía la olla de hierro y la gente se reunía cerca del fuego, había un sistema social y productivo que lo permitía. Hoy es necesario forzarlo y debemos ver si logra mantenerse. Algo similar sucede con una serie de actitudes nostalgiosas como el retorno de las cartas de amor o la recuperación de conductas platónicas que veinte años atrás sólo generaban risa.

–El gran interrogante parece estar relacionado con la gente: qué tipo de trabajo conseguir, qué estructura familiar o de solidaridad formar.

–Hay algo que no cierra en esta sociedad que ha empezado a nacer. Tiene que ver con la relación del hombre con la pareja, con los hijos, con los padres y con la forma de manejarse frente a la decadencia y a la muerte. Estamos en una etapa problemática para los vínculos. Los viejos van al geriátrico porque es imposible cuidarlos en casa; los adolescentes drogadictos se internan en granjas de recuperación. Mientras tanto, las enfermedades se detectan antes y produce cierto escozor convivir con el peligro a los ataques al corazón, al cáncer, a la obesidad. Es una dinámica que nos envuelve. Hoy parece haber una incapacidad del hombre para pensar el futuro en clave humana. Así, mucha gente siente que es víctima y no protagonista de su vida; intuye que el mundo le pasa por encima sin brindarle un lugar donde agarrarse.

(LA NEGACIÓN INVISIBLE*)

El poder, de límites tan extendidos como borrosos, niega demandas sin decir "no". Sus negativas son formuladas en la presentación de hechos explicados como inexorables y ubicando en un pasado absoluto las alternativas que se le oponen. A través de sus pantallas, el poder administra la protesta y simula hacerse cargo de los discursos que pretende impugnarlo, afirma Nicolás Casullo, profesor de Historia de las ideas y del arte en las Universidades de Buenos Aires y Quilmes. Autor de novelas, ensayos y compilaciones, entre las que se cuenta *El debate modernidad-posmodernidad*, desarrolla una práctica intelectual que concibe una politicidad intrínseca a la reflexión filosófica y la crítica cultural. Casullo observa a la política, que recorre con poca imaginación un camino que parece ya trazado, aunque no cree en experiencias definitivas sino, por el contrario, en "lecturas que hacen a una época", e invita a preguntarse por el sentido que tendrán los actuales comentarios y fundamentos sí un cortocircuito quebrara la inercia y diera lugar a una nueva escena. Una escena que permita recobrar una perspectiva distinta entre la voluntad política y las posibilidades reales de cambio.

—¿Qué implica hoy reflexionar sobre el poder?

—Es un problema muy complejo. Podríamos decir que hoy, cuando hablamos de poder, se nos escapa un poco su figura, su silueta. ¿A qué nos estamos refiriendo en un mundo como el actual? ¿Al poder de la técnica, al poder financiero mundial especulador, al poder las mafias, del narcotráfico, al poder de lo mediático? En ese sentido podríamos decir que hoy, a diferencia de otras épocas, es bastante dificultoso situar el plano del poder. Es como una figura abstracta que pareciera no tener cara, y por otro lado, como una característica de esta época, el poder o los poder hacen cada vez más invisibles sus "no" frente a las alternativas o a las demandas. En las pantallas, ese "no" del poder nunca aparece, sino que se inscribe en otro lado, como una suerte de historia irrever-

*Entrevista de SERGIO TAGLE, *La Voz del Interior*, 29/1/1998.

sible, y a la vez devenida de alguna manera como pasado absoluto. El pleno empleo sería un "no" del poder acontecido. Ocupar al desocupado sería también un "no" del poder sucedido. Recuperar la política fuera de lo massmediático sería como una suerte de no ya acontecido. El no del poder es como una suerte de historia silenciada, lo que ya no sería historia, sino una suerte de lógica arcaica. Es decir, el poder se maneja en términos de hacerse presente en el escenario como un "si" permanente: la pura lógica actual. El poder es hoy un sí absoluto a pesar de que decide los destinos de lo humano de una manera cada vez más bárbara y catastrófica. Pero le han hecho desaparecer el "no", con una suerte de gran astucia lingüística comunicativa. Entonces es difícil estar en algún lugar donde el poder no está diciendo de alguna manera un sí abstracto y simulado.

La protesta administrada

—Cuando el poder hegemónico aparecía con perfiles más nítidos, también sus reversos eran formulados con precisión: poderes contra-hegemónicos y poder popular eran algunas nominaciones. ¿Cree que hoy es posible concebir la construcción voluntaria de un poder diferente a ese poder del "no" invisible?

—Yo diría que sí, pero ahí nos encontramos frente a una dificultad que podríamos llamar de carácter cultural. Casi todo el pensamiento que históricamente situábamos en el campo de la protesta y la contrapropuesta, hoy aparece con un alta posibilidad de simular que forma parte de la administración del poder. Uno lo ve en distintos lados. El arte de la protesta actualmente es subvencionado y llevado a museos para que la gente lo vea. El intelectual es fácilmente cooptable en términos de experto. El ex izquierdista habla hoy de las formas de gobernabilidad. Y la propia academia tiene que responderle al mercado. Entonces, diría que hay una altísima capacidad para transformar la protesta en administración y dar la sensación de que lo que pretendemos de una u otra manera ya está en la administración, en la cabeza del poder. Es una simulación, pero hoy es muy difícil que una protesta no aparezca como discurso del poder, que la neutraliza y de alguna manera, la manda por la pantalla, supuestamente haciéndose cargo de ella.

—Las posibilidades de cambio que se ofrecen desde el poder no superan propuestas de mejor gobernabilidad. La voluntad política parece no jugar ningún rol a la hora de pensar en otros rumbos sociales y políticos...

—Vivimos una época en donde pareciera ser que el juego está bastante cerrado y que, entre la idea y la voluntad de llevarla a cabo, las cosas no andan como en otras épocas. En realidad estaríamos viviendo más bien un tiempo que tendría un sello, un destino inexorable. La política y los políticos se dejan llevar sin gran voluntad y obedecen sin gran imaginación a una suerte de recorrido ya trazado.

Voluntad y utopía

—Ese recorrido parece terminar en la democracia liberal y la economía de mercado. A diferencia de los discursos emancipadores de la modernidad, que se preocuparon por imaginar modos de organización social superadores del capitalismo, las alternativas de cambio con perspectivas de gobierno no se plantean exceder ese marco.

—Podríamos decir que el proceso moderno fue más bien como un juego del ta-te-ti. En este momento, pareciera estar repitiendo un gran principio que en su momento medio tuvo una gran esperanza de cambio social e histórico fuerte. Muchas de las modalidades con que se inició históricamente el sistema capitalista pareciera que vuelven a tener un auge bastante definitorio. Entonces sí podríamos decir que más allá del horizonte del capitalismo no hay ninguna lectura histórica posible en términos de felicidad y utopía. El punto de vista máximo en el horizonte hoy sería un capitalismo sensible que incorpore la mayor cuota de justicia social dentro de sus variables.

—El político, para explicar la ausencia de cambios importantes en su propuesta, entre otros argumentos apela a un consenso social mayoritario que demanda una continuidad, por ejemplo, en las grandes líneas de la política económica.

—Ciertos datos indicarían que la gente está atravesando una etapa más bien conservadora. Es evidente que los cambios requeridos son muy escasos en relación a otras épocas. No hay un mandato de cambios rotundos, de corte, de quiebre, como para reiniciar las cosas desde otra perspectiva. Pero yo creo que estas no son experiencias definitivas, sino más bien lecturas que hacen a una época. En toda situación que se vive como inexorable, lo que habría que preguntarse es qué sucede cuando hay un primer nudo que se atasca o un primer cortocircuito que quiebra la inercia. Ahí reaparecería otra escena política donde es como si perdiese sentido todo lo que se comentó, se pensó, y se fundamentó hasta ese día; uno se queda como diciendo sí es cierto que somos absolutamente hijos de las circunstancias. Porque podría suceder que estamos viviendo una época en que ese cortocircuito todavía no se ha producido como para recobrar una perspectiva distinta entre voluntad política y cambio real.

(MAYO DEL 68 SÓLO EXISTE POR)
LA INDUSTRIA CULTURAL*

Escritor, docente universitario, militante peronista de joven, Nicolás Casullo estaba en París cuando estalló la rebelión juvenil que haría célebre al mayo de 1968. A treinta años de que los estudiantes tomaron la Universidad de La Sorbona, levantaron barricadas en las calles e incitaron una huelga que paralizó Francia durante casi un mes. Casullo analiza los ecos de la insurrección en el libro *París 68. Las escrituras, el recuerdo y el olvido,* a punto de aparecer.

—¿Por qué una revuelta estudiantil ocurrida hace 30 años tiene todavía tanta fuerza?

—Yo creo que la repercusión no la produce el recuerdo social, sino que la pone en marcha, cada diez años, la industria cultura. Una industria cultural que tiene una enorme capacidad de vocación, de homenaje. A tal punto que hoy se hace mucho más por el Mayo francés que cuando se cumplieron 20 años y mucho más aún que cuando se cumplieron 10. Por eso, aparece como si tuviera gravitación cuando en realidad —sacando la discusión del campo de las ideas— el Mayo francés está definitivamente adormecido.

—¿La nostalgia desvirtuó lo que ocurrió hace treinta años?

—Sí. Yo creo que hay mucho de moda. Estamos ubicados en un campo donde la industria cultural hace mucho eje en una memoria que en realidad olvida. Hay una suerte de tradición moderna que rescata "aquello radiante que fue". Y está tan planteado en esos términos que el mensaje en realidad es: "Esto fue, nunca más va a volver a ser". Al escribir el libro traté de confrontar con esa operatoria de cosmética cultural y por eso digo que estamos en una época en que todo lo transformamos en un museo. El Mayo francés, las vanguardias, Picasso... integran un museo donde la gente puede ir a ve qué fue cuando las cosas eran o cuando las cosas pasaban. Y esto deja la sensación de que acá no pasa nada más que el homenaje. El homenaje a la Revolución Fran-

* Entrevista realizada por ANA LAURA PÉREZ, *Clarín,* 7/5/1998.

cesa, al Mayo francés, a los 150 años del Manifiesto comunista, pero en los homenajes se refleja la falta de vigencia.

—¿Qué corrientes políticas e ideológicas de aquel Mayo siguen vigentes?

—El Mayo tiene tres grandes líneas que conjunta o sucesivamente se van a separar de él: por un lado el vanguardismo leninista, la violencia organizada, una avanzada revolucionaria al estilo clásico. Por otro lado, la variante neoanarquista de las nuevas formas de autogestión y de las democracias directas que se dio de manera muy fuerte en los últimos 30 años. La tercera pata del Mayo es el cuestionamiento a la conducta, los valores, la forma de presentarse, vestirse y hablar, cierto desparpajo e ironía, una suerte de ingeniosidad del lenguaje y un espíritu de innovación, de modernismo en el más clásico sentido, que todavía es posible detectar en nuestra cultura y —sobre todo— en la publicidad.

—Todos valores muy ligados a la juventud.

—Es que el Mayo francés simbolizó la emergencia definitiva de la cultura juvenil en la historia moderna. Ese espíritu juguetón, de libido desatada, de contravención, de contracultura que encarnaron los hippies, marginales y contestatarios.

—Usted marca una paradoja interesante, cómo un movimiento masivo y social rescató valores d la individualidad: respeto a la sexualidad, las mujeres, las minorías...

—Porque Mayo del 68 no fue social, fue un movimiento cultural. Fue un típico movimiento de masas modernizante de los que se producen cuando hay un desfase entre el adelanto técnico civilizatorio y el retraso permanente de los valores y las costumbres. Lo que hizo Mayo fue poner al día la cultura necesaria a ese momento y cuestionar tanto al pensamiento de derecha como el de izquierda.

—¿En qué derivó esa postura, opuesta a los dos grandes paradigmas políticos?

—En un principio cuestionó a la izquierda por no ser revolucionaria y para demostrar que la izquierda reformista, estalinista, burocrática había traicionado el legado de la revolución, regresó a las fuentes revolucionarias genuinas: a Lenin, Engels y Marx. Pero lo más fuerte de Mayo está en su crítica cultural al sistema. No ya al régimen salarial, económico o político. Produce una rebelión contracultural hacia ambos lados: a la revolución traicionada y a un capitalismo autoritario.

—¿Qué cosas del Mayo francés impregnaron a la juventud argentina?

—El grueso de los militantes argentinos fue universitario, que abandonó las aulas y se fue a las barriadas, a las villas miseria y a militancias armadas. En ese sentido, si la cultura de los sesenta es muy hermana de la francesa.

—Usted cita a Dany el rojo, quien se lamentaba porque a pocos meses de la revuelta se impusieron los dogmáticos.

—El Mayo francés y toda esa generación en Latinoamérica cuestionaron a la vieja izquierda sin romper con lo que podríamos llamar el campo ideológico de la revolución. El eje era o reforma o revolución y la nueva izquierda se ubicó en la revolución. Bajo el mote de "reforma" quedaron tanto las burocracias sindicales, como los viejos partidos comunistas y socialistas. Se cayó en un doctrinarismo fuerte al que Daniel Cohn Bendit alude diciendo que el 69 estaba muy lejos del 68 porque, una vez que se diluyó la protesta, quedaron los grupos que leyeron el significado del Mayo francés como la posibilidad de crear vanguardias revolucionarias.

—¿Y cuándo comenzó el acercamiento a la otra herencia del 68?

—Pasados diez años, y ante el evidente fracaso de doctrinarismo, surgieron las otras corrientes, más autogestionarias, más democráticas, más antiorganización de partido único y más basistas, que aparecieron bajo la forma del feminismo, el ecologismo, las nuevas culturas juveniles.

—París, según usted, instaló el deseo como eje de la política. ¿En qué consistió?

—La insurrección coincide con un importante avance de lo psicoanalítico. Así es como el estudiante francés se enfrenta al padre, al profesor, al político y a la policía y se plantea que el deseo (expresarlo y conseguirlo) es la clave de la revolución.

—Ese mismo deseo al que Alain Touraine alude en la frase "El 68 no fue un movimiento social. Fue un deseo de movimiento social" también estaba presente aquí.

—Yo diría que todo el campo cultural de las izquierdas provenía de la necesidad de hacer la revolución e instaurar el socialismo e, indudablemente, esa cultura estaba o se sentía llamada a cumplir con ese deseo. Pero, si bien había un deseo, no se lo vivía como tal sino como cumplimiento de leyes que la historia, la teoría y la ciencia marxista postulaban como inexorables.

—¿No subyace a esta memoria del Mayo francés una especie de deseo de que vuelva la ilusión a nuestras vidas?

—Es evidente que existe la necesidad de volver a apasionarse por las cosas... por una idea, una creencia, un objetivo, una misión, un proyecto que vuelva a unir a la sociedad. Pero estamos en una época muy problemática en que todo es deseo del deseo. En lugar de expresarlos y cumplirlos, estamos permanentemente tratando de atrapar deseos que parecen haber agotado y disuelto. Yo reivindico ese deseo y digo que ahí sí el 68 puede dar qué pensar y reflexionar.

(EL ARTE COMO LUGAR DE)
(PENSAMIENTO CRÍTICO*)

—¿Qué significa hoy preguntarse por el arte, quiero decir, remite a la experiencia de la obra como promesa y libertad, o nos transforma en una suerte de pensadores póstumos situados en la tradición de una problemática moderna?

—Posiblemente sean preguntas de este tipo las que retienen la vigencia del arte. Si recorremos la complejidad del arte en lo moderno encontramos que pareciera haber nacido herido de muerte, y que en esa indisposición con el programa moderno encontró siempre la pletórica posibilidad de existencia. Hegel pensó que la nueva edad estaba más allá de la obra de arte, de ese momento sensible de la idea que ya no aparecía como suprema manifestación del espíritu. Si tomamos al Schelling desde el camino abierto por Hamman, vemos que el arte como órgano de lo absoluto queda depositado en el ocultarse y desocultarse del mundo como obra del artista divino, es decir desde ese fondo poético mítico que buscará idealistamente reconciliar lo ya inconciliable, su ya no poder ser, en definitiva, sustitución vívida de lo religioso. O en Schiller, con su opción ética por la autonomía de lo estético, por el camino de una apariencia que ya no pretende reemplazar ni legislar la realidad: esa libertad de una verdad sublime, ya no teórica. Vemos entonces que el arte precisó repensar como ningún otro discurso —ni el político, ni el filosófico, ni el social ni el económico— el status de lo moderno en general. Como hijo extrañamente condenado al pasado ideal, o a su agonía, o al origen religioso inefable, o a la renuncia a la realidad efectiva, es desde ese estado, de moderna precariedad, que se instituye.

—Tal vez sea Hegel el que define más terminantemente el camino de la metafísica del arte, cuando anticipa lo estético moderno como proceso de dicha subjetividad estética hacia una ciencia del arte, ya no la experiencia artística como manifestación plena.

* Entrevista realizada por DIEGO TATIÁN, *La Voz del Interior*, 25/6/1998.

–Hegel descifra no la muerte del arte, entendida esta muerte como que lo moderno ya no tendrá capacidad de experiencia estética genuina, sino que el arte ya no podrá sortear su preguntarse en cada obra qué es el arte. Tiempo de un exceso de conciencia, en realidad para Hegel es la filosofía agazapada en lo nuevo estético moderno, quien le exige autorreflexividad al arte. Conocer lo que es el arte. El arte necesita desde ahora un plus para su fundamentación, ciencia del arte, teoría. Preguntarse en cada acto creador, ¿esto es arte? Dejó de ser evidente el vínculo entre arte y verdad. Podría decirse, extremando la visión hegeliana, al final solo quedaría lo teórico, la ciencia del arte, su inmensa huella en el campo de las ideas. Tal vez este presente.

Vanguardia y metafísica

–¿Podría situarse el tiempo de las vanguardias artísticas, ya en el siglo XX, también como el del cumplimiento de este vaticinio filosófico, o las vanguardias serían más hijas de una libertad kantiana rebalsada, es decir situada en la experiencia subjetiva, receptora, hedonista, donde el gusto, el placer, secundariza la problemática de la disputa de la verdad de la obra?

–Creo que las vanguardias estéticas, tomando en cuenta su complejidad y diferencias entre ellas mismas, heredan ambas perspectivas. Sería difícil pensarlas escapando nada menos que de Kant y Hegel, del tablero filosófico-estético moderno. En sus lógicas de impacto, de conmoción, de provocación, de desinterés radicalizado frente a la posesividad burguesa, de posibilidad de ser puente entre esferas de la experiencia, de vitalismo de la vivencia artística y de fascinación por una cultura metropolitana abierta al shock hedonista y receptivo de las representaciones de lo irrepresentable, son quizás el fruto último de lo kantiano romántico, en cuanto a romantizar el mundo, llevar el arte al plexo de la vida. Pero por otra parte, tenemos en muchas vanguardias de ese tiempo, en el expresionismo, surrealismo, dadaísmo y futurismo ruso, una recuperación manifiesta no solo de la verdad de la obra como verdad asfixiada y liberadora entre los mutismos cosificadores de la cultura, sino también un concreto empeño teórico como inevitable completud del arte experimentador. Un tiempo filosófico anidando en el hecho estético, que en cada obra busca consumarse, y que tal vez el franckfurtismo de Adorno y Benjamin, uno más atrapado por el expresionismo, el otro por el surrealismo, expresan de manera elocuente

–¿Cómo situarías la posición de Heidegger en este proceso de pensar el arte en relación a la experiencia moderna y también con lo propuesto por las vanguardias del XX? Teniendo en cuenta que Heidegger quiebra con la

metafísica del arte pensado desde la racionalidad sujeto-objeto, y lo lleva a una confrontación con la experiencia ontológica y no como mera representación subjetiva.

—Creo que el pensar de Heidegger se toca en varias zonas con el espíritu de las vanguardias, aunque a primera vista pareciera que Heidegger no saldría del campo de un arte más clásico, decimonónico. En primer lugar por ese planteo heideggeriano en cuanto a que el arte no es una cuestión literaria o del campo "de la cultura". Lo sustrae de la vieja metafísica de la subjetividad, de la obra como producto, de la problemática de la belleza, del litigio creador o receptor de las representaciones del objeto. Anula la pregunta por ese objeto, en tanto supuesto portador de la respuesta sobre ¿qué es el arte? Desde esta perspectiva Heidegger arrasa no ya solo con la institución arte, con la autonomía de la esfera del arte, sino con las ideologías que lo dispusieron de mil maneras como consuelo inesencial de una cultura. En esta zona de línea de frontera, entre Heidegger y las vanguardias, encontramos que también estas últimas, desde la experiencia estético-política, buscaron desarmar el tinglado metafísico del arte burgués, sus rituales, formas de culto, determinaciones ideológicas, instituciones beneméritas, autonomías idealizadas, subjetividad reverenciada, y ese situarse del arte burgués como "lo otro" a la vida. Entonces, ese manifiesto esfuerzo del pensar de Heidegger, el retorno del arte como evento de la verdad, como manifestación de esa esencia donde habitarían la obra y el artista, se emparenta con el alma de ciertas vanguardias en cuanto destruir el orden burgués de las artes, quebrar sus estéticas, eliminar el templo de "las bellas artes", dejar atrás los problemas de la sensibilidad y el gusto y reponer un arte verdadero. Existió en las vanguardias, desde otros procederes, un deseo de reponer la verdad del arte y sustraerlo a la metafísica de las representaciones sustentadas por ese sujeto —el burgués— figura esta última que podríamos asimilar a lo que Heidegger llama "subjetivismo" del placer, la mercancía, la técnica.

El largo brazo del museo

—¿De qué maneras este legado moderno de las problemáticas del arte y el artista, de la obra y su lugar en el mundo, tendrían hoy vigencia o permitirían reabrir un camino para pensar la actualidad del arte?

—Este es el tema, y en la forma de tratamiento de este legado se juega o no su importancia. O es memoria intensa de una cultura crítica, o se transforma en sus antípodas, en un desván para profesionales cultos en la materia. Si esto es pura erudición especializada, si es simple ilustración académica, si es mera especialización bibliográfica contribuimos a una de las claves de la cultura massmediática y sofisticada de nuestro tiempo: la museificación del mundo, el paseo por las galerías de un pasado muerto.

—La docencia en este sentido, tuvo mucho siempre de museística en el campo de las ideas y del arte. Desde esta perspectiva estarías pensando, para el contexto de cultura y de la estética actual, un repreguntarse por la trasmisión de los saberes, por la universidad hoy. ¿Para qué la universidad?

—Efectivamente, cuando la sociedad arriba a una suerte de "universidad massmediática", a una cosmética informativa, explicativa, ofertadora también de los santuarios "del pensar y de los pensadores", a una forma de consumir la ilustración vía mercancía del producto cultural en auge, la universidad, o el arte, o el lugar, cualquiera sea, del saber crítico reflexivo (puede ser la constancia en una bohemia de la mesa del café) debe asumir la rigurosidad de la reposición de las tensiones, del conflicto. La irremplazable actualidad crítica de una herencia de las ideas. Ya Benjamin pensaba, frente a la estetización del mundo, que la humanidad se había convertido técnicamente en un simple espectáculo para sí misma. En el "todo expuesto" de la vieja indagación de los secretos del mito y la memoria. Y Benjamin creía en la alarma sobre un arte, ahí donde ya no hay mundo alguno que desocultar. Debemos asumir el esfuerzo extremo de una argumentación, que desplace a la universidad del lugar donde progresivamente va siendo suplantada. Ya va siendo prescindible como lugar del recordatorio, de la veneración almacenada, de la biografía y la bibliografía inerte de las ideas.

—¿Y como conjeturar esa universidad que no sea universidad, y reasuma la crítica política al mundo desde el lugar del pensamiento?

—Debe rehacer una identidad nueva, cuando su clásica figura se consumó modernamente en un pseudotodo reificante. ¿Qué lugar para el arte, el pensar crítico, la universidad, en un mundo devenido técnicamente "cultura"? ¿Para qué volver a Kant, a Hegel, a Nietzsche, a Heidegger, a las vanguardias? ¿Para recitar lo que dentro de diez años dirán las pantallas especializadas de un canal de cable sobre ellos? Ellos, como pensamiento, deben ser reabiertos para lo que nos espera, no como relato de una tradición de "cuando se pensaban las cosas". Se trata de recuperar el arte en su destinación negativa, como así también al pensamiento crítico. Un espacio del saber crítico, de la experiencia sobre arte, de la universidad o como se la llame, que todavía no fue pisado. Pero donde aquel mundo del pensamiento, del arte, sea proseguido, revisado, criticado, actualizado, superado, y confronte, y se desfase, se deslinde de la estetización implacable de las cosas, de nosotros mismos, de la fascistización de la cultura que hoy pareciera "conciliarlo todo" como suprema barbarie civilizatoria, y en donde la propia academia hoy participa. Solo desde la conciencia de esta amenaza imaginaria podremos reanudar un pensamiento crítico.

(EXILIO: TU CUERPO AHÍ, EL ALMA ALLÁ*)

–¿En qué año te fuiste y adónde?

–Salí en noviembre de 1974 para Cuba, donde viví más de cuatro meses en La Habana. En abril del 75 viajé para instalarme en Caracas, Venezuela, donde estuve hasta enero de 1976. De ahí viajé a México Distrito Federal, donde viví hasta 1983. Regresé a la Argentina ese año.

–Participaste de una historia de expulsiones y esa historia viene de lejos.

–En gran parte somos una historia de expulsión. O una crónica donde el espacio terrestre o marítimo que nos circunda protagonizó nuestra crónica de una manera tan relevante como la presencia humana en sí. Espacio abierto: lo que nos aproximó a un sentido fueron las lejanías, las regiones expulsadas o de expulsión de la historia, esos mundos sobrantes. Ya para la gesta independentista "la inmensidad sin nada" produjo una extraña revolución no obedecida, que desde Buenos Aires parecía expulsar al resto, o que pensaba el "interior" como una distancia inalcanzable. El primer y único dato fuerte de nuestra Revolución es la expulsión de Moreno, "ese malvado Robespierre que me calumnia frente al pueblo", como escribió Saavedra. Todos los otros datos serán inciertos, menores, anécdotas entre escribientes de gacetas, un ejército y criollos en la aldea de paja y barro. No así la imagen del jacobino embarcando una noche, amenazado de muerte, desterrado de una tierra informe y sin nombre preciso, condenado no ya a imaginar la inmensidad que nos separaba del Alto Perú, sino la marítima que al expulsarlo lo reuniría con la otra patria, la de las ideas, la del Contrato Social.

Extraño juego de espejos, la derrota o la muerte siempre sería, desde ahí, el regreso a la Madre, Europa. Desterrados del centro de la escena patria, pero hacia la "escena central" de la historia. Si la modernidad europea de las Luces

---

* Capítulo del libro de JORGE BOCCANERA, *Tierra que anda. Los escritores y el exilio*, Buenos Aires, Ameghino, octubre de 1999.

nos destinó, nos expulsó a la frontera, a esa lejanía sureña occidental que éramos, para convertirnos siempre en "lo otro al centro" (París, Londres), el exilio de la figura del patriota será de ahí en más el camino de duelo, de destierro hacia los orígenes: a la historia. Lo expulsado es la historia inencontrable, la del vencido, la que explicaría todo, la necesitada de re-unir con la que se vive. El expulsado, el extranjerizado, no sería el bárbaro, sino el que cuenta el corazón de la patria en manos de otros.

Sarmiento en el Facundo cuenta de las gentes expulsadas de sus terruños, de pueblos abandonados en la inmensidad territorial. Expulsados de sus lugares por las guerras, el hambre, la miseria, el olvido, eso que percibe en 1846 como secreto y prueba de "la revolución fracasada", y que lo tiene a él mismo expulsado en Chile por el gobierno de Rosas. Sin embargo, la sombra de Facundo, lo que ensombrece, es lo cercano, la historia cierta, la verdadera. La que hay que observar en sus detalles tétricos para vencer el engaño de las distancias, la fatalidad del expulsado. En la historia protagonizada por el espacio infinito, todo de pronto puede volverse exilio en lo propio. Todo es acontecimiento etéreo entre dimensiones inabarcables. Los que están en la historia simulan no saber hacerla, los que no están hacen la historia: hay un tiempo de espacio, un tiempo de lejanía que nos encadena a las expulsiones ajenas imprescindibles. Diez millones de inmigrantes desterrados vendrán del terror capitalista y la miseria europea a partir de 1880, expulsados y reinventados por nosotros como "utopistas". La mitad de ellos regresarán en pocos años a Europa, expulsados por un *Utopos* inexistente. Quizá debamos morir aquí se habrán dicho, no sin angustia. Pero el juego de espejo vuelve a irisarnos la historia: San Martín, Rosas, Perón, Cortázar y Borges tendrán una primera o definitiva sepultura allá, en una expulsión obligada o elegida, o en un reencuentro con las comarcas donde "la historia parecería suceder siempre de verdad", donde tendría sentido reposar eternamente. Cortázar elige a Horacio Oliveira como argentino expulsado por la nadificación argentina, así como Borges va en búsqueda de las orillas y los orilleros para poder componer una Buenos Aires desde sus lindes, desde los casi expulsados. "Hacer la América" habla de alguien que viene y se va, pronto o alguna vez. Lejos del centro radiante moderno nada se vuelve centro aquí, sino zona dudosa donde se entra y se sale de las cosas, y uno mismo siempre está no tanto en el borde, sino al borde de exilio por el solo hecho de cambiar de vereda. ¿Dónde empieza o termina lo lejano? ¿Cómo se es marca distante en un mundo que se enuncia en otra parte? Tal vez sintiéndose expulsado y perpetuamente reingresando.

—El tema aparece con tu abuelo como personaje de tu novela El frutero de los ojos radiantes.

–"Somos la Europa sin guerra", me decía mi padre allá por 1955, dando a entender nuestra fortuna de expulsados, así como el propio Perón cuando escribió sobre la tercera posición no se imaginó una Argentina latinoamericana, sino fantasmal y fronteriza con España, Francia, Alemania, Italia: blanca expulsada, pero todavía allá, entre comunismos y capitalismos europeos. En México escribí esa novela en la que aparece la historia de un hombre, la expulsión de Génova en 1880 contada por un niño que no entiende ese viaje en barco y por eso lo descifra más que nadie. Sólo percibe a bordo los silencios, las medias palabras, los espectros en cubierta, los días del mar, los ojos del hombre loco, un puerto de llegada que no es puerto sino costa mortecina que detiene el barco al final del mundo. Antes de empezar a escribirla había viajado desde México a Italia y recorrido Savona, el Ligure, la tierra genovesa de aquel niño expulsado de la historia de las cosas, hacia una ribera en los confines. Me sentía un patético jacobino sin ni siquiera carnet de identificación buscando a los Casullos donde ya había fábricas, autorrutas y embotellamiento de autos. Doblemente expulsado, de la herencia y de la propia memoria de una campiña extinguida. En ese mutismo empecé a encontrar el principio de esa novela masticada durante años. Expulsados éramos mis abuelos y yo, y sin embargo qué diáfanas eran de pronto las cuestiones.

El equívoco había sido brutal y por eso definitivo: sólo desde el alma exiliar la patria lejana recobra una silueta inaudita. Yo tampoco volvería, pensé románticamente esa noche en una pensión de Génova al escribir las primeras oraciones de una novela. Y entre las aterradas imágenes de mi abuelo en un barco imaginando una tierra, y las mías recordándola para siempre, se cerraba una historia de expulsiones.

–*¿Flotaba el tema de la muerte?*

–Vivíamos y conversábamos muchas veces sobre el miedo a morir entre tantas noticias de muertes, pero morir lejos, tontamente, exiliados. Morir como habíamos sido siempre, como nunca quisimos morir. Una tierra que se pierde a cada instante es una tierra que se vuelve intelectualmente profunda, encarnada en cada detalle de los días. Es una tierra sólo a pensar, a interrogar, es un espacio de eterna distancia que alguna vez se creyó tener para siempre. Ninguna patria es tan irremplazable y tremenda como la que se descubre como un sueño, como un acertijo, como la escena que puede estar como no estar. Nadie se pregunta tanto por su lugar como el argentino, que siente lo ilusorio, que vive su viaje al Ligure, a su Savona, y descifra que todo pudo ser un entretiempo entre viajes, entre expulsiones de abuelos y nietos. Y que si hace el gesto de abandonar esta cifra, esta esquiva identidad, ese jeroglífico de buscar lo suyo en lo lejano, todo concluye en ese gesto, se acaba una historia.

–¿Qué trabajos realizaste estando fuera?

–En México un largo tiempo primero trabajé de periodista, tal cual lo había hecho en Buenos Aires. Jorge Bernetti, que dirigía la sección editorial de *El Universal,* me presentó a Luis Javier Solana, vicedirector del diario, un magnífico pueblano y caballero de estirpe que me puso como responsable editorialista de la sección internacional. 1976 y 77 era la época de la emergencia de los eurocomunismos en Italia, España y Francia, un tiempo donde comenzaban los grandes debates sobre la crisis de las izquierdas, del marxismo, de los planteos revolucionarios. A Solana le propuse y aceptó la necesidad de suscribirme a las mejores revistas políticas, teóricas y diarios europeos para seguir la cuestión, que se transformó casi en sección fija del periódico y con los cuales me empapé del final de un largo tiempo en Occidente.

–Esta inserción laboral te posibilitó analizar a fondo un momento histórico especial.

–Sí. Tuve la suerte de armonizar un lugar propicio, un país que se abría a toda la nueva problemática de las ideologías y las revisiones, y un trabajo dedicado a retratar tal estado de las cosas. Después *El Universal* me solicitó la necesidad de reformular por completo la sección internacional, y más tarde junto con los Paco Taibo, padre e hijo, la reformulación del diario del mediodía, popular y amarillista. Terminada esa tarea Solana nos manda a Bernetti y a mí más de un mes a Europa para entrevistar y relevar el tiempo ideológico y político del mundo desde la complicada fragua que comenzaba a manifestarse entre líneas socialdemócratas revitalizadas, crisis del Estado social, crítica a los socialismos reales, destape español, neomarxismo italiano, crisis del petróleo, autocrítica de las izquierdas del 68 y principio de neoconservadurismo inglés. Más tarde Solana se va de *El Universal* y me lleva a una revista suya, *Mañana,* donde se me ocurre plantear una serie de historias de liberación o luchas tercermundistas desde 1960 hasta el presente. En 1979 comienzo a trabajar como investigador en un instituto de estudios sobre cultura y comunicación, el ILET (Instituto Latinoamericano de Estudios Transnacionales), y me planteo analizar el llamado despertar neoconservador en los distintos planos políticos, ideológicos y culturales, sobre todo a partir del ascenso de Reagan en USA. Paralelamente trabajo como comentarista semanal en la sección internacional de la revista *Proceso* y como columnista de cultura y *mass-media* en un nuevo diario de la izquierda mexicana, *Unomasuno.*

En todos estos medios trabajo con seudónimo, algo que luego siempre me pregunté por qué. En el ILET, con Héctor Schmucler, Alcira Argumedo, el peruano Rafael Roncagliolo, una investigadora yanqui muy hermosa y lúcida, y los chilenos directores de la institución, Juan Somavía y Fernando Reyes

Mata, organizamos un seminario semanal que duró cuatro años sobre crisis y reformulación del capitalismo en el plano tecnológico, cultural y político, referido a cómo y en qué contexto mundial de ideas y perspectivas renacerían las democracias del cono sur latinoamericano. Un proyecto de estudio, análisis y debate permanente que nos permitió tomar plena conciencia de un cambio epocal profundo. El instituto me envía a Belgrado a la reunión donde la Unesco, luego de muchos debates, aprueba el programa sobre un nuevo orden informativo mundial. Ahí tengo oportunidad de cotejar posiciones con representantes africanos, soviéticos, yanquis, también con intelectuales, investigadores y periodistas concentrados durante diez días en Yugoslavia, y escribo al regreso dos o tres trabajos largos donde me arriesgo a una visión bastante sombría en cuanto a la historia que en realidad se nos avecina, y a la debacle de muchos postulados y cosmovisiones que habían armado nuestra vida intelectual y política. Después, de regreso al país, con Alcira Argumedo y Héctor Schmucler fundamos en 1984 el ILET en Buenos Aires.

—Hablame de tu vida cotidiana en México, ¿cómo era?

—Mucho más tranquila y serena que en la Argentina. El Distrito Federal no se conoce nunca bien del todo, hay que observarlo más. Precisar los trayectos, ahorrar palabras. Los ojos buscan memorizar esquinas, frentes de casas, y las personas que pasan tienen un fondo callado, el de ser dueñas de las cosas y de las calles, de las voces y los modos, de lo visible y lo invisible. Hablar, dialogar, es una mezcla de entrañable aproximación y de definitiva distancia: tu acento vive la comunión del idioma y al mismo tiempo el dato que muchas veces uno no quería dar: el de extranjero. En la voz entonces uno siente que se enciende y se resquebraja la comunión del habla, frente al vendedor de tacos o el empleado de la farmacia. El mexicano popular es simpático, siempre me cayó bien con sus albures a punta de lengua y ese dejo carnal que te quiere y te amasija. En la vida de todos los días en México siempre hay un instante de conciencia como sombra de la sombra que nos regresa al extrañamiento; esta plaza no tuvo que ver conmigo, este lugar no es recuerdo, aquí no hay fantasmas de mí mismo y los rostros queridos son imposibles de concebir en estos sitios de la vida. México es como América Latina, es infinidad de cosas semejantes, pero uno vive de abstracciones regionales sino de las cadencias de una palabra, del significado de una frase, de los nombres de las comidas y el aroma de los barrios. De las formas que toman los mediodías en el aire, o las tonalidades del atardecer cuando uno junta cualquier fondo de ciudad con lo más cercano a los ojos. Viví primero en Colonia Roma, el viejo México casi céntrico donde el *art-decó* y las edificaciones de ladrillos tipo inglesas y el hollín del smog tenían mucho el corazón de tiempos superpuestos de lo moderno mexi-

110

cano. Después nos mudamos al sur, a Villa Olímpica, pasando la Universidad y casi en las afueras de la ciudad. Por la mañana trabajaba en mis cosas, leía, escribía cartas; al mediodía me iba a los trabajos y por las tardes a los encuentros con mexicanos o con argentinos, casi siempre como mundos escindidos.

Me gustaba más la noche en el Distrito, la ciudad se apaciguaba, las luces le daban a ciertas zonas, esa semblanza emparentada a toda metrópolis nocturna. Siempre me gustó la noche en la ciudad y también en México. Era noctámbulo, con citas con Sergio Caletti o con Pancho Talento a las doce de la noche en algún Vips, o el cine, o cenas retrasadas con Emilio García Riera o Gustavo Montiel en algún restaurante. El día en el Distrito era implacable, salvo algunos lugares muy excepcionales nunca sentí un solo gramo de felicidad diurna ciudadana, sino la intensidad de tener que ganarle al Distrito en cada una de sus irracionalidades. En cada una de sus lejanías entre puntos, atascamiento de autos, retrasos, horas pico, calles sin vereda, fealdad sistematizada, por ejemplo, de la avenida Revolución. En el viejo casco céntrico, al que iba de visita con Emilio, experimentaba por el contrario una extraña sensación: ahí donde no vivía nadie conocido ni por conocerse yacía la ciudad. Una suerte de antigua ciudad racional, caminable, orientada, bella en sus frentes, acariciable en sus cuatro esquinas, cuadriculada en la imaginación, donde uno podía volver a pensar en "a tres cuadras", en "a la vuelta", o en "te encuentro en tal y tal".

Edificación del 900 o de antes, hermosa y pétreamente latinoamericana, con esos altibajos de lo bello y lo siniestro, de un viejo palacete y un conventillo, y con sujetos, oficios, negocios y vidrieras atrapables para una galería de siluetas típicas. Con los años toda mi vida se situó sin embargo en el sur, escuela de las niñas, trabajos de Ana y míos, citas, cines, casas de amigos, comités de solidaridad, cancha de los Pumas, librerías, banco para pagar alguna cosa, y fugas de los sábados a Cuernavacas. Muchas veces, charlando en esa época entre exiliados, algunos coincidíamos en que México nos regresó a una máxima burguesidad que no estaba en los planes heroicos de ninguno, pero que en algún lado latía como nuestra más acabada performance. En mi caso ese ordenamiento me reencontraba con mi infancia y mi adolescencia en la casona del abuelo, con la imagen de mi padre escuchando a Beethoven o Schubert en la sala, acomodando libros en la biblioteca o podando las plantas del jardín. Yo llegué a México con ocho libros calculadamente elegidos y regresé al país con más de mil. Estudié mucho hasta altas horas de la noche encerrado en mi escritorio, escribí cuatro veces la novela de ochocientas páginas, escribí centenares de artículos periodísticos, ensayos, y ya en los últimos tres años, sacando las cuatro horas por día que iba al instituto de investigación, todo lo hacía en casa, entre mis dos hijas muy chicas, un gato, un conejo, Ana que también escribía en casa sus artículos y preparaba sus clases a dictar en la universidad, y donde por las noches solían caer amigos a escuchar tango o corridos, hablar de la Argentina o de López Portillo, o enredarnos en los partidos de fútbol americano que más de uno nos empezó a gustar de verdad. En este sentido México me encontró todavía con mi tiempo "joven", abierto a lo imprevisto, dedicado a discutir, reflexionar y participar de grupos políticos del exilio. Creció definitivamente mi convencimiento de lo que yo era, si era algo: un intelectual crítico pensador inconformista de las cosas, con algo ya de "conservador" en cuanto a que lo perdido en apasionamiento y compromisos con las ideas pasaba a ser lo sustancial: el silencio de mirar por la ventana como se aplastaba el sol en el Ajusco.

—Por lo que contás, tu actividad fue intensa en muchos sentidos, lo social, lo político, abierta a lo nuevo, en una apertura que convivía con la forma de pensar que traías de la Argentina. ¿Es así?

—El exilio tiene una virtud especial, sobre todo en una época donde todavía eran fuertes los valores de fraternidad, solidaridad y desprendimiento propios de una militancia política. Quiero decir, en el exilio todavía fuimos, en muchos sentidos, aquella forma ideológica y existencialmente desprendida frente a la vida, abierta a conocer, colectivista para compartir, para rejuntarse, para estar a disposición de ayuda y salvataje no sólo en el pequeño núcleo de uno, sino en un círculo mucho más grande, más amplio de los que iban llegando. En el exilio todavía éramos preburgueses, nadie está situado en posesiones, abroquelamientos, tarjetas de créditos a pagar. El exilio te pone en un difuso paréntesis donde vos creés que algún día va llegar el último día de la historia, la del exilio, y deberá recomenzar otra nuevamente, la perdida. Entonces en mi caso, que materialmente me fue bien, nunca aposté a proyectarme en México, nunca quise eso. Te diría, nunca me permití eso. Si vos comprabas un sillón de tres cuerpos pensabas no sólo en el sillón sino en cómo vas a desprenderte de él cuando llegue el final de la historia. Si vos inscribís a tu hijo en una escuela pensás cómo reenganchará con la otra escuela, la de la otra historia todavía no llegada. Por el contrario la mostración de adquisiciones, o el sentir asentándote, juega de manera contradictoria, remite a "un progreso" que choca con otros estados del espíritu y de las ideologías.

—Del mismo modo que el desterrado se abrió a lo diferente, armó su gueto.

—Claro, pero el guetismo de los argentinos me amplió enormemente la familia. La no existencia de padres, madres, abuelos, tíos, hermanos, reconstruyó un tipo de familia sin otros que nosotros mismos y nuestros hijos. Nunca hubo una época en mi vida tan genuinamente social, de amistades con las que te veías diariamente para convivir infinidad de cosas entre varios o entre muchos. Compartís dolores, noticias, precariedades del alma, y también una conciencia de privilegio: estás bien, vivís como siempre en una historia que te contiene, pero invadida de muertos y desaparecidos. Vivís también hablando con ellos, o escribís de cualquier otra cosa pero con palabras donde siempre están ellos. El Comité de Solidaridad, las tareas, las discusiones, las necesidades, las soledades, los cumpleaños, las fiestas, las reuniones políticas, los fines de semana, las noches, el fútbol, los encuentros en alguna casa, me poblaron de amigos, de una nueva "familia", con los cuales iba a un coloquio o aun supermercado, a una asamblea o a hacer un asado, a una audiencia a Gobernación o a comprar juntos *El Gráfico*. Esas amistades pervivieron dentro mío de una forma imborrable, pero sin embargo, al regreso, con bastantes de ellos me fui dejando de ver, salvo ocasionalmente.

–¿Se piensa en la posibilidad de no poder regresar nunca más?

–Te corre la muerte por dentro y sentís que estás bien, que es un tiempo rodeado de imágenes de muertos y no otra cosa en el fondo. Al mismo tiempo apostás desesperadamente a la vida, tenés hijos, hacés el amor, escribís, sacás revistas, gritás un gol, te cagás de la risa en una sobremesa amena, te gusta el culo de una mina, sentís que la parca pelea dentro de vos pero la derrotás, que vas a escribir el libro del siglo, que te vas quince días a una playa, que el mundo terriblemente sigue, con los muertos también, pero sigue. Sigue, y una mañana tomás el café, mirás la ventana, te ponés a escribir, las palabras te salen, Ana tararea en el living, tu hija vuelve del colegio, y entonces apoyás las dos palmas en el escritorio y decís voy a volver, voy a seguir pensando y dando pelea contra todos los hijos de puta del mundo. Chau, estás ganando, por lo menos ese día ganaste tres a cero, sabiendo que el próximo domingo vas a perder cuatro a uno, te preguntarás sin respuestas qué carajo es todo esto y yo en todo esto, y la parca bailará radiante dentro tuyo.

–Se me ocurre una frase de Lezama Lima: "el eros de la nostalgia", una fragmentación que adopta distintas formas.

–Porque no hay un exilio, hay tiempos diarios de exilio, rincones de exilio, napas de exilio, sótanos de exilio, casamatas de exilio, instantes de exilio, con ciertas constantes. Nadie había pensado vivir afuera, conocer el mundo, ligarte una beca en el extranjero. Al contrario te diría, la generación del exilio no tuvo ese berretín, se proyectó siempre adentro, con los de adentro y para adentro. El militante es sobre todo en el mejor y peor sentido un patriota, un hombre que responde a la comarca del *pater*. Estar en el corazón de la escena y la resolución de lo nacional. Y si lee cosas de otros lares, traduce y retraduce para lo suyo. A nosotros nos seducía la Córdoba de Sitrac Sitram y no Yale, el Tucumán de los cañeros y no la Sorbonne, viajar porque se recalentaba socialmente Rosario y no por un doctorado en Canadá, escuchar a Fiorentino en Floresta y no bailarlo en Berlín. Y no obstante para ese tipo de gente que éramos, el exilio nos abrió mundos.

–¿En qué sentido abrió mundos?

–Nos desbarató el provincianismo, nos quebró narcisos malolientes, nos informó que no a todos les gusta el churrasco con fritas y la milanesa a caballo, que había realidades mucho más inteligentes, sabias, tolerantes y enriquecedoras que las del Plata. Que una noche con buenos mexicas y buenos tacos es una de las mejores cosas que te pueden pasar en la vida. Eramos jóvenes todavía, pensado desde ahora inmensamente jóvenes para aguantar, tirar adelante, buscar laburos, arremeter, ponerte una curita y seguir, encarar, aguantar mishiaduras y extrañamientos. Y creer todavía en ese entonces que estabas abierto a muchas alternativas con vos mismo. Uno llega con un par de valijas a una tierra donde no conoce ni dos esquinas juntas. Y embiste, repuja, sostiene, insiste. Esas cosas se hacen una vez en la vida, a una cierta edad y con valores de aventura y desprendimiento que de alguna manera portábamos al creernos pertenecer a la historia de las víctimas, de los justos.

–Siempre se habla de un México hospitalario. ¿Encontraste esa solidaridad?

–México en ese sentido fue tal vez el país más acogedor para el exiliado, sin perder su consistencia dura, enigmática a veces, insoportable otras. El mundo mexicano solidario ayudó, se preocupó, abrió las puertas; te digo más, en México muchos compatriotas descubrieron que ciertas realizaciones, objetivos, logros, conquistas personales, resultaban mucho más accesibles que en tu propio país perro de presa.

–Antes tocamos el tema de la nostalgia, ese elemento que congela una experiencia más abarcadora. Porque no fue sólo eso. El destierro se proyectó en debates.

–El exilio en México fue muy conscientemente político para muchos. O así lo viví. Yo venía de Venezuela donde en 1975 habíamos fundado entre diez o doce un primer comité de solidaridad en Caracas y editado un boletín, y cuando llegué a México en 1976 inmediatamente me puse en contacto con el COSPA (Comité de Solidaridad con el Pueblo Argentino) y muchos compañeros. Cuando digo político quiero decir que además de las denuncias contra el genocidio de la dictadura y el trabajo en defensa de los derechos humanos, en

México se dio en ciertos sectores un tiempo de debate político fuerte sobre lo acontecido en la historia de las izquierdas revolucionarias, sobre lo que seguía pasando y sobre cómo reformular idearios de actuación para un futuro democrático, posdictatorial. Para mí fue fundamental esta atmósfera y esta revisión de ideas desde grupos y variables más o menos organizadas. Por una parte me mantuvo en una tensión política permanente, por otra me permitió el pasaje de militante exiliado y solitario a una recuperación de la tarea intelectual, de la reflexión teórica, política, literaria y cultural sobre el drama que vivíamos.

–¿Qué cambios se registraron en lo personal?

–Yo provenía de una historia donde desde el 63 al 68 me había situado dentro del campo literario en lo que podríamos llamar el papel del escritor comprometido de corte sartreano. Más allá de escribir cuentos, novelas, y de la pertenencia a una revista literaria, se trataba de fijar posiciones críticas impugnadoras, experiencia personal que se acrecienta con mi viaje al París de las revueltas. Luego, a mi regreso me inscribo en la militancia desde 1968 y ahí poco a poco abandono y cuestiono profundamente esa figura del intelectual comprometido desde sus ideas y escrituras, y asumo una participación absolutamente política. En México y casi diez años más tarde recobro aquel viejo perfil de jovenzuelo, perfil interrumpido por el tiempo de la politización extrema de una generación. Regreso a las palabras y a un pensar crítico sobre lo que había pasado. Así lo vivo ya desde 1976: una historia que se agrietaba en cuanto a un gran almacén de ideologías y prácticas que habíamos llevado a la acción.

–De ese debate del exilio surgen editoriales, revistas, libros. Vos estuviste ligado a una de esas publicaciones, Controversia.

–En 1976 me desvinculo del comité de solidaridad montonero y con unos cien compañeros fundamos la CAS, la Comisión de Solidaridad, muchos más abierta, democrática y crítica a los vanguardismos armados de la historia reciente. Ya para mediados de 1977 con Héctor Schmucler, Sergio Caletti, Carlos Ábalo y Jorge Bernetti nos constituimos en un grupo de reflexión crítica del ideario político guerrillero peronista y marxista, grupo que luego se funde a principios del 78 con otro formato por Miguel Talento, Juan Carlos Añón, Jorge Todesca, Guillermo Greco. Al que se suma luego Adriana Puiggrós. Durante dos años, semanalmente, en reuniones de cuatro o cinco horas, analizamos desde distintas perspectivas lo que denominamos "la derrota". Pasamos a ser en la colonia el "Grupo de los Reflexivos", mientras paralelamente se organizan otros grupos peronistas y socialistas. Unos más ligados a un ideario sindical como el de Pepe Fidanza, otros más peronistas ortodoxos como el de Mario Kestelbaum y Alcira Argumedo, otros camporistas con Julio Villar, el

Bebe Righi y Rody Gil, otros situados más en la línea del peronismo revolucionario, y además la Mesa Socialista, donde participan Portantiero, Aricó, De Ipola, Nudelman. Realizamos en la CAS los "Encuentros" entre todos los grupos peronistas que se organizaban una vez por mes. Para fines de 1979 el Grupo de los Reflexivos se divide en dos, y el subgrupo en el que participo con Schmucler, Caletti, Ábalo, Bernetti y Adriana Puigróss decide participar en un proyecto de revista teórica, política y crítica que yo había conversado con integrantes de la Mesa Socialista, con el Negro Tula y Aricó. Durante dos años, hasta 1981, en un acuerdo entre ambos grupos editamos catorce números de la revista *Controversia*, revista que creo fue el esfuerzo más sostenido, político, reflexivo y de jerarquía que produjo el exilio argentino en cualquier parte, tanto sobre la problemática de los montoneros, el ERP, el peronismo, el marxismo, la democracia en lo nacional, como introduciendo en sus páginas muchos textos, ensayos y artículos de las revisiones y crisis que estaba viviendo el campo de la izquierda internacional. Como director de la revista fungía Jorge Tula, pero en realidad la dirigíamos todo el consejo de redacción: Carlos Ábalo, José Aricó, Sergio Bufano, Sergio Caletti, Ricardo Nudelman, Juan Carlos Portantiero, Héctor Schmucler, Oscar Terán, yo y el Negro Tula.

—El exilio en México resalta por una producción sostenida y un debate constante...

—Por lo menos en cuanto a lo que me tocó vivir con muchos compañeros, fue una época de enorme riqueza de ideas, de crítica, de análisis, de escritura de largos y trabajosos artículos, de lecturas de infinidad de libros, teorías clásicas y nuevas, de discusiones, de confrontación de posiciones, de profundización histórica. En ese contexto que se prolongó durante seis años, *Controversia* finalmente resumió no sólo crítica política, sino un posicionamiento existencial e ideológico con respecto a nosotros exiliados, al exilio, al país allá lejos, a la dictadura y el pueblo argentino. Quiero decir, siempre fui refractario al dandysmo del izquierdismo político del exilio, a las posiciones que alucinaron ser el país real a la distancia. A los que nunca entendieron en ese tiempo que una época había sido derrotada por el enemigo y por nosotros mismos, o los que fusionaron patológicamente denuncia por derechos humanos y sobrevivencias ideológicas y políticas fracasadas, los que entendían que los posicionamientos de la sociedad argentina eran un dato descalificador en relación con las reuniones de grupos a doce mil kilómetros de distancia, o los que creyeron que la ética con la historia y sus resultantes había quedado concentrada en el Distrito Federal o en París, y los veinticinco millones de allá lejos eran más o menos la historia de la infamia.

También el exilio en México fue un mundo de bonitos espirituales, donde se gestó otra historia de los dos demonios: la dictadura y la sociedad, y "yo argentino" comiendo tacos y leyendo *Le Monde Diplomatique*. En este sentido revistas como *Controversia* muchas veces irritaban a un exilio cuyo telón de fondo lo habían tejido sólo la voz de las organizaciones armadas en dispersión, aunque no se perteneciera ya a ellas o se las criticase en sobremesas confidenciales. La tarea crítica de analizar y escribir públicamente sobre el peronismo, el socialismo, la historia, la cultura nacional desde el 66 hasta el 76 era no sólo tomar conciencia de la derrota sino el deseo de recuperar una política de izquierda nueva frente a otra historia que nos esperaba. En gran parte no acertamos, ni con la idea de un nuevo peronismo ni un nuevo socialismo para cuando regresase el tiempo democrático, pero en el intento de repensar las cosas tuvimos plena conciencia de lo que éramos nosotros en México, y de lo que era el país lejano. En este último, nos gustase o no, sucedía todos los días la historia real que nos aguardaba, que nos aguardaría. En México, en cambio, era el tiempo de un duelo político e ideológico con nosotros mismo, con un tiempo fenecido, lo asumiésemos o no. Todo esto no afectaba lo que yo pensaba en cuanto a la enorme e importantísima lucha por denunciar a la dictadura y en defensa de los derechos humanos miserablemente avasallados, que realizó el exilio político en su conjunto y sin distinción de banderas. Pero se trataba además, y así lo pensamos y lo hicimos, de revisar también seriamente y sin concesiones lo actuado por el campo de las izquierdas, tratando de rescatar lo que lo inspiró, lo que motivó a una generación por la justicia y otra historia, y la cuota cuantiosa de errores y engendros iluministas, autoritarios, despreciativos de la vida, que habíamos engendrado.

—Volvamos a la extranjería, esa vivencia simultánea en dos registros distintos.

—A mí no me gusta vivir en otro país. Nunca lo ambicioné, nunca lo soñé, nunca me lo propuse. Durante todo el exilio supe que mi lugar estaba allá, en el sur. Lo supe, lo sentí claramente, nunca tuve dudas al respecto. Ese era el pequeño destino que me tocaba, una ciudad en los extremos del mundo allá donde los mares se ensanchan y las tierras del globo se angostan: sus calles, sus cruces, sus lugares, sus aromas, sus imágenes, sus recuerdos. Siempre supe que apenas se abriese la historia y pudiese volver, volvería. Y de México, con otras tres familias, fuimos los primeros en regresar, en volver. Compartí ese sentimiento con Ana, con algunos amigos cercanos. Ni aun viviendo intelectual, social y económicamente bien en México ese sentimiento se quebró o se fragilizó. En todo caso me permitió con claridad vivir la hermosa, tremebunda y entrañable tierra azteca y a sus seres de todo tipo. No sin dolor de lejanías, pero instalándome vitalmente en México todo lo que espiritualmente portaba. Casa, dos hijas mexicanas, alumbramientos, ciudad, cafés noctámbulos, vida bohemia, hincha de los Pumas desde la popular y junto a los porristas, tacos y tacos en lugares predilectos, trasnochadas con amigos mexicanos hasta la semiborrachera, la risa y las complicidades. Pero yo era de otra ciudad, sobre todo eso: de una ciudad otra que me había hecho como tipo de barrio con picados cruzados, que me había enseñado cómo son las caras de los kioskeros, diarieros, panaderos, el tufo de los subtes, el aire con gusto a río, las avenidas que terminaban en obelisco, y esa rara música y voces de locutores por la radio. Ciudad recorrida, olfateada, leída en escritores, reputeada infernalmente, querida junto a novias furtivas o permanentes ahí por los paredones oscuros de colegios y hoteles baratos.

–¿Te sentiste extranjero habitando un código que no era el propio?

–Me sentí extranjero entonces, sensibilizado en las comparaciones, pero con algo de mundo ya para saber que en cada circunstancia yo era el menos dueño de cada circunstancia. Te diría sobre México: sin intuir la cuarta respuesta cuando uno hace la primera pregunta. Sin saber como son los bajofondos biográficos de las cosas. Cuando uno escribe vive del sonido de las palabras, de frases hechas fabulosas, de refranes que explican todo, de los gestos pícaros o boludos de aquel que te está hablando y no dice lo que dice o dice lo que no dice. Eso era el país lejano para mí: los cuerpos, las mesas de un café, el pararte en una esquina a esperar el semáforo no son abstracciones, azares, insignificancias. Forman parte de una silenciosa coreografía que te cuida, que te guarda, que ya habló o te pensó para que vos puedas pensar o hablar. La mujer de hermosos ojos o lindas caderas que se para en el bar para ir al baño, en realidad es la imagen del día que te esperó para que vos puedas pensar serenamente en Habermas. Las formas de las baldosas en la vereda te sostienen, no las baldosas en sí. En México sentí siempre que eso me faltaba, y eso me era necesario no para vivir, sino para sentir mi propia fatalidad. Tenés que adaptarte, y en ese sentido México fue tremendamente contradictorio; te situaba con cierta plenitud en las cosas, para advertirte sin embargo que lo azteca es lo azteca. Me gustaron los colores, las comidas, ciertos barrios de México, su emocionalismo genuino, su capacidad de hacer humor sobre sí mismo, su forma de destragizar lo que en el argentino es densidad insoportable. Me sobrecogió encontrarme con una cultura latinoamericana en todos los detalles, envidia sobre un ser nacional que ni siquiera se interroga sobre sí mismo porque está esparcido y fundido con las cosas y lugares. Me conmovió cierto sentido de amistad que dan las sobremesas y las copas bien tomadas, y una intelectualidad abierta al otro y desmitificante de sí misma.

–El expulsado vive entre el aislamiento y la adaptación.

–Pero el exilio no es un viaje ni una temporada de paseo, ni una beca ni un raje de higiene psicológica, y en tal sentido tenés que anclar, hacer pie, poder o poder. Es decir, vivir con todo desde el despertador hasta lavarte los dientes a la noche. Y sentir que vas a vivir mucho tiempo, es decir, que tenés que inscribirte con lo mejor tuyo en eso que finalmente no es tuyo. Yo sentí el desgarramiento, yo viví entre argentinos y entre mexicanos, yo viví sin meterme "en las cosas de México" que pisaba todos los días, y metido "en las cosas de Argentina", que iba pasando a ser un país de contornos, voces y secuencias neblinosas, terroríficas, inencontrables. Viví aislado y adaptado, en una extraña ecuación que podía salirte o no salirte según los días y la lotería. Me fatigaba profundamente a veces México y lo mexicano, y otras por el contrario me permitía escapar violentamente de la pálida, la nostalgia y los círculos viciosos argentinos entre tu cuerpo ahí y tu alma allá. Entré en profundas depresiones, ideas de muerte repentina, enfermedades ilusorias, y otras veces salía conscientemente despedido hacia la fogosidad de México como tierra caliente, hermosa, digna de vivirse. La racionalidad "gringa argentina" y la aztecomexicana no son muy parientes, y aquí no acuso ni a la nuestra ni a la de ellos: son así, vienen de rapsodias diferentes, de cartesianismos deconstruidos muchas veces desde las antítesis.

–Hablame del exilio como castigo.

–El exilio en todo caso es un castigo pero no por lo que te toca vivir, sino porque en un momento te das cuenta de que no estás eligiendo nada, o casi nada. Estás pateado afuera, eso es todo. Yo lo sentí así, aun sin problemas económicos y "realizándome" sentimental e intelectualmente. Hay algo que no podés: dejar de ser exiliado. Mucho conversé esa situación en aquellos tiempos, charlas recurrentes, diversidad de puntos de vista y hasta tensión en los diálogos entre compatriotas cuando no había coincidencias. En ese sentido todo fue legítimo, arrobarse, rechazar, enamorarse u odiar. Lo único que me molestaba era cuando esos sótanos íntimos trataban de ser reconvertidos o reciclados en posiciones políticas, ideológicas, lecturas de la Argentina y su historia. Sin duda que para muchos argentinos el regreso fue un balde de agua fría porque más o menos estaban situados, y aun mejor que en la Argentina. Preferí la franqueza y no la mascarada. Yo estoy bien pero en realidad estoy mal, quisiera volver. Yo estoy mal pero en realidad estoy bien, quiero quedarme. No era fácil para unos ni para otros. No obstante esos diez años afuera son por siempre. En mi caso no sólo por las dos hijas mexicanitas que no renunciaron a esa nacionalidad originaria aun habiendo regresado todavía muy chicas, sino porque ahí viví cosas muy fuertes, decisivas, profundas de mi vida.

—Seguramente fue también importante el diálogo con exiliados de otros países.

—En ese entonces México era como una fabulosa tierra de exilio: chilenos, uruguayos, brasileños, nicaragüenses, peruanos, guatemaltecos, argentinos, y la propia izquierda mexicana en plena revisión de sus postulados. Una excepcional fragua de cuadros políticos, intelectuales, profesores, ideólogos, deambulando por el Distrito Federal, escribiendo en suplementos, enseñando en cátedras, opinando en entrevistas, sacando libros. Y de fondo México con sus extremos, desproporciones, valentonadas, memorias, corruptos y presidentes monarcas. Muchísimas veces sentí que México me traspasaba: en un diálogo, en una anécdota, en una visión, en una lógica política. En la forma de ordenamiento de la realidad que vive el mexicano: que ese tumulto, esa dispersión, en algún punto tocaba tierra. Que en esa ciudad infinita, que en esa historia de la revolución congelada, traicionada u olvidada yacía un corazón de la sabiduría que vaya a saberse cuál era: pero latía, y me tocaba, se replegaba y aparecía, estaba entretejido entre la palabra del presidente y el que me cargaba el auto en la gasolinera. Entonces me dejaba llevar por ese sinsentido donde México estaba siempre anunciando la catástrofe de cuando volviesen a salir todos a los tiros, y la placidez donde en definitiva todo terminaba controlado o volviendo a madre, al PRI (Partido Revolucionario Institucional).

Muchas veces también me ponía a la mayor distancia posible de esa lógica. Me hartaba, me hacía agonizar. Bajaba las cortinas, me ausentaba, me exigía no tratar de entender México ni albergar preocupación por hacerlo. Me enterraba en la escritura de la novela o en esos dos o tres amigos mexicanos "que no eran como el resto de los mexicanos". Me preguntaba por qué carajo justo a mí se me dio por elegir México. Sin embargo volvía, de a poco, con el cielo despejado y las cimas de las montañas nevadas, ahí estábamos otra vez en alegre camaradería cantando un acongojante corrido de la revolución o tarareando un tango todos en pedo, hablando de Maradona o del puntero derecho peruano de los Pumas. Bueno, México me hizo vivir amor genuino, esto es, amor odio, como con esas mujeres que son inolvidables porque sólo una extraña bronca te une a ellas.

—El tiempo está lleno de veces, dijo un poeta; y el exilio está llena de momentos... Tununa Mercado —presente en este libro— señala que el tiempo sucede en otro sitio.

—El exilio está poblado de muchísimos momentos de una cotidianidad que se olvida, que se borra en sus infinitas y pequeñas cosas repetidas durante años. A veces me asombra ahora ese olvido, como si mi vida en México, ese tiempo recortado en sí mismo, me permitiesen pensar ahora en un cuadro, en una tela entre yo y México, donde increíblemente se esfuman los instantes, las cosas sin santo y seña que uno hizo para el puro olvido: reiteraciones, rostros, lugares, disolvencias de la vida que de pronto brotan, reaparecen nítidamente, sin aviso, vuelven al cuadro. Pero el exilio es sobre todo y fundamentalmente eso, la vida que se te fuga y que uno vivió, la casa, la familia, los amigos, las charlas, la alegría peleando contra las tristezas. A mí me gustó siempre la bohemia, ese encuentro en lugares fijos de citas donde algo llamado "la barra" va cayendo. Esa amistad entre hombres para "la política, la filosofía, las teorías, el arte con las mujeres o el fútbol". Así sigo viviendo. Eso crea un tipo especial de lazo, de atmósfera, de humor, de tipologías, de ocurrencias. Es como un fondo de divertimento aunque no te divierta lo que hablés. Es la no productividad, el tiempo al pedo, la nada donde recién te llenás de algo: un poco el volver a esa adolescencia de la esquina donde uno es eso, invierte todo en eso. Algo sólo masculino. Nos encontrábamos en la Gandhi de México por las tardes a eso de las siete, o los sábados al mediodía, o después de las reuniones nos íbamos a cenar a cualquier cantina tana por el sur. Yo vivía en Villa Olímpica cuarto piso, en el tercero lo tenía a Carlitos Ulanovsky y familia, y en el segundo a Elvio Vitali recién casadito. Con esos dos lo menos que podía suceder es que te apareciesen disfrazados de policía de gobernación cualquier noche exigiéndote la visa, el FM2. Fue con ellos, por ejemplo, que ideamos la mesa del café, algo bastante desopilante. Tomando como modelo la mesa de Minguito Tinguitelli, personaje que hizo Elvio, organizamos tres grandes representaciones en el CAS (Comisión Argentina de Solidaridad) a casa llena, más de doscientas personas mirando cómo en el escenario tomábamos el pelo a más de uno de la colonia argentina. Yo escribía los guiones y actuábamos con Eduardo Kraniasky que hacía de "ruso" inventor de negocios en el exilio. Carlos Ula que era el exiliado integrado y agradecido, Jorge Bernetti el militante recalcitrante, Ricardo Nudelman un argentino gerente ejecutivo, yo el intelectual con pipa y barba y Elvio un pibe de la JP, Minguito, que vendía choripán a la salida del estadio Azteca. Nos pasábamos varios días ensayando, Elvio hizo un día también de Antonio Gramsci hablando en tano cerrado sobre un libro que había escrito el propio teórico marxista, *Los usos de Portantiero.* Y en la mesa contábamos que Mario Kestelboin contrabandeaba medias de seda en la frontera norte, que Nacho Vélez en las vacaciones llegaba a dormir veinticuatro horas por día hasta disolverse debajo de la almohada, que Filipelli se escondía dentro de la heladera cuando venían a buscarlo para la Mesa Socialista, que Julio Villar exportaba bicicletas en containers a la patria, que los trillizos de Terán eran parte de las Brigadas Rojas y en diez minutos te tomaban cualquier casa de un amigo. Boludeces, cosas tipo pueblo chico donde todos se conocen y se ríen de la vida en comunidad, hasta que Elvio cerraba cada presentación con un monólogo a lo Minguito sobre el exilio. Después la repetimos dos veces más.

—Existe un anecdotario que llena el tiempo mexicano...

—Sí. Una vez, por vencimiento de estadía, Migraciones me obligó a salir y entrar otra vez en México. Yo trabajaba como asesor de la dirección en el diario *El Universal* y el director Solana me mandó a Tapachula, frontera sur de México detrás de la Sierra Madre. Voy con traje de hilo blanco, corbata, camisa ejecutiva y bien peinado para dar imagen de respeto. De entrada tengo que atravesar a pie un puente de frontera de dos kilómetros, en plena selva bajo el sol de la una de la tarde, y aterrizo hecho una esponja en un pueblito con tres casas y cinco hamacas tipo paraguayas. Ahí el jefe de frontera, milico simpático, entrador, con uniforme de fajina, monologa conmigo más de tres horas contándome cómo se dedican a bajar a tiros a los guerrilleros guatemaltecos, marxistas mal nacidos, que llegaban escapando. Me siguen llenando el vaso de tequila, el calor es infernal, la corbata me ahorca, transpiro a chorros y el tipo me llana gringuito bueno, después empieza a decir que los montoneros y los de ERP en la Argentina todavía son peores que los guatemaltecos, pero hueros (rubios). Me desarrolla, cada vez más borracho, una larga y siniestra teoría sobre los guerrilleros blancos y rubios, y al final me anuncia que pasar la noche ahí porque el consulado cerró hacía cinco minutos. Al despedirme hasta el día siguiente me dice: yo le consigo una hamaca, pero cuídese porque mi gente de noche ni sabe lo que hace.

Anécdotas, historias que nos reformularon una edad y una experiencia que no teníamos prevista, que no había entrado en ningún cálculo. Un tiempo también lleno de absurdos, de ganas de recomponer la vida, de recauchutarnos, donde todos estábamos todavía muy jugados hacia fuera, hacia los otros, hacia los muchos otros que te tramaban el mundo vital. Par mí fue como un estar a la espera.

—Un duelo múltiple, las pérdidas de las cosas de la infancia y de la infancia de las cosas.

—"Yo no tengo patria", decía un personaje de Baudelaire. Sin embargo, creo que para esa afirmación hay que tener patria, odiarla o añorarla. El exiliado no vive ese sentimiento porque uno es sobre todo aquel lugar perdido. Pero tampoco se regresa nunca al lugar perdido. En México uno puso las vísceras, la piel, los ojos. Te diría que ahora soy una difusa extranjería de mí mismo. No porque no me haya reencontrado al regreso con lo mío. Si en algo no me falló eso que buscaba recuperar, es que estuvo: extraño destino otra vez agarrado, lo argentino inasible, preciso, las calles, su gente, el barrio de mi infancia donde volví a vivir y vivo, y desde la terraza el cielo de Buenos Aires. Lo miro y siento que así, tal cual, nuboso, claro amenazante, negro, ya estuvo una vez y vuelve intacto desde otra terraza antigua con mi padre. Extranjería digo, porque ahora en la memoria también reposa México, se despereza de a ratos como fogosa melancolía. Mariana de un año, Liza en su cochecito por Coyoacán, Ana en Zihuatanejo. Miro cientos de fotos, una tiene como fondo el mercado de Revolución, otra aquel parque; todas me hablan del asombro de haber vivido allá, de lo irrecuperable. Y cuando viajo al infernal Distrito me gustan esas cosas insustituibles que porta: vuelvo a sentir esa desagregación amontonada y simultánea mexicana que parece caer en un barril sin fondo, y donde el cartesianismo berreta argentino zozobra, sucumbe. Ser extranjero, aun en Latinoamérica, fue para mí una concreta incompletud íntima. Y aquí no hago de lo mío una ética de la sensibilidad y de los valores. Y sin embargo el exiliado, a su regreso al terruño, pierde para siempre la ciega inmediatez de lo propio, pierde la identidad idiota. Uno conquista una tremenda capacidad para sentir muchas veces que la Argentina es un acabado compendio de mierda. Extranjería entonces, después de la década de exilio, para no volver a mitificar nada obscenamente, ni pueblo, ni cultura, ni superioridad alguna, ni hombres ni supuestas potestades. Uno pasa a ser perpetuamente, como diría Benjamin, el narrador "que viene de lejos" pero en este caso a su paraje. Para una generación que nos habíamos formado políticamente en el destino manifiesto y heroico de un proyecto popular y nacional intransferible, que habíamos incluido en eso las claras herencias que nos destinaban, la posterior derrota, las muertes cuantiosas, el regreso al hogar, las ausencias, las verificaciones, las mutaciones del alma, nos devolvieron una patria donde ya los años de exilio también habían trazado distancias impronunciables con respecto a lo propio. Persiste el amor inútil a lo tuyo, y por eso verídico, absoluto. Pero el desterrado sabe o aprendió a desterrarse una y otra vez. O no puede otra cosa. México no fue una tierra más, años de ocasión, una monografía olvidable, un país frío. México es México, lo infinitamente irresuelto afuera y adentro de uno. Lo que se debe precisar para vivir la vida más o menos de verdad, y a veces.

—En épocas como las que corren, de migraciones, el tema del destierro tiene su contracara: la xenofobia.

—Nunca me interesó discutir expresamente el exilio transcurrido en México como objeto de estudio en busca de una ley que explicase "lo argentino", para deducir luego fraternidad, xenofobia, egocentrismo, insoportabilidad de unos y otros. Al exilio lo sentí siempre una experiencia personal intransferible que no remitía a ninguna verdad que se enriqueciera al "objetivarla", al generalizar sobre lo mexicano o lo argentino desde la visión precaria de una etapa de vida. Cuando buscamos esa suerte de objetividad, o recurrimos a una suerte de interioridad estético-ensayística que concluye en una clasificatoria de "lo argentino", en realidad politizamos de la peor manera esa experiencia de vida. De la peor manera porque construimos un ismo difuso, acusatorio, velado, de las pelotudeces que se nos antojan vivir y sostener. Producimos una suerte de pordiosera alma bella, de filisteísmo adecuado ahora a una época de lo políticamente correcto, tal cual dictan los departamentos de lengua de las universidades yanquis para el presente escritural de las identidades. Se trata en cambio de pensar lo exiliar en lo siempre abierto por esa memoria que nos contiene, en tanto le sigamos preguntando por las cosas de la vida, y con la máxima preocupación por no sepultarlo ni cerrarlo con nuestras palabras que "resuelven". No hay peor lugar del mal que el del presunto bien en esta época menesterosa que edita tanto. Y también que no todo el que escribe piensa.

—El tema del exilio aparece en muchos de tus análisis, y también en un libro tuyo próximo a salir, **La mirada lejana.**

—Reflexioné bastante sobre mi exilio, sobre el exilio, pero en el campo de las relaciones, oscuridades y sentimientos íntimos. El yo que relata es siempre absoluto en esta circunstancia, y probablemente sólo una obra estética lograda, difícil, podría dar cuenta de ese tiempo de vida sin trampa ni dogmática casera disfrazada. Cuando uno regresa al país y vive el exilio como recuerdo, sin duda reencuentra coordenadas y referencias que sitúan más claramente a ese yo exiliado íntimo, a ese yo re-lanzado casi azarosamente al mundo. Cuando leo a compatriotas hablar sobre el exilio en México, descubro las similitudes de una experiencia en muchas anécdotas, y las concretas y a veces abismales diferencias en cómo uno incorporó, pensó y transitó esos años. Todos vivimos esa violencia de hacernos presente en México, y de ese México que se hizo presente en nuestras vidas. Una violentación sumergida a su vez en un tiempo de tanta violencia política, ideológica y militar nacional explícita, que por eso mismo tuvo muchas dificultades en cuanto a acceder a conciencia medianamente plena, serenada. Vivir a la vez lo que te expulsa y el extrañamiento. Sentir que uno mismo se decía "por fin en México", pero que esa propia frase era un enigma personal. ¿Por fin me fui? ¿Por fin llegué? Y ese llegué por fin, en la cabeza del exiliado, ¿a qué remitía? ¿A un supuesto "viejo sueño" de pasarme en México? Como si todas las preguntas llegasen, cuando ya efectivizamos todas las respuestas. Entonces, sólo en una inexistente estadística mexicana existirá tal vez "los argentinos" en México como historia plausible de caracterizar. En todo caso ese "los argentinos" en boca de algún exiliado escribiente es sobre todo la camuflada historia de uno con los argentinos y su sociedad, más que aquella experiencia fuerte. Es nuestra perpetua astucia de saldar deudas desde una identidad que, a diferencia de la mexicana, vive históricamente de las patologías de sus incertezas, vive en estado de laborioso desgarro en lo peor y lo mejor de imaginarla. Fuimos exiliados, provenientes de un país que en ese entonces ni siquiera nos consideró como tales. Fuimos un fuerte "resto" político de una historia política nacional que no nos situó en esa significación política cuando lo éramos, y eso lo palpamos al regreso. Ni nuestros familiares más cercanos en sus visitas ocasionales a México nos tenían con precisión en sus retinas comprensivas. ¿Qué éramos?

—Un sobreviviente que busca corporizarse en otra figura borrosa, la del desterrado.

—Sobrevivientes, sí, de algo no pensado, o negado vía reivindicación ciega de lo actuado, o vía renegación apenas México permitió lo otro a nuestra biografía de "certezas y verdades", y una mínima higienización profesional. Las historias personales se esparcieron entonces en el exilio, entre la historia muerta atrás (aunque no se la creyese así) y la sustantiva historia de la reaparición de nosotros mismos desde el cascarón de nosotros mismos con forceps mexicanos. Veníamos de un tiempo político de extrema exigencia, cercenador vía política militante de muchas cosas personales valiosas, tiempo elegido, asumido, reconocido teóricamente en la historia teórica, ponderado, empobrecedor de nuestra existencia en muchos aspectos, y a la vez tenido como camino mítico para romper con un mundo que nos asfixiaba de injusticias. Mal o bien, para horror o cumplimiento, veníamos de una historia de haber actuado las ideas corporalmente, no haberlas pensado progresistamente. En México nos encontramos con nuestros fragmentos biográficos personales, con la obligada recomposición de lo que a lo mejor podíamos ser, de ahí en más, en realidad. Y ahí tal vez nos redescubríamos en lo que ya sabíamos, en lo que también éramos, pero como experiencia de inaudita violencia íntima. No tanto por lo sufrido en términos concretos, materiales, de obtener un lugar en el mundo. Digo en cambio, como reinscripción de nuestra mirada frente a uno mismo y frente a las magnas representaciones de lo real y sus sentidos. Y aquí no hay un "los argentinos" ni un "los mexicanos" bajo estereotipias, a no ser que la instrumentemos como amedentrada defensa de lo que finalmente optamos por sentir, pensar y decidir, íntimamente.

México nos obligó existenciariamente a monologar con las imágenes más de fondo que portábamos. No a desnudarnos en un camino hacia nuestra supuesta autenticidad, sino a incursionar entre los relatos, mitos y concepciones autobiográficas, donde tanto las grandes discursividades de adscripción a las causas, como las pequeñas, traumáticas y filiares, parecían pasar a un grado cero de nuestra propia intervención. Parecián tener esa oportunidad. Pero también ese grado cero es siempre equívoco. Juega, en ciertas circunstancias excepcionales de nuestra vida, como nuestra "genuinidad" poscaos, poscatástrofe, posdesencuentro, cuando en realidad en ese juego del grado cero también hicimos uso de lo mismo de siempre para las reconversiones vitales. Siempre fuimos ese "lo argentino" íntimo y dispar en México, ya sea que descubriésemos "al otro mejor" o al "otro peor". Ya sea que descifrásemos nuestras bondades o malformaciones, o las de México. Siempre fuimos una sobreactuación obligada, extranjera, lógica, en tanto sobriedad o grandilocuencia, en tanto recato o hacerse sentir, en tanto hospedaje agradecido o desconsiderado, de acuerdo con el inefable armado en mi caso del rompecabezas íntimo de un intelectual clasemediero argentino politizante de su identidad escuálida pero astuta, honestamente productiva. En último término, esa era nuestra única identidad de sangre: silenciosa, callada, mamada de niño.

—*La extranjería se va armando en un montaje vertiginoso, de flujos y reflujos, retazos de una identidad jaqueada, que a la vez se redefine en diálogo con lo diferente.*

—Hubo que construir en extranjería para armar una doctrina de la vida, de uno mismo y del otro desde ahí: desde nuestros abuelos o bisabuelos que se quedaron, y también "in fábula" desde los que se volvieron a Europa. Con el exilio ese teorema originario nos tocó como lo más siniestro y a la vez portátil y maniqueísta. También a bordo de nuestro ser migrante hay un viajero de la soberbia y una malinche necesitada de fascinarse. Eso somos, telarañosamente. Algunas veces conversé con amigo mexicanos en Buenos Aires, preguntándoles si se imaginaban, desde su "ser" más recóndito, diez años en la Argentina, en extranjería. Y el 95% me confesó que le resultaría insoportable, odioso, infantaseable. Pero sobre todo por ellos, por sus patologías de arraigo contra un país que no era "el suyo". Y conociendo a aquellos con los cuales hablaba y quería profundamente, intelectuales, profesionales, artistas, tuve la plena conciencia de que así como me decían, sería. Una mexicanidad insobornable, innegociable, a empellones, y hasta con mucha menos gimnasia para pensarse a sí misma en tal vivencia. Ellos —por su propia fortaleza identitaria, por su historia intelectual sin destierros— tendrían aún mucha menos capacidad que nosotros para deambular una década por tierra ajena, una década sin lo azteca medular en las cosas que afortunadamente los hace para las peores y las mejores edades de su prosapia: años sin las fuertes señas de lo suyo histórico y de lo suyo cotidiano. Pero si sobre esta escena hipotética deslizo la mirada hacia lo argentino anfitrión, recibiendo aquí al mexicano, también estoy convencido de que hubiese sido una historia bastante menos hospitalaria para centenares, que la que tuvo el mexicano para nosotros en el campo de la cultura, las profesiones y los trabajos, precisamente porque nosotros somos una historia de los que seguimos llegando a una mezquina utopía, a un destino "manifiesto" que angustiosamente nunca nos reconoce ni donde terminamos de reconocernos. Ellos en cambio ya disputaron ese tema para siempre. Por lo tanto, "lo argentino" en México y "lo mexicano" para el argentino no puede ser catalogado desde una pobre sumatoria de anécdotas que buscarían tipificar. El exilio abrió un nuevo acto escénico de nuestro drama moderno, de nuestro santo y seña argentino. Algo que volvió muy conflictivo nuestro exilio, pero a la vez lo hizo paradojalmente posible, extenso, desasosegante, indispuesto: historia hallable dentro de nuestra historia más vasta. Es decir, como exilio ya reencontrable en nosotros mismos: antedatado. Exilio como experiencia sensibilizada desde nuestras herencias. Exilio en México contradictoriamente procesado, reflexionado de manera patógena pero profunda, y tal vez por eso finalmente vivido con todo el cuerpo, mal y bien, cumplido. No hubo deserción, no hubo destierro desde México hacia otro destierro, porque en realidad, lo supiéramos o no, luchábamos contra otro fantasma ineludible: el exilio fundador que nos hace nacionalmente. Así como para muchos mexicanos fuimos "el gringo" latinoamericano, algo que no entendíamos porque eran espectros de ellos, traumatizaciones del mexicano, no nuestras, así también ellos fueron infinidad de veces para nosotros las siluetas espectrales que nos hacen desde lo filiar antepasado. Estar adentro de un afuera, o estar afuera de un adentro, fue nuestra marca paterna-materna nacional. Nuestro exilio, en lo subterráneo íntimo, resultó también la seducción de revivir tal historia y el terror de repetirla. No hay posibilidad de cotejar nada "argentino" en equivalencia a "lo mexicano" sin conjeturar esa situación exiliar: cuando en el fondo de la vida de todos los días, palpita ser en otro lugar, y ser en mi lugar.

(LAS GRUTAS DE LA MEMORIA*)

En su tercera novela, *La cátedra*, que acaba de aparecer publicada por editorial Norma, Nicolás Casullo (ensayista y director de la revista *Confines*) nos propone un viaje de la memoria hacia las máscaras de nuestra identidad. El misterio de cartas apócrifas y una cátedra fantasmal de profesores, e intelectuales, son los datos de un enigma que intentan armar la historia de los últimos cincuenta años argentinos.

–¿Cómo pensás tus novelas –en este caso La cátedra– en relación a tu trabajo de reflexión crítica cultural, es decir, el pasaje desde lo teórico investigativo y ensayístico donde te movés y actuás, a una plena literatura de ficción, donde trabajás lo policial, el suspenso, el misterio y los perfiles del terror para contar la historia de un grupo de intelectuales y académicos?

–Podría decirte que partí de la literatura hace muchos años y todavía me encuentro ahí. Desde mis iniciales cuentos allá por 1962 hasta mi primera novela en 1970, el tema del mundo en mi caso tiene una tensión, una creencia literaria de abordaje.

–En tu novela hay una aspiración a pensar el mundo, no a un simple ejercicio literario, a un juego minimalista o una suma de anécdotas. Como si ambicionases continuar la saga de una novelística argentina hoy perdida, que buscó fusionarse con un pensar filosofante, con un pensar genuinamente indagador del mundo y la época toda. ¿Dónde residiría el secreto de ese pensar filosofante para vos, básicamente, en la vivencia que te da la escritura, la escritura propia, también las escrituras hospedadas a lo largo de la vida? ¿O pensar en este plano es sobre todo la obediencia a una disciplina de conocimiento, a sus dispositivos, niveles, ramas, a las parcelas de algún campo académico del saber? Digo, en definitiva, ¿no se reducirá todo a uno escribiendo y leyendo literaturas, y ambas cosas en términos excesivos?

* Entrevista realizada por DIEGO TATIÁN, *La Voz del Interior*, 29/6/2000.

–Lo primero que intelectualmente amé es la escritura, la novela, el cuento, el poema que leía. Las distintas respiraciones de las palabras, los fondos oscuros por debajo de las palabras, los agujeros entre las sílabas como sonidos en los ojos. Después mi palabra escrita, como un fluir que se me daba. Allá por los quince años dejaba de leer y tenía una desesperada necesidad de escribir, de ver mi letra, de conquistar una oración, no simplemente de escribirla, sino de lograrla. Y después pasar los párrafos a letra de máquina. Imaginar, sentir que eso era como el último cincelado, algo que ya no me pertenecía del todo y casi se confundía, me imaginaba, con la tipografía de los libros. Todo eso era como una intimidad de deseo y placer, más tarde corregir sobre las letras de máquina y volver a pasar todo. Entonces, la palabra también pasó a ser una laboriosidad áspera, irritante, dolorosa, esa extraña obsesión de llevarla a oficio. El oficio como una condena imprescindible para ver cómo es el mundo. ¿Y cómo es el mundo, desde ahí? Sería un mundo incierto: como si vivieses siempre con cuatro o cinco palabras que pueden reemplazar a la que estás escribiendo y se te aglomeran en la cabeza, te golpean el alma. Mis libros de ensayo, mis investigaciones publicadas, mis artículos críticos, son absoluta consecuencia de esa comarca literaria primera. La diferencia, que siento como escritor, es que en el campo de pensamiento las escrituras se esperan y de alguna manera se demandan. En el de la novelística nada tiene, previamente, justificación de ser. Su falta de razón previa es absoluta y anonadante para uno mismo. ¿Cómo decirte? Uno aguarda que Habermas escriba sobre la globalización, hay una espera. Pero jamás nadie esperó por ejemplo que Musil escribiese *El hombre sin atributos*, y nadie hubiese notado ninguna mínima ausencia si no lo hubiese hecho. Es como una pura libertad sin ataduras, una plenitud sin idea de la muerte.

La palabra y el mal

–Esa intención de escritura aparece reiteradamente en La cátedra, *el protagonista está siempre a punto de escribir algo, amenazando el proceso de la propia novela, a punto de abrir o de abortar un relato que no se sabe si será ficción, ensayo, cuento, artículo o texto de una clase.*

–Diría que está en estado de escritura, en este caso fallidamente.

–Que no es lo mismo que estar bajo inspiración, tal cual el viejo mito romántico.

–No. Es estar como fatalizado a que no hay cosas, objetos ni temas, sino que hay historias de esas cosas, objetos y de temas, sino hay relatos metidos en las cosas y en los conceptos que pueblan el mundo. Mirar las cosas a priori "desde escritura", es inscribir todo en alguna historia, en un tiempo posible: en un tiempo acotado, con principio y final. Estar en escritura es desmantelar el tiempo abstracto, abierto, sin final, a-histórico, el tiempo científico, el del "objeto de estudio", el postmetafísico, evolucionista, sin límites, vaciado. La escritura en cambio te lleva siempre a una historia, a un tiempo en el tiempo quizás religioso, quizás poético, donde las cosas, como en los cuentos, tienen comienzo, tienen un día y un último día: también el concepto, el hallazgo filosófico, la montaña o la fórmula matemática universal.

–*La cátedra comienza con una mirada sobre el cuerpo de una mujer en una habitación en penumbra. Una mirada que se pregunta por el tiempo de su propio recorrido, por el propio transcurso de los ojos, por cuándo empiezan y terminan las imágenes de esa mirada, a diferencia de las palabras "que empiezan siempre en algún lado preciso", como piensa el protagonista. Desde esa mirada todo parece desintegrado. Como si la mirada necesitase de las palabras para ser un cuerpo, una historia. Mucho después sabremos que aquello, en la habitación, no era lo que puede mirar la mirada, ni decir las palabras. Sino lo inconstruible, lo inmirable, lo impronunciable, el mal. Estaría hablando del corazón de tu novela.*

–Al mal intelectualmente lo rondás, lo oís, lo escarbás, lo tanteás, lo fisgoneás. Pero el mal no tiene rostros dentro de uno. Como cuenta la leyenda, no refleja en el espejo. El mal no tendría nunca historia presente y triunfadora dentro de uno, a lo sumo, es presencia enclenque, pasada, amortizada, arrepentida. La pregunta que ronda la novela sería entonces de qué se trata el lugar del bien, usurpador de todo. El lugar donde por lo general uno dice estar situado. El mal es un impostor sin rostro, que no refleja. El propio Humberto Baraldi dice que "no tiene imágenes de él mismo dentro de sí", le falta su biografía, sus dulces y melancolizados estigmas. Le falta recorrerlo y encontrarlo pero no psicológicamente, culturalmente, sino desde esta teodicea del mal, anterior al mundo y al hombre.

–*Las historias en* La cátedra *traen la cuestión del mal desde perspectivas en confrontación, casi como debate de herencia religiosa y destino filosófico. Por una parte desde una indagación que persigue la infancia del personaje, el hogar, lo originario filiar, el bien y del mal en el obrar del hombre, consciente o ciego. Por otra parte esa presencia teodiseica, el mal ontológico antes del mundo y el hombre. En un momento el protagonista se decide por una de estas versiones: por reconocerse hijo de taras culturales y personales. La otra dimensión es imposible de pensar desde la razón intelectual, desde esa suerte de posmodernidad de vida que elige el personaje.*

—En un momento el alma de Humberto discute con ambas cosmovisiones: cuando viaja y vive en pleno invierno en la soledad de las sierras cordobesas, en Villa Alpina, y se descubre más allá del límite: pasajero ya de una demencia. Villa Alpina le permite repasar su biografía más masticada, la oficial: desde el yo consciente hasta un remedo de cielo kantiano, de huellas pictóricas románticas, pero donde sin embargo se da cuenta que terminó el juego entre lo verdadero y la impostura, entre cartas falsas y ciertas, y se acerca a otro tipo de confrontación. Su infancia aparece mitologizada por él mismo desde la legendaria e indiscernible figura de los gemelos, que acompaña grandes zonas de lo religioso cultural en Occidente, que es símbolo de origen, y que en la novela comenzará con una configuración de los gemelos —él y Esteban— para terminar con otra configuración más demoníaca de ese dueto: Humberto y Olga. En Villa Alpina, segunda parte de la novela, comenzará a advertir que cuanto más se aproxima a una interpretación normalizadora de sus patologías, más se aproxima sin quererlo al mal bíblico.

Nuestra historia

—*La historia de la Argentina siglo XX, como historia de una cátedra. La novela tiene un narrador magistral, catedrático, omnicomprensivo, y pone en juego una explicación del país recorrida por el mal, que arrastra siempre hacia atrás, para encarnar en ciertos seres y en una época política exasperante...*

—El mal bíblico en todo caso es la naturaleza inconmensurable, inmemorial, fatídicamente divina, pero indiferente a todo lo humano. La novela trata de aposentarlo en los resquicios, en las muescas de lo cotidiano, en lo ambiguo, incierto y temerario de lo utópico argentino populista, comunista, fascista, sin renegar de tales cosas. Después de todo hoy tiene más sentido pensar y creer en lo diabólico frente a una patología, frente a un destino nacional, que en un trauma psíquico, que en un error técnico edípico entre madre e hijo, que en una histórica dependencia económica demasiado evidente. Lo que busco en la novela es que el mal coagule, pierda su normalidad, su domesticación, su invisibilidad en lo banal, o en la terapia: que aparezca como una historia: la nuestra, cierta y siempre invisible. Que se asiente en seres antepasados, testamentarios a nosotros. En una ciudad, Buenos Aires. En una cultura, hija idiota como decís de una globalización europea en su siglo maldito: de muerte, cadáveres y soluciones finales que aquí encontrarán sus réplicas. El mal instalado en el adoquín de un barrio cualquiera, como explica el tanguero Jacobo sobre el nazi Egon, pero como un pacto que permite sin embargo la alquimia de la historia: pensarla, intervenirla, juzgarla, trastocarla, violarla: demoníacamente revolucionaria. Que se despliegue en la novela, en lugar de refugiarse en un pueblo mítico como General Belgrano, en Córdoba, donde personajes y misterios se esconden o reaparecen con imágenes fatídicas sucedidas en otros lugares, tiempos, comarcas y terrores.

—*Villa General Belgrano es como una cita mágica, siempre breve y cada tanto, en la novela, como un cajón cordobés de doble fondo, un sarcófago de prestidigitador. Ahí se esconden los más aberrantes, ahí suceden o debieron suceder resurrecciones precisamente no santas, mutaciones, secretos, duplicaciones. Más que un sitio es un agujero de la narración que cobija lo espectral, lo que la propia palabra no puede, lo espeluznante absolutamente vivible y bonito.*

—Recuerdo, en mi infancia, reiteradas vacaciones de casi tres meses en Córdoba, entre 1950 y 1955: en Alta Gracia, Calamuchita o General Belgrano. Un mundo extraño y mágico para mí entre los seis y diez años. Alemanes de un submarino hundido, otros recién llegados, alemanas flacas, elegantes, calladas y de ojos como pájaros alertas, todos luteranos celebrando con nosotros, metodistas, sermones improvisados los domingos a la mañana en pleno campo, y tarareando la música de himnos evangélicos. Mi padre aliadófilo empedernido, como si nada. Una tía que durante las siestas me contaba el tétrico mundo del nazismo, teutones que me llevaban a galopar en la montura de su caballo, que me fabricaban maravillosos juguetes de madera, que me mostraban serpientes recién muertas o cantaban a coro en un idioma incomprensible encantando los atardeceres. Y junto a eso, rumores de mi hermana mayor de que eran todos asesinos de chicos: era como una monstruosidad con tartas de manzana por las tardes, a la que amaba regresar en los veranos.

—*En la novela el profesor de estética, el historiador del arte, se ve lanzado a otra memoria, frente a la cual fallan las fórmulas académicas para ordenar el pasado. Sus recuerdos en cambio forman parte de una cultura argentina que se arma y a la vez se incomoda de sus procedencias, recuerdos que en realidad buscan alejarnos en lugar de acercarnos las señas del rostro propio. Si en Marcel Proust "la memoria involuntaria" es un camino insustituible de recuperación de identidad, en tu novela "la memoria forzada" es un viaje hacia la desintegración de la identidad. La memoria es un camino policial sobre sí misma, donde desde los delirios de una cátedra la historia se sumerge en los años 30, el populismo obrero, la revuelta parisina, la guerrilla y la supuesta mansedumbre actual.*

–Hay napas y napas por debajo de nuestro "bien" y "mal", que en general practicamos como distraído juego de mesa. Hay subsuelos donde todo es "como si". Donde lo que se dijo no fue, donde lo que fue no se dijo. Donde lo que te destina siempre se esconde. Donde lo que queda expuesto no es finalmente la verdad. Donde el que es, en realidad no es, y el que no es termina siendo. Como la escena de la novela donde Humberto Baraldi va encontrando en los sótanos de la facultad los expedientes anteriores a su materia. Esa noche podría decirse comienza el viaje de la conciencia. Lo que hay que atravesar son todos los desfasajes y sueños de nuestra historia nacional, los subsuelos ciertos y falsos: rostros debajo de nuestro rostro, palabras fallidas en las grutas de nuestras palabras, folios sin realidad, realidad sin folios testigos. Discursos sin mundo. Mundos que nunca tuvieron letra. Y una conspiración para torcer los rumbos que juega con fuego: el de los viajeros, el de los utópicos, migradores, buscavidas, lúmpenes y señores catedráticos. Una vieja conspiración que sin que lo sepas siempre te nombra, te deletrea en algún lugar del cuerpo, de la quimera o del horror. En el fondo de ese largo corredor oscuro reaparecen personajes y nombres de mi novela anterior, "El frutero de los ojos radiantes", porque en realidad siento que todo concluye en la misma costa de preguntas pantanosas.

–Creo que el anagrama, diría libertario, que sostiene esa búsqueda en la novela, ese vértigo de la memoria que traga furiosamente siempre hacia atrás, es la figura de una cátedra universitaria y cada uno de sus personajes. No es un minúsculo partido de vanguardia o una conspiración terrorista, sino criaturas de una materia en la currícula de una carrera. Una cátedra que no logra definirse, y que lo filosófico, lo estético, le sirve precisamente para in-decidirse, para in-calificarse, para in-adaptarse, para pensar in-políticamente la política. Como disolviendo y desagregando los propios monstruos de la razón política, pero no desde alguna intención moral. La figura investigativa de Palo Frías representaría esa suerte de nietzscheanismo periodístico sin moralinas. En definitiva la única historia fuerte de esa cátedra para sus integrantes, es su propia genealogía. Descifrar que lo que al fascinarla, la envenena: la carga de vida y de muerte que arrastra, sus furias agazapadas.

–La cátedra espectral es el telón de fondo que explica el porqué de un personaje, Humberto, prototipo intelectual en vías de extinción en la actualidad, desapareciendo de nuestra historia. Tal vez haya mucha crueldad y humor negro en esta radiografía de una generación, de un personaje entre patético e insoportable, señalando políticamente los males y los bienes en la tierra. No obstante, el protagonista todavía vive el martirio del sentido. No se queda con la historia sucedida, busca desesperadamente inventar otra: la realmente verdadera.

(ESTE TERRORISMO NO TIENE NADA QUE VER) CON LA VIOLENCIA REVOLUCIONARIA*

Los atentados en Washington y Nueva York crean una paradoja: el repudio al terrorismo, la mesura de no olvidar lo que significa realmente la "defensa de Occidente". A diez días del ataque, Casullo analiza los mensajes de una crisis con una fuerte dosis de ideología y explica por qué los terroristas son, en cierto modo, una contrapartida de la violencia capitalista.

–¿Cómo fue la cobertura periodística del atentado?

–La prensa ha difundido el atentado sin animarse a decir que, concluida la expectativa de pensar una posibilidad de una transformación real en las sociedades del actual capitalismo globalizado, cerrada la historia en obediencia al "pensamiento único" con países que han quedado bien y otros que han quedado sin ninguna capacidad de juego, se explica la aparición de un terrorismo que no quiere una sociedad utópica a conquistar porque ninguna nueva sociedad pareciera surgir en el horizonte del presente. El terrorismo de las Torres es la marca de esa des-historización de la historia, marca similar a aquella con que la propia cultura del tardocapitalismo habla del fin de la historia. La escena de Manhattan expone solo la catástrofe: una pura imagen mítica, fugada, casi intemporal, imagen que está por encima de toda autoría, de todo protagonismo, de todo sujeto alumbrador de lo histórico en el viejo sentido moderno de historia "preñada" de algo. Ya no hay ángeles anunciadores sino demonios de la muerte. Frente a aquellas políticas dominantes que hablan de dialogar, de discutir, de sentarse a la mesa de negociaciones, la respuesta más extrema pero verídica es la terrorista: señores del gobierno mundial, ustedes lo dispusieron, ya no hay nada que discutir en el planeta, a no ser procedimientos, gestiones, montos de ayuda, formas de pago, noblezas "éticas" de los poderes que no compartimos. No estamos ni con los globalizadores ni con los antiglobalizadores. Como si el terrorismo del 11 de septiembre nos dijese: este acto no sirve para

* Entrevista completa realizada por MARÍA MORENO, *Página /12*, 22/9/ 2001.

nada, pero sirve para desestructurar hablas, teorías, mitologías investigativas, políticas bienpensantes, almas bellas de la posrevolución. El demencial derrumbe de las torres no estaba en ninguna mente políticamente cuerda y crítica del actual estado del mundo. Y sin embargo el atentado muestra un hueco político e ideológico inmenso, como el de esas manzanas ahora descuajadas de Manhattan. El hueco: la ausencia actual de un proyecto real contra los dueños de la historia, que los afecte realmente en algo. Sin embargo, y desde cualquier perspectiva que se los mire, los atentados de hace unos días no constituyen una violencia revolucionaria. No constituyen una acción situada en el campo de la esperanza de los pueblos por más carga simbólica que contuvo el hecho. No constituye propaganda armada en el sentido que se entendía en los años setenta en América Latina, cuando se secuestraba a un empresario norteamericano y luego con el dinero del rescate se repartían alimentos en las villas miserias, todo en función concreta y simbólica de un mundo que estaba por llegar, y para el cual se arriesgaba la vida, o se entregaba la vida, pero creyendo en una transformación social, en un modelo antiimperialista, socialista, que traería igualdad y fraternidad. Pero a la vez, el atentado de las torres, al mismo tiempo y de horrenda manera, desnuda una contienda abandonada por las izquierdas, desnuda en pleno corazón de USA las auténticas dimensiones de violencia que hoy definen el planeta, mal que nos caiga esta verificación. Los atentados exponen una guerra hasta hoy disimulada, aprisionada todavía en los sótanos del presente, exponen una violencia en absoluto ascenso en un mundo de infinitas injusticias, desigualdades e irracionalidades, también los atentados desenmascaran lo espurio de sentirnos pensadores independientes, no perseguidos, no censurados, con una supuesta capacidad de decir y actuar lo que queramos en un supuesto mundo "libre".

–*¿Qué es lo que pasa hoy, después del terrorismo del 11 de septiembre?*
–El terrorismo expone hoy la falta total de una idea de transformación y justicia, pero al mismo tiempo es la única manera de golpear contra un poder colosal que ya es ingolpeable. Esto es irreversible e irrevocable de aquí en más. Frente a esto no hay que caer en cretinismos, ni descubrir que la leche hirviendo de la violencia efectivamente quema. Tal violencia ocurrida, descentrada de toda imaginación, no es un juego dialéctico o algo que sucede siempre lejos de nuestras silenciosas bibliotecas tan "comprometidas" con los oprimidos. Muchas veces los intelectuales de izquierda en todas partes se parecen a ese juego de niños cuando cantábamos "juguemos en el bosque mientras el lobo no está, ¿lobo está?". El lobo respondía: "estoy durmiendo". Mientras no estaba se seguía jugando, hasta casi olvidarnos de los labios sangrantes del lobo en la noche del bosque. Pero ahora cuando aparece un lobo que estrella aviones,

muchos dicen: ah, no, así no juego más, así no vale. Ya no existe la posibilidad de un Vietnam, es decir de un pueblo heroico que enfrente, a la distancia, a un Imperio, como se llama ahora a los EE.UU. de siempre. Sin embargo en la lógica que implanta el terrorismo, coyunturalmente, vuelve a parecer que somos todos iguales en la batalla. Pero además, que estamos todos inmersos en la batalla, sin que nos hayan preguntado nuestro parecer con esa prudencia que distingue todo acto intelectual. Y eso, luego de las Torres, es definitivamente irreversible. Los atentados contuvieron inconmensurable éxito. Es lo que resta, ahora o más tarde, para un redencionismo radicalizado y de extremas posturas dogmáticas que abunda y se reproduce en lo inmensos y dispersos territorios terceros. Si el terrorismo quiere envenenar el agua de una ciudad, lo hace por más que se tenga un escudo antiatómico como el que quiere hacer Bush. Si quiere lanzar una bacteria en una urbe de millones de habitantes, también. La última imagen del terrorismo es asumir la cadaverización capitalista, ser la última cara de la barbarie de ese mismo capitalismo. Ser el rostro esperpéntico final, su estética demencial. Morir abrazado al enemigo, ya no vencerlo, con la misma técnica y lógica de la catástrofe. Morir en esa misma y única escena de la ciudad símbolo, la Nueva colosal-consumista escena de la metrópolis donde nos informamos del imposible reencuentro de lo humano. Los terroristas necesitaron de muchos y poderosos aviones saliendo en similares horarios, y de dos torres babélicas que arquitectónicamente habían vencido el otrora castigo bíblico de dios. Baudelaire decía que el dandy era la demostración de que el artista se había transformado en mercancía. Lo bello sublime no era tal, decía, en el mismo momento que Marx sublimaba la peor mercancía, el obrero explotado, como el mesías de la historia. Para Baudelaire el creador de lo bello debía convertirse en un ser cosificado, en una figura insoportable para una ideología romántica heroica, como forma de contestarle al buen y "humanista" burgués, como forma de decirle que hasta el poeta, crítico del mundo, era también y finalmente un producto bastardo. O que solo siendo ese residuo del mal, podía notificar sobre las podredumbres del mundo, sobre las malas flores. Así también creo que el terrorismo es una forma de contestarle a la irracionalidad capitalista: nosotros somos la última cara de esa barbarie: cadaverizamos todo. A los que cometen el acto, a los que están en el avión, a los que están en las torres, a los que está en el Pentágono: todos mueren.

—*¿Qué nueva significación tiene, entonces, la palabra "guerra"?*

—Creo que se acabaron las guerras porque el único que se quedó con todo el armamento, con todo el arsenal, es EE.UU. Las guerras son como la de Yugoslavia o como las de Irak. La guerra de Irak produjo 120 muertos norteamericanos y 120 mil muertos iraquíes. O sea, no hay más guerra y los 120 muertos norteamericanos vaya a saber por qué murieron. En la guerra con Yugoslavia, las fuerzas de la OTAN deben haber perdido tres soldados. La post-historia bélica es la imposibilidad enfrentar una guerra declarada por Estados Unidos. Entonces es absolutamente "lógico" que aparezca el terrorismo como la única forma de volver a discutir. ¿Qué quiere decir volver a discutir? Volver a plantear un conflicto donde sean los dos sectores los que se encuentren afectados. Cambiar el rumbo de los aviones con un montón de pasajeros, trabajar en términos suicidas y estrellarse contra esos gigantescos rascacielos es el intercambio entre un terrorismo repentino que nos deja anonadados con su miserable violencia, y un arsenal aterrorizante del mundo de USA dueño militar represivo del planeta, que está siempre con sus aviones de guerra aguardando ponerse en acción. Las torres, su simbología, las cámaras de TV, los locutores, son actores también ficcionales, espectros en un set: cada uno con su libreto y función a cumplir. Marx, en el Manifiesto Comunista, decía que frente a la barbarie capitalista cobraba vida el proyecto del comunismo, cobraba cuerpo el proletariado que dejaría atrás un capitalismo cuya imagen final se asemejaría —de no sobrevenir la revolución según Marx— a la escena humano civilizatoria de una guerra mundial devastadora, sin que tal guerra haya efectivamente acontecido. Sin que nos hayamos dado cuenta. De ahí aquella revista francesa *Socialismo y Barbarie* de los años '60. Yo creo que, sepultada la idea comunista con su rotundo fracaso, quedó solo la barbarie mayor, el "exceso civilizatorio". Y de tal barbarie emerge y presenciamos esta violencia casi sin fronteras del 11 de septiembre, que sin embargo no es una violencia irracional sino pensada racionalmente, puntualmente, fríamente, calculadamente desde lo islámico capitalista financiero. Violencia que quiere golpear "lo indiscutible" y "necesario" de ser golpeado para aquellos mundos islámicos ortodoxos de los cuales el terrorismo se siente representante. Quiere golpear entonces la Casa Blanca, el Pentágono y las Torres Gemelas, y lo hace de una manera absolutamente desmesurada, in-creíble.

—Algunos medios subrayaron la imagen de los palestinos festejando.

—Posiblemente, era un pequeño sector. ¿Por qué no iban a festejar, si saben de la diaria y fabulosa ayuda de USA al Estado gendarme de Israel que los reprime? Finalmente si hay un país que nos enseña diariamente en cualquier teleplay que todo imbécilmente se aplaude, o se festeja, es Estados Unidos: desde la respuesta de un niño a un policía hasta el discurso de un dentista en su convención anual. Es indudable que el mundo viene de una vieja época donde a uno le decían que las fuerzas del sargento Batista habían sido aniquiladas por los guerrilleros de Castro en 1959, y festejaba el triunfo de tal empresa política anticolonial. Lo mismo, me contaba mi padre, cuando anunciaron que las fuerzas fascistas o nazis se habían rendido en Europa y se salió a las calles de Buenos Aires a festejar. Yo tomé el domingo 10 de septiembre un avión desde Washington a New Orleans que pudo haber sido capturado y desviado como sucedió 24 horas más tarde. No se me escapa por lo tanto ese lugar de lo atroz, lo pienso casi en carne propia. No se me escapa tampoco que esta actuación terrorista no tiene nada que ver con lo que era la violencia revolucionaria, ni con la discusión en América latina sobre violencia popular como respuesta a otra violencia mayor en los años '60 y '70, por ejemplo. Ni con el accionar guerrillero más cuestionable que contuvo la Argentina. Lo que hay que marcar es que es muy difícil analizar esto sucedido en USA, porque uno está contra el terrorismo, pero no se compra el paquete de que forma parte de la defensa de Occidente con la libertad y el standard de vida de Manhattan, ciudad que por otra es también símbolo de nuestra biografía. Porque lo que vimos arder por la televisión era nuestro segundo barrio, el que aprendimos a conocer desde Doris Day en adelante. Manhattan representa hoy el modelo excelso de una sociedad que se expone como inigualable, y a la vez como imprescindible de imitar. Que ya ha dejado de ser la de De Niro en Taxi Driver y ahora es una ciudad post-histórica, postviolenta, postsucia, postdelictiva, postpobreza, post-mendigo, postcigarrillo, postgordos, donde todo flota en oficinas altísimas milimétricamente iguales, en museos prolijos con edades artísticas compradas a Europa, o comercios del ratón Mickey: una Manhattan limpia, higiénica, un modelo también bárbaro y obsceno del primer mundo como sueño luterano y calvinista con fast food. Como bárbara y obscena también es su absoluta antípopdas en el planeta, la aniquilada y desaparecida ciudad de Kabul que estamos viendo desde hace unos días. Ambas exponen el estado social, filosófico y ético del mundo. Una Manhattan que ha sido diseñado con una altísima cuota de seguridad, el punto culminante de una historia civilizadora para "gente buena", que "no hace mal a nadie", gente sorprendida como diría Walter Benjamin de "que ciertas cosas terribles puedan ocurrir todavía". Ciudad recubierta de periodistas atildados, de hispanos afortunados y agradecidos de lavar copas o limpiar baños, y de amplias librerías con glamour y cafecito nigereano humeante. El triunfo del héroe empresario –para nuestra legendaria civilización judeo-greco-cristiana-americana– es total y absoluto en Manhattan. Cuando se caen los edificios de dicha megalópolis no se caen edificios como templos de Jerusalem, circos romanos o murallas chinas, se caen pedazos bancarios, gerenciales, una gigantesca chequera de cemento como los pisos de un edificio que se llama American Express: el sueño humano reposando en una tarjeta cuyos ladrillos trastabillan. Frente a tal escena de la gorgona no se puede estar con el terrorismo ciego, homicida, que evidentemente no responde a ningún tipo de violencia revolucionaria como registró una larga historia moderna, pero tampoco se puede decir como repitieron muchos medios radiales y televisivos en Argentina, "somos todos norteamericanos". Yo no soy norteamericano. Que hoy se quiera inventar una especie de mundo idealizado donde todos tenemos que pensar exactamente igual sobre lo que sucedió en Manhattan o en el Pentágono, es un complemento argentino a pasarnos la vida leyendo económicamente que ésta es la única alternativa, el único modelo, la única salida. Esto viene al caso también para los valores culturales: todos tendríamos que estar del lado de las torres de Manhattan.

–En la Guerra del Golfo, Susan Sontag, tan crítica con la cultura norteamericana, se alineó con la OTAN, al igual que otros intelectuales. ¿Cuál será su posición ahora?

–Hace dos días leí un texto de Susan Sontag desde Alemania, crítico de las posiciones inmediatas asumidas por el gobierno y la información estadounidense. Sin duda hoy la total imposibilidad de situarse en el lugar del terrorismo la da el propio terrorismo. El terrorismo del atentado a las torres actúa como complemento monstruoso, y no como la contracara de un capitalismo reinante a brutal escala planetaria. No como contrapartida de un capitalismo en tanto forma de vida exitosa que ha llegado a un punto donde dice diariamente: "aquí estamos nosotros en el primer mundo y hay una sensibilidad del primer mundo que no es la sensibilidad del tercer mundo". Ese es el mensaje que se escucha, que se palpa, que se oye y que se entiende desde el llamado tercer mundo con respecto a ese tardocapitalismo cultural desarrollado. Ya no se es lo mismo aquí y allá: ni se siente lo mismo ni se comparten los mimos datos o experiencias de vida en el plano de las masivas sociedades de masas en estado silvestre en uno y otro mundo, y en plena norteamericanización profunda de Latinoamérica. Esto es digno de ser señalado y estudiado. Se estructura una sola cultura mundializada, pero a la vez cultura deshecha de entrada: como desperdicio diario que termina en una suerte de cloaca o basurero cósmico. Cuando sucede el atentado, se suspenden puntillosamente los partidos de fútbol en Europa porque evidentemente un jugador de fútbol europeo no es igual a un jugador del fútbol argentino o uruguayo o brasileño. Aquel vive la sensibilidad de un standard de vida, de un mundo plácido, de dineros que circulan confortablemente. Entonces se siente parte de esas torres y se suspende toda competencia. Aquí y en Brasil el mismo 11 de septiembre se juegan los partidos a la noche a estadios llenos, sin que nadie relacione esto con aquello. Aquí son dos canales de TV distintos, dos cañerías diferentes de desagüe de un mismo espectáculo a deglutir. El fútbol y las torres. Son dos formas iguales, latinoamericanas, de mirar televisión, tomar cerveza, y también de ir a orinar durante la publicidad. Pienso que el 95 por ciento de los argentinos no se identifica con las torres, más allá de no estar de acuerdo con el acto criminal del que fueron objeto. De estas torres salen diariamente aquellos que trabajan sobre el riesgo país de la Argentina. Desde ahí se les dice a los latinoamericanos, ustedes no van a participar como nosotros en esta bienhechora norteamericanización de todas las vidas. Entonces no hay identificación con estas torres de Manhattan, ni con el terrorismo que las pulverizó. Algunos medios gráficos y televisivos argentinos han querido plantearnos que nosotros somos una parte radiante de la libertad y la democracia de aquel mundo explicado por la CNN. Es que el capitalismo se ha pseudoespiritualizado de una manera inmoral y virtual, donde de golpe un determinado valor abstracto, tecnoproducido, pretende constituir a un ser social "mundial", un único sujeto sensible. Entonces ese valor tiene que predominar tanto en Manhattan como en Kabul, en Sri Lanka, como en Buenos Aires o en Lima. Y no es así. Son los seres sociales, los concretos y nacionales en sus vidas colectivas, los que siguen constituyendo las ideas de las cosas: no es lo mismo un empleado de Manhattan que un campesino de Bolivia que un tornero del segundo cordón industrial de Buenos Aires. El periodismo aparece queriéndonos vender que las ideas predominan sobre el lugar social al cual se pertenece con todos los rigores y miserias que se puedan vivir allí.

—Al ver las imágenes del atentado por televisión, una y otra vez, se produce una suerte de anulación de las fronteras entre ficción y realidad, tan explotada por el reality show. Entonces parece dificultoso reconocer que no se trata de una película.

—El terrorismo es el gran actor, incomparable, imbatible en raiting, que permite a la televisión que nos devore totalmente. Permite una audiencia del 99,99, y que toda la maquinaria y toda la técnica y toda la parafernalia trasmisora se ponga en estado ideal, en utópico estado de erección informativa, y nos deje en la pura fascinación, en un siniestro e inolvidable orgasmo receptor. El 11 de septiembre, el mundo estuvo mass-mediatizado, seducido, atraído, comprado, eyaculado, mucho más que en una final de mundial de fútbol. Hay que aclarar, aunque sea aleatorio, que las políticas massmediáticas no son las mismas allá en USA que acá. Las imágenes en primer plano casi desaparecieron. Las escenas de sangre en las calles no se vieron. El metodismo yanqui de las tutorías mediáticas escondieron las iconografías del sacrificio, y eso no está mal. Los medios norteamericanos trabajaron en estos días sobre escenas de Hollywood, pero imitando ese fragmento o tópico de la secuencia que sirve de fondo a los créditos de las películas: ¿cuántos films y teleplays empiezan con la imagen alejada e inconfundible de Nueva York, o terminan con tales imágenes? Perfiles monumentístico de rascacielos distantes, que serenaban y que al mismo tiempo fascinaban el 11 de septiembre. Como si nos permitiera decir "a esto lo conozco", "esto ya lo sé". Que en ese paisaje conocido, reiterado, caigan las torres, es algo que debe haber entrado diabólicamente en nuestra cabeza. Vaya a saberse en qué lugar se alojarán para siempre dichas secuencias dentro de nuestra corteza cerebral y emotiva, desde ese cruce de lo mítico con lo catastrófico, de lo sublime atroz con lo pesadillesco. Ni siquiera la vieja París podría llegar a ser esto que fue Manhattan en llamas para todos nosotros. La historia argentina reciente ya estuvo golpeada por atentados de este tipo, por lo que es muy difícil que nosotros nos volvamos a sentir parte de una identidad occidental, aquella según la cual mi abuelo emigró de Italia a Buenos Aires en busca de la "Europa afortunada". En busca de ese país benigno, de esas ciudades sureñas blancas, sin miseria, hambre ni guerras mundiales al borde del Río de la Plata. Lo que ahora aparece como asombroso es que EE.UU. esté golpeado bárbaramente en su territorio, cuando hasta hace unas semanas el gran problema que los aterrorizaba eran solo los tiburones infectando las playas del verano. Una suerte deslizamiento instantáneo desde una problemática post, new age, ecopolítica, tipo national geography, al más profundo averno de Manhattan convertida en Palestina.

–¿Qué creés que sintió el argentino frente a la hecatombe reciente en Estados Unidos?

–La sensación de que en la esquina se acabó el mundo, nosotros ya la conocemos. Ahora, que no nos propongan que ese descubrir por parte del norteamericano que en la esquina no tiene una tienda sino el abismo, es también un problema nuestro. Yo quisiera imaginarme qué pasó por el sentimiento de los argentinos en estos cinco o seis días. Creo que fue algo diferente de lo trasmitido por los medios. No era una experiencia placentera, pero tampoco de luto, sé que decir esto es riesgoso enunciarlo. Nosotros estamos acostumbrados a ver las imágenes de la AMIA o de la Embajada de Israel descuartizadas, o las tomas de rehenes en el cono urbano post-industrial. El terrorismo internacional ya ha actuado aquí, a pocas cuadras de cualquiera, y con apoyo nacional. Los acontecimientos más fuertes del terrorismo internacional antes del 11 de septiembre fueron los que sucedieron en la Argentina, así también lo ve la CNN desde el momento que una de las primeras notas que hizo fue sobre la frontera entre Paraguay, Brasil y la Argentina donde supuestamente se concentrarían sectores del terrorismo islámico. Hace mucho que tuvimos este tipo de problemas y los norteamericanos a lo sumo nos mandaron dos aviones con frazadas. ¿Por qué tenemos que mandarles más de dos aviones con frazadas? En ese sentido hay que tener una conciencia clara, y dolorosa, de que las sensibilidades han cambiado, se han roto, dispersado, porque las relaciones económicas, sociales y políticas son absolutamente diferentes, y porque las ideas de comunión internacional han abdicado con el fin del tiempo de la revolución. Murió la fraternidad terrenal, la ecuménica cofradía rebelde de los '60 en la cual nos formamos y donde el estudiante de Berkerley, el afroamericano de las afueras de Washington, el mexicano de Tlatelolco, el estudiante de París y el combatiente de Argelia o Angola eran una comunidad secreta, la iglesia de la liberación donde respirábamos al unísono un viejo sueño, cada uno desde la inmensa libertad y creatividad que otorga la mítica tradición de lo nacional, y en esa historia propia los vuelos rasantes de las ideas "universales" que la atravesaban. En el quiebre y progresiva muerte de las identidades en la nueva ciudad mundial, quedarían solo gritos despavoridos sin recuerdos de comunidad.

–*¿Entonces cómo pensás que se vive el atentado a las torres desde un mundo globalizado, desde una Latinoamérica en proceso de globalización?*

–La globalización no edifica un único mundo con sus diferentes rebeldías a amalgamar como neosujetos. Solo en los programas caritativos o culturales de la TV por cable se inventa esa supuesta solidaridad o tierra común emocional durante treinta minutos de misericordia para Uganda, Etiopía o Angola. Nuestra historia latinoamericana, también la Argentina, son hoy historias de violencia, de catástrofe económica, de inéditas injusticias, no compartidas para nada por otras geografías del norte bajo el excluyente dominio ideológico del mercado mundial y las guerras "morales punitivas" del Pentágono. Nunca como en este tiempo de globalización, el grueso fundamental de cada sociedad se vive solo a sí misma y sus terrores. La globalización es solo un orden de finanzas y negocios para lo dominante, que no puede incluir en su lógica un sujeto alternativo abstracto, un héroe sin patria como comadrona de algún nuevo tiempo, ningún ciudadano global. Este divorcio de intereses, identidades y conciencia se vive no solo entre Ecuador y Alemania, sino entre Brasil, Argentina y Chile, tres autismos sociales pronunciados. Desde esta realidad agudizada es imposible que nosotros asumamos el dolor de las torres. Y así se verificó, por lo que leí, en América Latina esta semana. Sería patológico que no sucediese eso en este mundo de irracionalidad radicalizada. No obstante, tampoco hay regocijo ni esperanza por lo sucedido el 11 de septiembre. Para aquel que siente a Estados Unidos como enemigo irreversible, las torres fueron un objetivo excelente e insuperable en tanto elección. Una "victoria". Para mí, este atentado fue parte de una lectura facciosa, marginal a lo que realmente se necesita, asesina de inocentes, que no le quita ni le agrega nada a la actual situación de los pueblos del tercer mundo. Aunque sí abre un nuevo tiempo de debate y análisis político e ideológico en el campo de las ideas sobre el estado de las cosas y las gentes. En términos de lo que podemos llamar "cultura", no va a haber nada nuevo. Vamos a ver más televisión. Ahora tuvimos el primer acto, hace cinco días que estamos viendo televisión de una manera espectacular. El segundo acto se llamará Afganistán, el tercero posiblemente Pakistán o Palestina.

—¿Considerás que en estos días crece una atmósfera de guerra entre el Bien y el Mal que no solo expresa Bin Laden, sino el presidente Bush y muchos senadores en Washington?

—Sin duda reaparece en estos días el valor profundo y a la vez instrumental de lo religioso en la civilización ultrasofisticada de Estados Unidos, mientras sus teóricos culturales hablan permanentemente de dimensiones posmodernas y postmetafísicas de vida. De parte de Bin Laden y sus grupos, si ellos fueron realmente los autores de los atentados, sin duda se expresa el regresismo teológico, el conservadurismo extremista islámico criminalizando la política, satanizando a USA y su civilización tecno-guerrera. Pero de parte del republicano George Bush se revela bestialmente algo que siempre desorienta a políticos e intelectuales europeos o latinoamericanos: el cristianismo en acto, vigente y lozano, de la sociedad norteamericana. Un sujeto pétreo y convencido del sentido del cielo y la tierra que pisa. Un ser emblemático profundo, cuáquero, disimulado o negado debajo por ciertas producciones libertinas y semilaicas difundidas por Hollywood a escala internacional. Hay un dios bíblico exclusivamente yanqui que comenzó hace mucho en tierras de Canaan para terminar acampando al borde de una autopista californiana. Un dios citado, llamado, convocado, que hace temblar los pupitres del senado y lagrimear como nunca a los presidentes. Divinidad a veces de violencia extrema, de pureza autoritaria, que resultaría inaudito o vergonzante escuchar en boca de políticos en la Europa de las grandes catedrales y el papado, o en la América Latina del catolicismo oligárquico dominante. Estados Unidos no registró esa aventura europea decimonónica y también del siglo XX llamada nihilismo: filosófico, estético, literario, que redefinió a Occidente bajo el rótulo de modernidad europea desplegada, y produjo quizás el pensamiento negativo, de la sospecha y de la crítica más resonante de la historia de la humanidad entre guerras, nazismos y stalinismos. A lo que asistimos ahora en cambio, bastante estupefactos, es a un centro imperial que piensa que un alumno nietzscheano en un campus indefectiblemente es el mal, la muerte, lo oscuro diabólico, el heredero de las brujas de Salem. USA patrocinando el mundo sin rivales, frente a la agonía intelectual, creativa y política de Europa, es algo que a veces en América Latina cultural e ideologicamente asombra. No tiene la perversión elegante y novelística del colonialista británico, ni al militar psicópata del imperialismo francés perseguido por Zola o Sartre. Estado Unidos es el horror de cien tipos con un himnario en la mano cantando un domingo, mientras sienten que el sol –efectivamente de dios– se derrama afuera sobre los bosques y prados y ojivas nucleares. Para el comandante de un portaviones en el Océano Índico Dios existe tal como lo sensibilizaba Lutero alumbrado por una vela. Yo vengo de familia metodista con un abuelo furibundo pastor, y te aseguro que es una extraña dimensión. De tal manera la teodicea del Mal y del Bien está siempre a flor de piel en USA: desde ahí el pueblo elegido actúa con absoluta impunidad y letal inocencia en estos casos. Desde un dios gobernante con cálidos ojos celestes y sonrisa de granjero estoico, que podría de ahora en más encarcelar a miles y censurar cualquier tipo de crítica. Estaríamos hablando de una cultura asentada en estos datos: única forma de entender cómo el grueso de la sociedad de USA siempre se siente ajena a su propia historia y a su "grata" participación en el mundo contemporáneo. Bien y Mal soportan básicamente la sociedad industrial guerrera con sus cazabombarderos.

–¿Creés que la escalada antiterrorista que se anuncia afectará el modo de vida democrático y la libertad individual en las actuales sociedades capitalistas como la nuestra?

–Hay que tratar de abordar críticamente este tipo de mito de alarma que se da en el marco de la norteamericanización cultural del mundo que vivimos. Como en todo lo que sucede en esta semana, en la información queda sustraída toda historia, toda referencia nacional, toda comprensión de lo que pasa. Para los argentinos, los brasileños, los chilenos, los uruguayos, la amenaza a la democracia y a la libertad significó siempre el fin de los partidos políticos, la clausura del congreso con mayorías progresistas, el cierre de organizaciones sindicales masivas, la represión a los estudiantes en las calles, la intervención militar a las universidades, la supresión de editoriales y revistas culturales y políticas, la persecución y encarcelamiento de intelectuales, profesores y escritores de izquierda, la desaparición de las columnas en los diarios de articulistas de izquierda con influencia en la política y en la opinión publica. Democracia y no democracia están expuestas de manera bien clara en la historia latinoamericana. Esto es, la pérdida de la democracia estuvo dada por la llegada al poder de alguna variante capitalista fuerte y concreta de fascismo militar. La pérdida de la libertad y de la democracia fue y es una respuesta autoritaria a algún avance, pequeño o grande, del proyecto por cambiar esta bárbara historia de injusticia humana. El fin de la libertad y la democracia significó y significa, entre nosotros latinoamericanos, la clásica reacción contra toda una izquierda o progresismo o nacionalismo político, social, ideológico actuante, que históricamente co-protagonizó la historia del siglo XX hasta hoy mismo.

–Pero indudablemente este atentado y la reacción guerrera antiterrorista de Bush afectará a las formas de democracia estadounidense.

–Creo que el modelo de USA –salvo los años rebeldes estudiantiles de los '60 contra la guerra de Vietnam y contra las universidades de egresados enlatados– es en cambio totalmente distinto a lo nuestro desde los años '40 hasta hoy. Es una democracia donde ninguna lógica política de izquierda, popular, antisistémica, disputa el poder. En este caso nos encontramos luego de los atentados, con una amenaza autoritaria contra una poderosa libertad de mercado. Contra una democracia de alto consumo. Ambos moldes plenamente desarrollados y estructurantes de los Estados Unidos del ultimo medio siglo. Esas hormas se verán afectadas, tal vez, por nuevos controles, miedos, traumas, despidos, vigilancias, prevenciones, cambios jurídicos sobre derechos civiles, represiones muy focalizadas. O tal vez aparecerán censuras a pensadores, profesores e intelectuales, censuras nunca oficiales, cosas que posiblemente cercenarán un modo de vida liberal individualista que es bandera de ese país. Debemos entender por lo tanto qué se nos está diciendo hoy desde las grandes medios de prensa como "probable pérdida de las libertades" en Occidente. Debemos entender que desde un punto de vista político e ideológico la democracia es hoy el eje central a discutir críticamente. ¿Qué democracia, cuáles democracias, cuáles libertades? ¿De qué hablamos cuando hablamos? ¿Se comparece perpetuamente democracia y guerra, democracia y arsenal atómico, democracia y centenares de bombardeos volando a 15.000 metros? ¿Cuáles son entonces las democracias carenciadas, las democracias limitadas, anestesiadas, de cartón, incapaces de aceptar un disenso real, cuestionador en circunstancias de gravedad interna? Quizás como vimos en estos días, el modelo de USA es una democracia política e ideológicamente falaz, que muestra rápidamente su verdadero rostro autoritario y represor apenas sufre por primera vez un ataque en su territorio. Quizás reconozcamos que la democracia de USA no acepta desde hace '60 años el más mínimo adversario no neutralizado, no controlado, no reconvertido en pseudoadversario. No acepta ningún tipo de real adversario democrático en las calles. Entonces se desmantela lo que hoy empieza a ser el slogan de la comunicación transnacional repetido todo el día: que USA es la gran joya democrática de Occidente, joya ahora amenazada, en relación a modelos frágiles en democracia como Argentina, Brasil, Bolivia o Ecuador. ¿Es eso verdad? ¿Brasil con un histórico PT masivo de izquierda, popular, contestatario en innumerables aspectos, no es una democracia mucho más real, auténtica, genuina, que USA sin ningún golpe de Estado en un siglo?

–¿Qué es entonces lo que plantean ciertos analistas cuando señalan el fin de la gran libertad en USA y los ajustes a la democracia política, después de los atentados?

—Se trata de una libertad de mercado en su sentido más profundo y abarcador. En su sentido más contemporáneo y dominante en el capitalismo tardío occidental, en cuanto a que en USA todo es posible de ofertar y adquirir libremente con una suerte de mostrador de por medio y en términos de ganancias legítimas: comprar hasta un curso para islámicos sobre como maniobrar aviones en pleno vuelo para estrellarlos contra torres señeras. El propio terrorismo sería hoy cuestión de habilidad de mercadeo, estudio pago y mostración técnica acotada. Leído de esta manera el atentado es puntualmente una metáfora, de acuerdo a lo que descubrió hoy la CIA: un curso más bien caro de especialización aeronáutica tomado por una célula dormida. En este caso el terrorismo sería la historia de un master cursado en USA por tercermundistas: ya no sobre avionetas, sino una suerte de doctorado en jets. Cosa esta última interesante de pensar sin embargo como inevitable consumación de un modelo de alta sociedad y sus gangrenas: como la aparición de espacios inéditos de confrontación y a la vez de descomposición que se abren en esa gigantesca intemperie política y cultural de masas hijas del puro mercado en el siglo XXI. Pero entonces debemos pensar —post atentado a las torres— quien dice qué cosa, para qué las dice y para quiénes las dice. En Estados Unidos esa merma de libertad y democracia se vive fundamentalmente en sitios y tiempos del mercado y no en instancias de politización institucional directa y decisivas de la sociedad, como puede ser un fuerte partido socialista en Chile, o sindicatos de masas opositores al gobierno como en Argentina, o miles de universitarios protestando en las grandes avenidas metropolitanas como en México. Protagonistas, estos actores, de supuestas "democracias débiles o fallidas" frente a la gran democracia americana de comprar un auto y viajar vertiginosamente por las carreteras a galón barato. ¿Pero de qué se habla entonces ahora como pérdida de libertades en USA? Se habla de dificultad y tardanza de tránsito en los aeropuertos, de un nuevo documento de identidad para las rutas, de nuevos cuerpos de centinelas en los shoppings, de requisas salvajes en los barrios de gente islámica. Negatividades que no la sufrirán en USA los grandes partidos, ni siquiera sus alas izquierdas, ni los sindicatos, ni los estudiantes en sus aulas pagas con muchos dólares y guardias privados en los parques. Instancias éstas que nunca amenazan en USA una estructura de dominio, ni antes ni después de las caídas de las torres. ¿De qué se tratará entonces esa menor libertad? Sin duda, de algo distinto a nuestra experiencia intelectual, social, política, vital como latinoamericanos.

—*¿Cómo creés que reaccionará la izquierda crítica norteamericana, teniendo en cuenta lo que hemos leídos en estos días?*

—A lo mejor ese es el sector que no la va a pasar bien en los días que vienen. La gran víctima en el país de los cuáqueros guerreros. Tal vez lo sufran algunos espacios académicos de USA, también lugares intelectuales y artísticos que sienten la necesidad del ejercicio crítico. Tal vez no. Sin embargo creo que tarde o temprano se abrirán las compuertas críticas post 11 de septiembre. El atentado a las torres, por su inédita envergadura, exige de pronto un compromiso de relecturas de posiciones globales, nacionales, occidentales, históricas. De relecturas teóricas fuertes: exige nuevas omnicomprensiones de los conflictos y de las contradicciones iluminadoras, a trabajar en cada praxis política, intelectual y social específicas. Como las que produjo tradicionalmente el viejo universo de las izquierdas en cada país y en cada gran coyuntura histórica, y que desde hace tiempo ya no produce más. Hablo de la necesidad de visiones del mundo extendidas culturalmente en lo social, que ayuden hoy a situar los hechos históricos en la conciencia de las gentes. No hablo de ninguna simplificación, de ningún marxismo repuesto trasnochadamente. Sino de una nueva forma argumentativa a desplegar que comience a situar, que permita ir comprendiendo cada suceso y compartir efectivamente, de manera societal ampliada, popular, autónoma, la historia de este presente en sus ríspidos y complejos significados. La crónica inaudita en su manera de hacérsenos presente el 11 de septiembre, con sus fronteras de violencia extrema, con sus mitos y geografías contrapuestas, con sus rascacielos y desiertos afganos bíblicos, con sus televisaciones y actores, constituyó una experiencia que nos desafía a desteorizar y teorizar desde los propios cursos al desnudo que vamos viviendo. Se trata de reencontrar en esto la experiencia de la historia, que hoy se sigue extinguiendo aceleradamente por la desmemoria y falta de referentes pertinentes del mensaje massmediático mundializado que todo lo abarca y lo licua como propaganda bélica. Y reencontrar en esa historia crítica la propia biografía, la de cada uno. Qué somos y dónde estamos en esta vorágine. Lo ocurrido exige nuevas posturas culturales contra poderes represores, censores, y contra falsas alternativas de confrontación como es el terrorismo. Exige ir constituyendo un sujeto colectivo autónomo y crítico contra las CNN actuales y futuras, y contra las estrategias carcelarias que proyecta la Casa Blanca fabricando su guerra mundial hacia fuera y hacia adentro de USA. Ya no sirve solo el simple ejercicio de políticas circunscriptas, comunales y municipales acotadas, del tipo qué hacen los haitianos de tales y tales manzanas pobres, o del tipo exclusor del gran problema en tanto espacios cerrados, autosuficientes feministas, o minorías, o desocupados, o indígenas, o gays, o problemas del racismos, o excluidos. Desde las soledades de estos prismas seguramente solo se leerá en este caso lo que ya comienza a publicarse: la situación de las mujeres afganas humilladas. Y desde ese dato sin duda objetivo, sin duda testimonio directo de una cultura, hiperbolizado como narración particular, llevado casi a clave de bóveda, se leerá sin embargo de manera falaz e incorrecta, o mejor dicho se esconderá "progresistamente" el mundo y lo que realmente está ocurriendo. Entonces, dato, especificidad, diferencia, objetividad, testimonio, narración de los sin relatos, no sirven ya por si solos para lo que está diciendo Bush y lo que expresa en lo sustancial el mundo. El presidente Bush habla desde un potente micrófono, y para una historia fuerte, única, decisiva, de sujeto de identidad precisa, dura, oidor de sermones dominicales. No habla para ningún sujeto débil o post o sesgado. Habla de un enemigo "terrorista" que puede acampar tanto en Yemen, como en Asunción como en el campus de Yale, con pantalones o faldas. Se precisa entonces para contrarrestar ese mundo que ya está y viene peor, de filosofías y teorías de la vida y de las cosas concretas, pero articuladoras y rebeldes contra un espantosos hedor del mundo en todas partes: en un mundo hoy compactado y a la vez desmembrado cultural, social, nacional y políticamente por una globalización de mercado arrasadora. La posmodernidad, de ser algo, es la guerra y la vigilancia policial de aquí en más. Al carecer de una historia social crítica en las últimas décadas, historia asentada en determinados sujetos políticos, supongo que el grueso de los norteamericanos blancos y afroamericanos, ahora todos "patriotas" de la TV, se alinearán a favor de la guerra antiterrorista. Frente a esto entonces creo que nacerá un replanteo importante desde el progresismo norteamericano, desde su intelectualidad crítica, en cuanto a tratar la cuestión ocurrida, exponerla, analizarla, criticarla, debatirla, llevarla a enunciación oral y escrita, más allá de que a lo mejor pase a estar mal visto todo esto por la Norteamérica profunda.

—*Estuviste hace unos días en Washington en un encuentro de académicos e intelectuales.*

—Efectivamente, vengo de un encuentro en USA la semana pasada, antes del atentado, sobre problemas latinoamericanos. Los temas genuinamente yanquis los tratan en el país del norte áreas o departamentos que ni saben de la existencia de los especialistas en América Latina: son dos universos que se desconocen olímpicamente, el anglo y el hispano. Sin embargo la violencia, el Apocalipsis ocurrido en Manhattan, tal vez pueda abrir otra historia del pensar y el teorizar más vinculante entre ellos y nosotros. Como en la antigua hermandad de las revoluciones entre primer y tercer mundo, el diálogo comenzaba cuando cada uno se planteaba desde su lugar, su drama, sus enemigos, su vida, y después se compartían los temas, problemas y objetos de estudio. La famosa guerra que hoy empieza a anunciar la Casa Blanca, creo que los golpeará tanto a ellos como a nosotros en términos de pensamiento crítico. Bush lo está diciendo, volvió el tiempo de la política fuerte, los compromisos claros, los amigos y enemigos, la idea de trinchera. Se trata por lo tanto de cómo volver a repensar las cosas, y no dejarse devorar por la publicidad bélica sobre el malo e inmoral de Bin Laden, caracterización con la que estamos todos de acuerdo. Las torres volaron en ese país, no en Kosovo, Palestina, Irlanda o Buenos Aires. Creo que esto puede fecundar a la izquierda pensante norteamericana. Sería importante para todos que así suceda, y que de allá del norte nos venga una nueva geografía de un habla en común, alguna imagen más digna de la sociedad norteamericana en su conjunto, que la de Santa Claus o el himno cantado en cada partido de basketball.

–¿Cómo te imaginás el mundo de aquí en más?

–No se nos va a modificar la vida ciudadana común en cuanto a práctica hegemónica. Al contrario, se va a profundizar el hecho de que somos televidentes de una suerte de desastre mundial en episodios sucesivos. En ese sentido el atentado tuvo un éxito del ciento por ciento, no sólo en cuanto a los objetivos a atacar sino a que todo el mundo presenció el programa: "Señores, los EE.UU. nunca han sido vulnerados en la historia como lo hizo este grupo. Siéntense a ver lo que sigue". Estamos en el principio de un accionar terrorista prolongado que aparecerá cada tanto y de manera furibunda. Y en el principio de una larga escalada antiterrorista de USA en términos de guerra santa trasmitida en capítulos mentirosos y sin día final. Pero la pregunta importante es qué estamos poniendo hoy en la palabra "terrorismo". ¿Un razonamiento como el mío es un razonamiento terrorista? ¿Un pensamiento que cuestione lo que está diciendo CNN o lo que está diciendo Bush es un pensamiento terrorista? ¿Una escritura donde no se está dispuesto a alinearse con el Departamento de Estado es una escritura terrorista? Qué va a aparecer como terrorista en el mundo, de aquí en más, es una de las cosas centrales a discutir, para poder seguir discutiendo el mundo y su historia.

(CACEROLAZOS: NI SACRALIZAR)
NI CONSAGRAR*

—Usted escribió en este mismo diario y luego en **Clarín** *una suerte de diatriba contra la clase media que hoy protagoniza las asambleas barriales y los cacerolazos. ¿La sigue sosteniendo en los mismos términos?*

—No creo que haya sido exactamente una diatriba. La clase media —como había escrito— tuvo momentos de protagonismo con los cuales uno algunas veces —de acuerdo a la interpretación histórica— estuvo de acuerdo o no. Cuando salió en el 55 impuso una restauración social fuerte de lo que podríamos llamar la escena política, en perjuicio del otro sector social trabajador y eso la hizo protagónica desde determinada perspectiva. Y eso fue vivido de manera muy fuerte y muy decisiva. Costó mucho desplazar esa discursividad de los sectores medios con respecto a lo que había sido la justicia social y la entrada de las masas en la política argentina. Contra los carapintadas en los años 80, por el contrario, el universo social medio salió a la plaza desde otra perspectiva: democrática, popular, ética, valiente y lúcida.

—Eduardo Grüner discutió la existencia misma de la clase media como tal.

—Yo diría que se trata de sectores medios urbanos que indudablemente caracterizaron a la Argentina y que en otra época se distinguían claramente de los sectores de los trabajadores industriales y de lo que podríamos llamar la clase alta o la oligarquía. Hoy en las metrópolis massmediáticas, en la sociedad de las estéticas de masas productoras de subjetividades, en las tramas culturalmente globalizadas, estos sectores medios se deslizan entre condiciones modernas y posmodernas de existencia individual y colectiva, pública y privada. Y por lo tanto exigen una lectura diferente, compleja, difícil, pero siempre en el contexto de su trama y memoria histórica. Precisamente nuestra lucha por las políticas de las memorias y de lo nacional no son solo referidas a que nos acordemos de lo que hicieron lo militares. Sino a no perder nuestro hilo de identidades en un tiem-

---

* Entrevista realizada por MARÍA MORENO, *Página/12*, 4/3/2002.

po básicamente comunicacional que todo lo disuelve.

—Pero el hecho de que englobe tanto una maestra que gana $ 300 como a un empresario que veranea en Miami, ¿permite seguir hablando de "clase"?

—Yo creo que sí, pero tampoco a través de una suerte de estetización de lo social vamos a marcar que no hay diferencias entre una maestra que gana trescientos pesos y un empresario que puede viajar a Miami todos los años. La idea de clase remitió siempre a una situación social en relación concreta con las relaciones capitalistas, a un entender la materialidad cultural de la penuria y la posibilidad, del miedo y la esperanza. Los sectores medios asalariados, escolarizados, desplegados, poseedores, profesionalizados, con sus gustos, consumos, valores, conductas, pueden ser rastreados como un actor definible en nuestra historia. Se puede seguir gran parte de su itinerario, posturas, deslizamientos, derrotas. Caer en la estetización de este universo social como lo sublime in-caracterizable, como lo nuevo demiúrgico, como una figura sin forma que forma, que rompe con la historia para abstractamente en algún momento volver a ella, eso es estetización.

—¿ "Estetización" en qué sentido?

—En el de plantearnos que hay una especie de concepto abstracto que reuniría todo eso. El hecho de que quince o veinte mil personas de sectores medios, a través del corralito y de la confiscación de sus ahorros, se constituyeran en un acontecimiento hay que situarlos en términos políticos, dado su protagonismo, su gravitación, sus nuevas formas de hacerse presentes, su crecimiento en función de asambleas donde van adquiriendo formas nuevas de solidaridad, de comunicación, de comunión. Ni estetización, ni tampoco leer esto en términos místicos como lo hicieron ciertos intelectuales que, desde ciertos medios, hablaron de una especie de iniciación, de renacimiento donde un intelectual no tendría más que recogerse, autoengendrarse otra vez, parir el alma buena dejando atrás el alma mala. Es decir evitar por ese medio la reflexión crítica.

—Y ponerse a reverenciar esto que pasa sin él.

—Es el regreso de algo congénito en la historia de los intelectuales nacionales. Una suerte de momento donde el pueblo obligaría a una constricción, a un renunciamiento, a un *mea culpa* porque él tiene la palabra. Esto ya nos pasó en los '70 cuando los vanguardismos catastrofistas se sintieron escuchando "la voz del pueblo en guerra". Cuando planteo la cuestión política es porque efectivamente pienso que las asambleas y los cacerolazos pueden abrir expectativas muy interesantes frente a lo que podríamos llamar la crisis de fondo del país.

—Los caceroleros y asambleistas querrían ir más allá de la política.

–Si están en plaza de Mayo, si están en la plaza de Congreso, si están permanentemente pidiendo elecciones ya, que se vaya Duhalde o toda la clase política, están haciendo precisamente política. Yo creo que hay distintas vertientes de reacción frente al proceso de los caceroleros. Una que es la legítima y originaria, los que han quedado expropiados y salieron con su reivindicación en el orden de lo material: la más justa y la más noble. Noble en el mismo sentido en que el obrero es considerado por Marx como la peor de las mercancías, al tener que luchar desde ese lugar de asfixia extremo, de desesperación, de víctima. Se convierte en un elemento noble, nada menos que liberador de perspectivas, pero no porque tenga pensamientos fabulosos sino porque es la *materialidad en estado de posibilidad de alterar las cosas*. Luego están los intelectuales que permanecen en silencio ante la aparición del corralito, del estallido, de todas las asambleas y marchas: como si no tuviesen nada que decir o como si se le hubieses saltado los tapones intelectuales y políticos. Eso es peligroso, el silencio reflexivo aporta a ensanchar la ausencia de una voz crítica de la crítica. Historia muy triste en el universo de las izquierdas y el progresismo.

Y después está el otro sector que se considera adepto y que se sitúa como *adentro* del cacerolazo y la asamblea, y que plantea que no puede abrirse debate sino se está adentro de lo litúrgico, que no es posible utilizar un lenguaje si no se pertenece a ese lenguaje, es decir que no hay otra legitimidad de lenguaje que el propio lenguaje de las cacerolas.

–¿Dónde se ubicaría tomando en cuenta estas dos posiciones?

–Son dos discursos intelectuales, uno callado, receloso, disgustado, malsorprendido con la escena. El otro bastante naif, juguetón, empobrecido de reflexión histórica. Frente a ambos yo planteo que esto es un fenómeno político, ideológico, social y cultural y frente a eso que hay que tener una reflexión crítica como se tiene frente a cualquier otro acontecimiento de envergadura social y política, más allá de si uno está de acuerdo o no. Porque sino negamos, callamos. O aplaudimos y consagramos. Porque en esta atmósfera de levedad reflexiva, de brutalismo periodístico policial en los programas de TV con la "caza del político", aparece también una crítica a los intelectuales. Como si realmente se viniese de una época de mandarines de Anillaco donde no se podía criticar a los intelectuales y ahora existiera una liberación al respecto. Yo diría que al revés: la época del menemismo fue una época de acusación, desvalorización y de desprestigio de la capacidad crítica intelectual como el tipo que está en la estratosfera mientras que el empresario, el político, el periodista *está ahí*. El intelectual es un tipo de clase media urbana que –las haya pasado mal o las haya pasado bien– a lo mejor hace diez años que está en disconformidad con esto. Entonces quizás es más legítimo que aquellos que están en disconformidad con esto desde hace seis meses. Por eso frente a estos dos discursos: el del silencio que no sabe qué decir y el del adepto que lo único que legitima es lo que produce la misma asamblea, yo planteo una reflexión política. Las asambleas y cacerolazos son absolutamente legítimos Pero, ¿cómo los leés? ¿Desde una perspectiva estética? ¿Desde un acontecimiento donde irrumpe algo desde el grado cero —y se autoconstituye— o sea en términos abstractos? ¿O lo leés desde un elemento místico ritual? Si lo leo desde una actitud política me surge un interrogante, ¿este mundo de las asambleas forma parte de una Argentina terminal o inaugural? ¿El crecimiento de las asambleas y de los cacerolazos forma parte de una instancia de flujo de masas de un capitalismo constituido, donde se ve la posibilidad de *alguna otra cosa,* o forma parte de una Argentina terminal que evidentemente se reúne y fraterniza porque la han desamparado totalmente? Creo que el elemento terminal es el preponderante, y se reúne en tensión con un elemento inaugural que quizá pueda suceder como quizá pueda no suceder. Porque, ¿qué pasa? Los cacerolazos y las asambleas crecen porque ya no se le responde a nadie en ninguna circunstancia, y van a seguir creciendo con la profundización de la crisis nacional. En este sentido son un primer embrión de despedida-amanecer. Casi todo se vino abajo, algo todavía no despuntó. Asambleas y cacerolas son el *espacio del medio.* Como dice el teórico de la cultura italiano Franco Rella, sobre ese espacio en las metrópolis: zona de la precariedad, de la erranza, del fin, de cierto alumbramiento. Claro que uno ni sabe cómo concluirá esto ni tampoco cuál puede ser su reformulación reconstitutiva en los términos serios y lógicos de lo que tiene que ser, para un país tan complejo como Argentina en el marco mundial y en el marco latinoamericano.

–¿Qué relación ve entre lo que está pasando en la Argentina y el Foro Antiglobalización?

–Yo creo que está desgraciadamente a contramano. Toda Latinoamérica está mirando la imposibilidad de acompañar una suerte de desastre argentino de corte catastrófico que lleva evidentemente a cuestionamientos legítimos y profundos de poderes internacionales, el FMI, la política de Bush, el capitalismo, el neoliberalismo, pero donde el mundo no está, en esta coyuntura, para ninguna desobediencia. Al contrario está para que un Lula haga una campaña eleccionaria de centro izquierda que termine siendo un gobierno de centro y que finalmente entre en crisis como gobierno de centro derecha. Te diría que la situación es peligrosa porque nos encontramos con una crisis de la democracia representativa durísima, cuando es la democracia y la recomposición de una nueva política el único horizonte que tenemos y que ojalá podamos crear en términos lúcidos, responsables, adultos.

–*¿Crisis democrática sin antecedentes?*

–La otra puede ser la del 45, donde había una ausencia de representación que luego cubriría el peronismo, pero ese era un proceso de Argentina en ascenso, no de Argentina terminal. Por lo tanto aquello fue otra escena de la modernidad vastamente estudiada y polemizada ya. Lo que se está leyendo en el mundo para entender en términos de termómetro la situación argentina, es la situación de los desocupados o menesterosos que ya son diez, quince millones. Y esa es la medida de un país que se acabó. Esa es la estación meteorológica que nos señala en el marco de una durísima globalización, donde hasta Europa occidental hoy es una crónica económica, financiera y social frágil. Son esos millones la historia que nos espera, a no ser que los transformemos en "campesinos milenarios en su pobreza" a los cuales les neguemos su capacidad de querellar. Pero eso es imposible afortunadamente en la Argentina: la protesta, la reivindicación de la dignidad del hombre está más allá de las posibilidades de marginar a ese sector y decir "bueno, esos quedaron afuera" como tantos millones de latinoamericanos que no aparecen en ninguna estadística.

–*¿Qué lugar le ve a los medios en todo esto?*

–Los medios siempre plantean un punto cero de los acontecimientos que es absolutamente irreal, conceptual, abstracto. Yo diría que esa mirada que hace aparecer la cosa como *una irrupción* es la típica mirada de la sociedad massmediática. A partir de cero, vos tenés el atentado a las torres donde la CNN crea un nuevo lenguaje. Se olvida de que hay la historia, omite toda memoria y dice "bueno, señores, desde acá partimos: hay una guerra antiterrorista. Estos son terroristas, los nuevos Hitler y nosotros, los buenos". El mundo, supuestamente, había cambiado. Lo que la CNN no hace es contarte la historia, ni por qué sucedió, ni por qué eligieron a Estados Unidos. Y uno se lo tuvo que comer porque fue la aparición de una narración mágica de algo que no admitía lecturas anteriores, ni admitía la difusión de los procesos que llevaran hacia eso. También nosotros estamos acostumbrados a que los amplios sectores medios urbanos sean permanentemente leídos y reinventados por los medios. ¿Quién a lo largo de la década de los '90 nos leyó permanentemente los sectores medios, más allá de cualquier verdad, a través de las promociones de AFJP? ¿Te acordás de la imagen del abuelo feliz jugando al ping-pong y ganando en una casa de San Isidro? La publicidad llegó a un grado tan sofisticado en los años '90 para inventarnos como inmenso espacio proteico, ya no-clase, ya no media, que suplantó a la novelística y a la cuentística. El abuelito, el papá, el adolescente, el nieto, la mucama, los lugares, las calles, los teléfonos. De pronto habíamos gestado un mundo proyectado a puro futuro, la estética en colores y blanco y negro nos contaba la nueva historia de un día para el otro. Hay una lógica massmediática, que permite que los amplios sectores medios, receptores de ella, puedan ser cada tanto reinventados en su totalidad.

–¿Y cómo se inscribe la visión de los cacerolazos en esa lógica?

–En ese sentido reivindico una lectura política, concreta, abierta, dialéctica, a discutir, de las asambleas y de los cacerolazos, entre otros elementos importantes que hacen a nuestra realidad –no solamente de la práctica de estas quince mil o veinte mil personas– e inscripta en un momento absolutamente agónico del país, donde no nos podemos quedar seducidos por ninguna de las instancias presentes sino evaluar la peligrosidad del momento. El país no vive una crisis sino un colapso. Esto resignifica todos los análisis. Algunos se dan cuenta, otros no. Entre otras cosas, ver hasta qué punto la década de los noventa impuso como nunca una sociedad massmediática que domina nuestra capacidad de entender el mundo. Muchas veces nosotros mismos terminamos analizando esto que está sucediendo de acuerdo a esa lógica. No podemos negar que esta sociedad del 2002, esta transcultura o esta cultura globalizada te invita constantemente a una teoría de la *percepción de los acontecimientos*. Es que la lógica del acontecimiento massmediático, te lleva a transformar todo en estética. Hay muchas lecturas de las asambleas que no son lecturas reflexivas. Son lecturas que más que las de un intelectual crítico, son las de alguien que está imaginariamente "filmando" una escena a las tres de la mañana con una fogata junto a la pirámide de mayo. La década del noventa no solamente impuso "la mirada". Sino que además fue la década del académico suplantador del intelectual comprometido, la irrupción del especialista contemplador que dice "bueno, vea, hay tantos bolivianos, hay tantos peruanos, mire este cómo salta, mire este cómo baila, mire este cómo zapatea, y cómo los criollos son medios fascistas porque no le dan el trabajo". Se perdió mucha conciencia de lo espectral, recóndito, difícil de la historia. Entonces si vos tenés una especie de cinéfilo o videoproductor imaginario como analista, ubicás todo en una teoría de la recepción, donde básicamente la encrucijada se transforma en espectáculo, en escena a ver, en "no te lo pierdas". Se hace una política despolitizadora de lo real. El sentido de la circunstancia se inscribe en las lógicas de los *reality-show*, donde se instaura una pos-verdad crítica, una post-verdad reflexiva. Es la verdad del testimoniante en directo. La verdad informática, la verdad massmediática, la que irónicamente no tendría "mediación": los caceroleros son los que hablan directamente la historia. Por cierto: cualquiera de las mujeres que protestan en Acoyte y Rivadavia tiene más verbalización, acción teatral y capacidad oratoria que Duhalde. Es difícil sustraerse a esa lógica y solo desde una tarea crítica podés discernir las cosas. Porque también las nuevas subjetividades y escenas de la protesta tienen una altísima capacidad desmitificadora, contestataria, disolvente de poderes culturales. Hace poco vi cómo una bella mujer gritando por sus dólares en la City increpaba a un movilero de Todo Noticia, y le refregaba en la cara, en vivo y en directo, la historia de *Clarín*, Canal 13, Radio Mitre y Torneos y Competencia. Acusó con nombre y apellido y porcentajes a los dueños de esos medios, a la licuación de sus deudas, gritando "todos ustedes son una mierda, pero ahora te me quedás aquí con el micrófono hasta que termine de decir lo que quiero". Y el pobre chico se quedó temblando y agarrado al micrófono. Salió todo al aire: él veía a su madre en aquella hermosa doña (no hay peor cosa que ver espectralmente a tu madre para perder el empleo) y se comió todo el espiche. Quizás frente a un policía hubiese sido más rebelde, pero no frente a ese tipo de porteña cuarentona linda y enojada. Durante 20 años de democracia ningún intelectual se animó a criticar a *Clarín* por miedo a que no te comenten una hipotética obra, y esta Santa Juana de los Dólares produjo lo increíble, lo inesperado, lo impensable. Lo que pasa es que ella es de la misma "clase" que la viuda de Noble, es una Santa Juana de los *countries* que si la agarra la mata.

—*Es que la doña Rosa de Neustadt lejos de ver teleteatros ha visto programas políticos y noticiero y se ha formado. Sabe quien es corrupto, quien la estafó, cuales son los contubernios.*

—No creo que la doña Rosa del mito haya dejado de ver teleteatros. Incluso los actúa. Y cuando dice "que se vayan todos", en realidad lo que está diciendo es exactamente lo contrario. Es como cuando estás despechado y decís "andate" pero porque en realidad te necesito mucho. Porque si vos vas a la Plaza de Mayo y a la de Congreso es porque les estás reclamando a los poderes más concentrados que sean poderes de verdad, no que se vayan. Estás dialogando todos los viernes con los poderes. Entonces el grito "que se vayan todos" es casi exactamente al revés, "Que se vayan porque lo que no puedo soportar es que yo durante mucho tiempo era el que más creía en la promesa de país que dirigían". La frase "Que se vayan todos" genera recelo, hace aparecer a gente que piensa que esto es una especie de neofascismo solapado o que se está llamando a un nuevo golpe militar. Lo que doña Rosa dice es "quiero que el poder sea poder". Lo que dice con la voz no lo actúa con el cuerpo frente a la Rosada. Lo que grita como lema no se constata en su reclamo infinito para que el Estado sea el Estado, los Bancos los Bancos, y en definitiva, que los políticos sean los políticos. Por eso va a Plaza de Mayo, porque es histórica, porque es el lugar donde —esté o no esté alguien en el balcón— es del ministerio de Economía, de la catedral, del cabildo y de la casa de gobierno. O sea el *espacio del poder en la Argentina*. Cacerolas y asambleas son una potencial y profunda política que aparece en términos de una condición que vos no sabés si es "sal-vémonos así porque se acabó la Argentina" o "Estamos inaugurando algo". Yo creo que son las dos cosas.

–Horacio González definió la posición de usted frente a esta clase media levantada como "aristocrática".

–Yo creo que todo pensamiento que piensa un renacimiento mágico crea-dor como él, una aurora de asfalto, o un final apocalíptico y clasemediero como a veces yo, es aristocrático. Porque tiene que ser un cierto pensamiento de altura y de imaginación, te diría de corte novelístico-político. En ese sentido, yo acepto que tengo cierto pensamiento "aristocrático" pero creo que él también lo tiene. Más que yo muchas veces, porque –y eso siempre me ha gustado de González– de golpe le hacen una entrevista y pasa del barrio de Floresta a citas de Baudelaire, Lenin, Dostoievsky o Benjamin, Borges, Ingenieros, Lugones y Flaubert: viejo puente imaginario argentino de lo mejor de nuestra literatura. Como si no soportara que todo quede en hablar de los plazos fijos, anclaje, pesificación, intereses, bonos, como hoy debe andar puteando todos los días un expropiado rotisero. Porque de ese modo la entrevista tendría una suerte de materialidad propietaria pero no la apertura de un mundo del pensar las cosas. Y encima González me dice algo así como "te la estás perdiendo" refiriéndose a los cacerolazos. ¿Qué es lo que me pierdo? ¿Un festival de cine independiente? Creo que, cuando Horacio habla de aristocracia, plantea algo interesante en el debate intelectual-socie-dad, pero que en este caso nos designa a los dos. Porque en última instancia cuando te ponés a hablar dos horas de algo es porque tenés cierta aristocracia de pensamiento, si no estarías haciendo otra cosa. Claro que Horacio González tiene una formación, más de maestro socialista de escuela popular nocturna, tipo el film "Il compagni" de Monicelli que más que la revolu-ción lo que hace es compartir, descendiendo con su sabiduría y sus libros, con un magisterio para la gente del pueblo que se repetiría de manera infini-ta de pueblo en pueblo, y que no tiene otra salida que esa. O sea que se come a sí mismo. Yo tengo una formación más de vanguardia política con sus deformaciones y ansiedades, donde necesito pensar y decir para dónde se va, dónde están los actores políticos y sus contradicciones, cuáles son los escenarios y horizontes mayores de la contienda, como un juego teatral que también se come a sí mismo por el olvido de todo pequeño o gran imponde-rable. En ese sentido Horacio debe estar feliz en este momento porque re-cuerda un poco las unidades básicas del '71, '72 y '73 donde militaba, mientras que yo estoy tratando de ver la dirección de esta especie de protovanguardias o movilización con respecto al gobierno, a otras fuerzas, al campo nacional e internacional. Podríamos decir que los dos tendemos a aristocratizar el aburrido o tumultuoso mundo.

–Este período de la Argentina, ¿le cambia los contenidos a su revista **Confines?**

–Nos obliga a una reformulación porque lo que pasa es demasiado grosso. La revista nació en el 94-95, donde evidentemente parecía que "no pasaba nada" en el campo cultura, aunque indudablemente sentimos, y eso expusimos en *Confines*, que estaba pasando mucho y profundo: las formas de decadencia, degradación, el estado moribundo de la crítica. Y donde trabajamos la idea de la memoria de un genocidio que seguía actuando en la democracia, ahora en términos culturales y políticos. Nos planteamos en discusión crítica con un pensamiento intelectual progresista poco propenso a trabajar desde los fantasmas, espantos, criaturas y artefactos de la propia ciudad letrada. Hoy sentimos un cimbronazo muy grande. Lo que estamos discutiendo es entrar de lleno en lo que nos pasa, y tratar de no perder lo otro, o sea que si hay un texto de Beckett posible de publicar, no arrasarlo. Pero es cierto que ya no vamos a ser los mismos. Tampoco en la cátedra. Por primera vez tengo la sensación de que, después de veinte años, los alumnos se corrieron a la izquierda de nosotros. Entonces se van a producir discusiones sobre formas de actuación de los docentes, relación docente-alumno que pueden llegar a ser interesantes. Esto si no hay un desborde que trate de quebrar las instituciones. Aunque lo que pienso es que las instituciones en la Argentina están ya rotas. Por eso ésta no es una época que podríamos llamar pre-revolucionaria, sino una época donde decir "cuidemos algo". Sostengamos lo que se nos viene dolorosamente abajo, juntémonos para hacer de viga circunstancial que sostenga. Porque la pregunta es: dentro de cinco o seis meses, ¿seguiremos cobrando sueldo como profesores? ¿Estaré en la universidad? ¿Seguirá saliendo el diario donde vos trabajás? ¿Estará abierto o cerrado este bar adonde me estás haciendo la entrevista? La precipitación y caída son muy grandes. El vendaval será fuerte, el ojo del huracán todavía no llegó. En ese sentido debemos hacer una lectura de reflexión crítica sobre el cacerolazo y la asamblea en el marco de un momento dramático de la patria. Porque desgraciadamente ya estamos acostumbrados a los momentos ciegos nuestros donde, cuatro o cinco años después decimos "puta, si hubiésemos sabido, hubiésemos planteado otra cosa". Pero con la diferencia de que los sesenta y los setenta estuvieron caracterizados por una historia que ya se sabía, libros que ya se habían leído, que eran "suficientes". Ya se tenía "la respuesta correcta". Los ochenta y los noventa fueron exactamente lo contrario.

(EL CURSO DE LA HISTORIA*)

—La idea es reflexionar sobre el clima socio-político al que arribamos en el presente, partiendo de la vinculación a la historia social inaugurada en la década del 80, la cual se caracterizó, podríamos decir, por tres momentos: el horror de la dictadura militar, junto a un proceso de concentración econó- mico-financiera; el alfonsinismo y la frustración de la apertura democráti- ca, y, el menemato, con su ola privatizadora estrechamente ligada a la hiperconcentración del capital financiero y la gran exclusión social.

—Siempre, cada presente uno lo vive como si toda una historia confluyese sobre ese presente, y el presente fuese como una suerte de consumación de todo un proceso histórico. Hoy también podemos decir que la grave crisis del país, en todos los órdenes, sociales, económicos y políticos, es producto de una larga historia también política económica y social, que yo la inauguraría con el fracaso de la posibilidad de cambio y transformación social de los '70, donde ahí sí, efectivamente, se dio un quiebre, un fin de época nacional, una desilu- sión, una frustración profunda de toda una historia que aparecía como plan- teándose la posibilidad transformadora, junto a los actores sociales en plena dinámica y presencia de actuación. A esa frustración le siguió la violencia, la guerra, el genocidio. Con lo cual podríamos decir que esta historia, por poner un determinado lapso, comienza con un dato tanático, mortuorio, una gran derrota de las aspiraciones de la gente, no nos olvidemos que el gobierno de Perón en el '73, fue votado por el 62% de la gente. Bien, esa frustración per- mitió, frente a la carencia de toda resistencia y a una política de muerte, miedo y terror de Estado, reconstituir y reorientar el país hacia una Argentina donde la lógica pasaba por la especulación financiera, la desindustrialización, por los créditos internacionales para determinados sectores, por las importaciones que suplantaban las producciones nacionales, por el sembrado de una injusticia y

* Entrevista realizada por CONRADO YASENZA, yasenza@icarodigital.com.ar el 7/3/2002.

diferencias sociales abismales. Desde el '76 en adelante, la Argentina cambia su rumbo histórico, y comienza a plantearse en función de capitales financieros-especulativos, una patria Bolsa y tablita, y como consecuencia una merma muy grande de la producción nacional en todos los ordenes industriales y productivos. Esto trae aparejado, ya en la época de la dictadura, marginación social, cierre de empresas, un quiebre de una Argentina industrial que allá por los '70 estaba absolutamente desplegada hacia una idea de desarrollo, con un 2,5 de desocupación. Digo una Argentina caracterizada por la muerte del compre nacional, por una suerte de gigantismo de Estado prebendario que siguió desolando las arcas nacionales, y ya para cuando llega la democracia en el '83, el eje central del país está trazado. Lo que va a ocurrir de ahí en más es la resultante de ese fin del gran momento industrial, trabajador, obrero y popular de una Argentina en permanente y contradictorio progreso capitalista que va a significar, al mismo tiempo en el campo de lo político, una cada vez mayor merma de la presencia de las organizaciones sindicales, de la presencia obrera, de la agremiación, de la posibilidad de plantearse una línea política objetiva en relación a los intereses nacionales y a los intereses populares. Ya el triunfo de Alfonsín, si bien es el triunfo de una Argentina que busca una salida democrática, "una salida hacia la libertad y hacia la vida", como planteaba el propio Alfonsín en la campaña de 1983, por otro lado marca la muerte de un sujeto político que había sido protagonista en los últimos cuarenta años del país, que es la del peronismo, la caducidad de sus conducciones y condiciones que ya no respondían a un proyecto histórico. Es decir, la sensación que se tiene es que en ese momento el peronismo ya está absolutamente agotado, que ya no tiene banderas, que el mismo peronismo niega sus banderas, así como negó a su propia ala izquierda exterminada por la dictadura, buscando un pacto de no-intervención, de no-investigación, de no-recuperación de la problemática de los derechos humanos. Eso hubiera significado el gobierno de Italo Luder de haber triunfado en el '83. La sensación que tuve al regreso del exilio fue la de una paradoja trágica. Mi generación se había equivocado en una encrucijada clave, y al mismo tiempo su desaparición del escenario dejaba un peronismo vaciado de sí mismo, podía llegar a ser cualquier cosa desde las propias pústulas que había engendrado, y que no eran "traiciones", sino tumefacciones propias y legítimas. En ese sentido, podríamos decir que ahí tenemos un elemento crucial de la crisis de la Argentina. Un movimiento histórico que reunía a los sectores populares, a las grandes mayorías, a la clase obrera organizada; que había reunido lo más fuerte de una instancia revolucionaria –la llamada Juventud Peronista o la Tendencia Revolucionaria–, desaparece de la escena histórica. No sólo desaparece sino que crea un estado de confusión ideológica, de venta de su propia alma, que luego se va a notar palmariamente con la aparición de Carlos Menem. El peronismo aparece así, casi en forma dantesca, con su signo contrario, como consecuencia del fracaso del alfonsinismo en distintos niveles: en el campo político, en el económico; en el plano de los derechos humanos, con el problema de la absolución de los propios militares que habían producido el genocidio. Con la llegada del Menemato, podríamos decir que esta Argentina que empieza a despuntar en términos dominantes antinacionales allá por el '76, llega a su consumación con la venta del país en su totalidad, frente a una problemática que, si bien era cierta, se necesitaba una profunda reforma del Estado, porque el Estado ya estaba caduco y esa Argentina del fracaso alfonsinista no daba más, en realidad la política menemista sirvió simplemente a los efectos de gestar un nuevo gerenciamiento epocal del país, un gran negocio de robo, estafa, enriquecimientos ilícito, un nuevo sector privilegiado, una nueva y muy alta capacidad de corrupción donde entró de lleno la política peronista en casi todo su conjunto, votada mayoritariamente por el pueblo.

—Se podría definir como un Estado mafioso...

—Un Estado mafioso, un Estado de la especulación financiera, privatizado, jibarizado, cooptado por lobistas, un Estado de capitales golondrinas, un Estado de capitales provenientes del narcotráfico, un Estado en matrimonio con isla paradisíaca de depósitos en negro, un Estado de corte posmoderno, globalizador, pero, a diferencia de Chile, Brasil o México, el caso menemista fue una suerte de Argentina sitio de la especulación financiera, en donde a lo sumo lo que podía llegar a ser producción nacional, eran los hoteles cinco estrellas que se iban a construir, o zonas turísticas de caza para un cierto sector privilegiado del primer mundo —esto dicho como hecho simbólico—, mientras que, paralelamente, la industria nacional quedó totalmente destruida, la desocupación alcanzó cifras récord, la indefensión de lo social también alcanzó extrema gravedad, pero al mismo tiempo se vivió la ilusión del uno a uno, una suerte de milagro extraño, donde muchos sabían que algo no lógico, no real, se estaba desarrollando pero a lo que todo el mundo apostaba. Es decir, es como lo que sucede ahora: aquel que con justa razón reclama el dinero puesto en el banco y que éste no devuelve, ese hombre también sabía que esos altos intereses, que esos plazos fijos en dólares, constituían un altísimo riesgo, porque era una Argentina ilusoria, estafadora y estafada, una Argentina con pies de barro. Y frente al desguace del país y la pérdida de toda soberanía, frente a las variables más humillantes de dependencia con respecto al capital internacional, la globalización nos encuentra con que la Argentina hizo bien los deberes, pero al hacerlos bien los hizo mal. Efectivamente, esta situación se evidenció en el patético momento de Fernando de la Rúa, que fue votado —como fue votado

Menem en el '95–, precisamente como continuidad del modelo. De la Rúa fue la figura que, sobre todo para los amplios sectores de la clase media, significaba la continuidad del modelo con más decencia, un poco más de honestidad, sin robo y mafia. En ese sentido, De la Rua no pudo cumplir la promesa de la continuidad, sino que su propia incapacidad, su propia inactividad y la propia gravedad de la crisis argentina absolutamente estallada, hicieron que en dos años todo se desbarrancase para encontrarnos en este momento, quizás con la crisis económica, social y política más grave de la historia argentina. Esta es la crónica a vuelo de pájaro de los antecedentes de este presente.

–*¿Existe la dicotomía entre una teoría movilizadora del conflicto y el cambio, representada por las décadas del '60 y '70, frente a una posición, en la actualidad, de mayor aceptación de la realidad?*

–La Argentina de principios de los '70, la Argentina que va a desembocar en el triunfo del peronismo, con Héctor Cámpora en el '73, era una Argentina inserta también en un mundo político-teórico, que en distintas variables y lugares, se fundamentaba en una teoría de la transformación social, del cambio histórico. Cambio histórico que venía de una larga crónica política, ideológica y teórica en Occidente y en América Latina, pero donde se vivía que esa transformación, se daría en América Latina, entre las variables que planteaban la revolución frente al fracaso de los reformismos, en los estudiantes norteamericanos planteándose no a la guerra de Vietnam, y no a la universidad que creaba egresados enlatados; o también en Europa, donde se criticaba el reformismo y el entreguismo del Partido Comunista, o del Stalinismo sojuzgando a los pueblos de Europa del Este, y planteando la necesidad de una revolución; o en África o Asia, donde los pueblos estaban combatiendo por su liberación. En ese marco, es indudable que la generación de los '60 y '70 estaba absolutamente situada en la concepción del cambio social, del derrumbamiento del poder capitalista, en la creencia de habitar la antesala del socialismo, tomando como modelo lo que podría llamarse la revolución cubana-guevarista, tomando como modelo la revolución argelina de liberación, a través de un teórico como Frank Fannon, que hablaba de la Nación y de la identidad nacional a recuperar desde la lucha armada del pueblo; tomando como modelo la larga marcha del pueblo chino, o tomando como modelo la heroica lucha del pueblo vietnamita contra el imperialismo norteamericano. Todo este marco daba para que se renovasen y cobrasen vigencia las distintas variantes de las teorías marxistas revolucionarias, que podían encontrar canales nacionalistas-populistas como el peronismo, que podían encontrar canales cristianos de lucha por la liberación, que podían encontrar canales nacionalistas populares, marxistas, socialistas, pero todo estaba situado en el campo de una cultura de avanzada, de vanguardia reflotada que planteaba la idea del cambio histórico, la ruptura y reconfiguración de las relaciones sociales, la violencia necesaria partera de la historia, la confrontación de clases llevada a su máxima expresión, que era el momento de la revolución; la guerra de guerrillas o la insurrección armada o el largo camino de la lucha campesina, todo situado en la égida del fin del capitalismo. Entonces, se era hijo legítimo de cien años de historia teórica, crítica, científica. Desde fines del siglo XIX, ya con los últimos escritos testamentarios de Marx, se avanzaba en una dirección de lo que, inexorablemente, iba a acontecer en términos históricos. Teníamos a favor las leyes de la historia, el recorrido objetivo de la historia, más allá de que nos equivocásemos o no, tarde o temprano la historia se encaminaba de manera determinista, hacia el fin del capitalismo y la constitución de formas de comunismo y socialismo. En ese campo existía una variable de transformación social que comenzará a hacer crisis, en términos políticos, sobre todo, a partir de la experiencia histórica concreta de muchos pueblos y sociedades socialistas, sobre los '70. Se manifiesta en Europa el Eurocomunismo, aparecen las denuncias cada vez más constante y palpable contra el llamado socialismo real, se dan los retrocesos populares en América Latina, donde las diversas y distintas dictaduras reprimen y aplacan toda aquella euforia revolucionaria de los años '60 y '70. Los Estados Unidos entran en un momento opaco y de auto revisión de sus variables luego de la derrota en Vietnam, la izquierda en Europa entra en una crisis teórica, política e ideológica profunda. Y ya, hacia principios de los '80, comienza a plantearse algo que en la Argentina no se vive, producto de la dictadura, la censura y la imposibilidad de actividad en el campo intelectual: La crisis del marxismo y de los socialismos reales, lo que Perry Anderson va a llamar la crisis de una cultura socialista, señalando en el término cultura, que no era cuestión de alguna equivocación o de algún desviacionismo, sino que lo que quebraba profundamente era una cultura del cambio y la transformación. Comienzan, entonces, a surgir las variables socialdemócratas, socialismos rosa, variables tenuemente reformistas y administradoras del sistema. Se suplantan las teorías del cambio, por izquierdas que comienzan a trabajar la reivindicación de un capitalismo "con alta sensibilidad social". Y entonces, se inaugura un tiempo político, ideológico, teórico y reflexivo que deja atrás la lógica de la transformación y se sitúa en la lógica de la gobernabilidad de las sociedades. En esta lógica de la gobernabilidad, se deja de lado el eje Rousseau-Revolución Francesa, y aparece el eje Hobbes del contrato social. Se agrega a esta crisis histórica de la izquierda, de las utopías, de lo que podríamos llamar el *telos* de la historia, un momento muy fuerte de las reformulaciones técnico-productivas de la sociedad, lo que podría definirse como la entrada en una tercera revolución productiva, que va a afectar de lleno a este gran sujeto histórico que era la clase obrera, y que desde 1848 hasta 1980 era aquel sujeto mesiánico que aseguraba el pasaje del capitalismo al socialismo. Junto a este acontecimiento, va a aparecer en escena otro elemento muy fuerte que es lo que se llamaría la revolución y el renacimiento del pensamiento cultural conservador, el pensamiento de las derechas culturales y políticas, que cobran nuevos bríos, cobran nuevas formas de propaganda, de publicidad; se realimentan con mucha inteligencia, cuestionan el planteo de la democracia keynesiana, de la economía social, del Estado protector; plantean la necesidad de un regreso a un liberalismo de mercado bajo la idea de que había sido éste, el momento más exitoso de la historia capitalista, y que luego había sido envilecido por políticas del Estado social. La revolución conservadora, desde los '80 en adelante, desde el eje Reagan-Thatcher, comienza a invadir y vencer, en todas las dimensiones y en todas las líneas, la batalla político-ideológica, la batalla cultural.

–Es decir, se impuso la teoría de la aceptación.

–Yo diría que la teoría de la aceptación es la teoría de la gobernabilidad. De lo que se trata no es de transformar nada, sino de encontrar la forma más adecuada de gobernar sociedades, que por la compleja concurrencia de factores alarmantes y crisis capitalistas sin alternativas superadoras necesitan ser gobernadas. El Estado pasó a ser un lugar de administración de la crisis, de gobernabilidad, tanto lo ocupe la izquierda como la derecha. Se pasa a una problemática de época, no coyuntural, donde la aceptación de la condición dada se traduce en una teoría cuyo cuerpo central es la problemática de la mejor gobernabilidad. De la gobernabilidad con reforma, de la gobernabilidad en provecho lento y progresivo de sujetos subalternos, de la gobernabilidad brutal de un capitalismo salvaje neoliberal, pero siempre situados dentro del capitalismo, sin la mirada del cambio transformador.

–¿Hay posibilidades de gestar una nueva discursividad orientada al cambio, a la transformación?

–Las posibilidades siempre existen en el sentido de que la historia esta siempre abierta, siempre hay circunstancias donde se corta un hilo que parece que es eterno, donde se produce un cortocircuito en la dimensión del dominio que parecía inconmovible. A diferencia de ciertos agoreros que plantean el fin de la historia, ésta implica siempre conflicto, siempre es apertura, más allá de que pueda haber épocas, etapas –como las hubo a lo largo de la modernidad–, más proclives al no pasa nada, y otras etapas más proclives a las conmociones. Uno podría decir que, desde 1789 hasta la caída de Napoleón, en 1815, Europa vivió un tiempo de conmociones fuertes. Uno podría decir que desde 1810 hasta 1840 ó 1850, América Latina vivió conmociones fuertes en su gesta independentista. En Europa desde 1820 hasta 1870, no pasó nada absolutamente fuerte o conmovedor, sino que en esa etapa se constituyó el buen burgués, la modernidad en su edad de oro por excelencia, y en la propia Argentina, podríamos decir que hasta 1945 pasó muy poco; se constituyó la nación, llegaron los inmigrantes, apareció el yrigoyenismo, pero en general, la historia no vivió conmociones como las habría de vivir luego, a partir de 1945, donde "aparece" una clase en la escena histórica y se organiza definitivamente en términos de aspiraciones políticas. Luego, los '60 y '70 trajeron la posibilidad de pensar una liberación nacional y social como la planteaba el peronismo, y la cual fracasó. Hoy se han quebrado estos modelos de redención de la historia que forman parte de una creencia muy fuerte, de formas de religiosidades populares muy intensas, de teorías muy profundas, muy trabajadas y analizadas, donde el grueso de lo más inteligente del pensamiento moderno estaba de acuerdo; donde los cuadros, los militantes, los intermediarios producían organizaciones de izquierda de enorme envergadura, y planteaban con absoluta seguridad que por ley científica, como decía Marx, se iba a llegar al socialismo. Una vez quebrada esta noción redentora civilizatoria, es difícil reconstituir ese modelo, esa lógica, ese molde. En las últimas décadas aparecieron formas distintas de cuestionamiento, de planteos contestatarios, formas distintas de rebeldía, diferentes modalidades de crítica, pero que hoy por hoy, aparecen como se diría en términos posmodernos, fragmentados o agrupados en sus propias reivindicaciones específicas, muchas veces autista una variable de la otra, y en donde es difícil percibir el rumbo de un nuevo proyecto histórico subalterno desaparecido el potencial emancipatorio que, se creía, tenía la clase obrera organizada. Resulta muy difícil plantearse un cambio social sin sujetos o con un sujeto desagregado, con un sujeto que no contiene la posibilidad de dominar, en términos políticos-ideológicos, con consenso, el proyecto social en su conjunto. Entonces, digo, la historia no se ha terminado, pero estamos pasando un interregno donde, infinidad de ideas han pasado al desván. Y han pasado al desván porque la sociedad no las visualiza de una manera consensuada.

El "cacerolazo" y la clase media argentina

—En el plano de las manifestaciones de protesta acontecidas recientemente, que las podríamos calificar de típicamente urbanas, como el cacerolazo, que a su vez tiene un antecedente interesante que fue el cacerolazo chileno con que se derrota a Salvador Allende. ¿Es el "cacerolazo" una manifestación real de una discursividad que tiende a generar algún

cambio? ¿Cómo caracterizaría usted este tiempo, donde la impresión es que la clase media urbana ha reaccionado, si bien lo hizo ante situaciones muy particulares, pero que a su vez interpreta y se reproduce como el nuevo gesto de protesta?

—La clase media urbana, capitalina, tiene una historia muy particular. Hacía mucho que no salía a la calle, y creo que en este momento sale evidentemente por hartazgo, porque la traicionaron, porque creyó en algo que no era cierto; sale porque está absolutamente disconforme, en términos extremos, con la clase política dirigente, sale porque le expropian sus disposiciones monetarias, y eso es irreductible. Y a partir de todas esas variantes, sale como sale la clase media, como un compendio de contradicciones. La clase media ha salido a la calle en otras circunstancias: salió en el '73, salió con Galtieri, con Alfonsín; salió en Pascuas, salió por los derechos humanos, apenas había triunfado el radicalismo. La clase media sale a la calle, algunas veces nos gusta más como sale, otras menos, pero es una clase sin perfil propio, sin una gran identidad que básicamente se autolee en su propio recorrido en lo que puede. Podríamos decir que hoy la clase media, con sus cacerolazos, ha logrado cosas muy fuertes, como puede ser la caída de un presidente que, si bien estaba muy marchito no caía si no era por la salida de la clase media a la calle. Se volcó espontánea y protagónicamente, y desde esa perspectiva ha gestado lo que se llamaría una escena, un planteo, un acto que va teniendo, progresivamente, sus contornos míticos, como es el cacerolazo. El cacerolazo va expresando la crisis profunda de lo político, de lo social; una suerte de Argentina terminal como la que estamos viviendo, con una clase media que es particular, históricamente muy desplegada, una clase media que define más "lo argentino" que la propia clase obrera.

–¿Cómo se definiría la clase media argentina?

—La Argentina es un país con clases medias urbanas desde 1900, o sea con cien años de historia, que tiene sus edades culturales, sus ideologías, sus conductas, sus valores de clase media muy a la europea, a diferencia de una clase obrera, que es otra instancia social, con otras variables, otra ideología y básicamente peronista. La clase media tiene una altísima historia cultural de identidad dentro de la Argentina, aunque esa identidad sea la no-identidad, pero la tiene. La clase media argentina tiene un siglo de teatro, de cine, de radioteatros y teleteatro, de libros, de aquellos elementos sociales, culturales y económicos que la constituyen. Tiene cien años, a diferencia de otros países latinoamericanos donde los amplios sectores medios aparecen mucho más tarde en términos de signar culturalmente de manera rotunda una sociedad. Entonces, hay una clase media que tiene sobre su pellejo infinidad de cicatrices: salió con Yrigoyen en el '14, padeció la década infame, se movilizó contra Perón en el '45, con la

Unión Democrática; se sintió violada desde el '45 al '55 con la marea de los cabecitas negras, en el '55 salió a vivar la caída de Perón. Luego, sus hijos fueron la clase media montonera del '73, experimentaron lo que políticamente se llamó la nacionalización de la clase media, con planteos revisionistas, de liberación, nacionales, de alianza con la clase obrera en una suerte de causa nacional. Entonces, evidentemente, tiene infinidad de marcas, de muescas, y hoy sale nuevamente, pero lo hace en una circunstancia especial histórica posterior a la venta y desguace de la patria; y sale también en términos ciegos, términos que yo no apoyo ni comparto, es decir: que a mí la clase media me diga que el problema histórico es el diputado formoseño que cobra mucho, significa que no entendió nada, no porque ese diputado no cobre mucho, no entendió nada porque eso no va a modificar absolutamente nada. Y hoy la clase media es un compendio de contradicciones, que si escucha que en tres programas televisivos amarillistas y bastardos, como la mayoría del periodismo radial y televisivo, le dicen que el problema son las empresas privatizadas, va en contra de esas empresas; si le dicen que son los negros de Duhalde, va contra ellos. Es decir, sale solivianta, sale harta, sale con justa razón porque le robaron capitalistamente lo que capitalistamente le dijeron que podía ahorrar, acumular, especular en plazo fijo; pero sale ciegamente y desde esos intereses en donde hay claroscuros, hay negro y blanco; hay una gesta, una cierta heroicidad en el salir, pero al mismo tiempo –uno lo ve en las manifestaciones–, hay un pacto con el movilero, hay un pacto con Crónica TV, donde efectivamente uno no sabe si a esa clase media le devuelven los anclajes no es capaz de aceptar a quinientos Carlos Grosso, y como no se los devuelven no acepta ninguno. Sigue siendo en su corazón una clase media cavallista, defensora del uno a uno, que no quiere el despertar de la burbuja en la que vivió nueve años. No quiere saber sobre planteos nacionales, antiempresariales, antiliberales, ni de jugarse al desafío de enfrentar a fondo a los dueños del capital mundial. La reivindico como la reivindiqué en otras circunstancias. Cuando estuve en las Pascuas de Alfonsín, la clase media salió con todo y fue defraudada como nunca, y no volvió a salir por quince años. Hoy sale, toma las calles, pero cuando pide que se vayan todos, veo que es una clase media que está, sin darse cuenta, como situándose en su propia cultura: Parte de esta clase media cada ocho o nueve años dijo siempre: "Que se vayan todos y venga un milico". Hoy no lo puede decir así, y por eso pide que se vayan todos sin el agregado porque sería vergonzoso, después de Videla, de los treinta mil muertos, de lo que significan las Fuerzas Armadas. Pero, en el fondo están diciendo: no quiero a la clase política, ni al Congreso, ni a los legisladores. Esto fue dicho muchas veces por la clase media argentina, y siempre tuvo un militar que les hizo caso y gobernó por cinco ó seis años. Luego, la clase media empezó a cansarse del autoritarismo, y aparece entonces, la necesidad de una apertura democrática donde se vuelve a votar al peronismo y al radicalismo.

—Esto me lleva a pensar si la clase media es víctima o gestora de esta trampa.

—Yo creo que es ambas cosas. Es víctima porque muchas veces es ciega, porque es una clase que no tuvo nunca un objetivo propio. Es ciega porque se creyó lo del espejismo y el oasis menemista. El uno a uno la transformaba en reina de la creación. Pero eso también es justo, porque en una época donde de lo que se trata es nada más que del capitalismo, tiene razón en pedir un capitalismo como el de los otros demás países. Tiene razón en plantearse cómo puede un banco robar a la gente. En ese sentido es víctima y gestora de movimientos ciegos, alimentados por un periodismo que está haciendo época en la Argentina. Creo que uno de los grandes males que tiene el país es el 80 por ciento del periodismo radial y televisivo. La mayoría de los programas son un camino por derecha y por izquierda, de risa, de histeria, de cinismo, de estupidez, de ignorancia, de mala intención, de intereses espurios. En el cacerolazo, los programas televisivos también tienen una enorme participación, en su peor y en su mejor sentido. En su mejor sentido porque provocaron el cacerolazo, y en su peor sentido porque son capaces de perseguir cualquier cosa con tal de que sea noticia.Acá hay otro tema. En los cacerolazos apareció, y creo que a esto trata desesperadamente de ponerle límite el actual gobierno de Eduardo Duhalde, no sólo el cacerolazo de la clase media, sino que apareció el segundo y tercer cordón industrial de Buenos Aires, que está exhausto, en la plena miseria, desocupación, falta de toda posibilidad, abandono y olvido. Este es el otro sujeto social que, cuando aparece, lo hace en una Capital Federal que ya se había acostumbrado a su ausencia. Una Capital Federal donde el peronismo había llegado a un 5 por ciento de las elecciones, donde podemos decir ganaba De la Rúa, Ibarra y de golpe aparece el duhaldismo de la provincia de Buenos Aires. Hace su entrada, otra vez, la marcha peronista con Rodríguez Saa; se le aparecen los muchachos de Duhalde tirando piedras, y entonces vive a la manera del '55 viejas sensibilidades gorilas. Esto también se produce porque efectivamente ese segundo y tercer cordón, que hace mucho que vive una penuria extrema, no arriba. La clase media lo que diría es: Agárrenlos a lonjazos, compren perros de policía, pero déjenlos lejos de acá. De alguna manera, este desastre, este fracaso de la Alianza, esta reaparición de Rodríguez Saa muy brevemente y con posterioridad a Duhalde, hace reaparecer un peronismo con el cual la clase media no está de acuerdo. Es más, esta claramente en desacuerdo. Ahí se da un punto de no articulación entre clases, que una nueva política debe resolver y armonizar, donde se reúna un amplio sector político de lo que hoy está separado por un abismo entre clase media y pobre, entre gorilismo y peronismo, entre gente de bien y "barras bravas". Ese otro sector es el que, cuando aparece ahora en la escena política, lo hace con barras bravas, con saqueadores; aparece con gente que no tiene nada que perder, y entonces si ve una vidriera la rompe. Ya no es la clase media con los hijos, el bebé, los abuelos, sino que aparecen expresiones de una Argentina absolutamente muerta de hambre, bestializada, barbarizada por la pobreza, la injusticia y el hambre, donde lo que la gente llama barras bravas, hoy son miles. En cualquier localidad de la provincia o frontera de la Capital los encontramos, e indudablemente son hijos de la miseria, son hijos del olvido, del neoliberalismo, hijos de las peores injusticias, de la no-educación, de la falta de salud, de la no-vivienda, de la imposibilidad absoluta de una vida digna.

Las palabras y las cosas

–¿Qué importancia adquiere el lenguaje, la palabra, en el contexto de crisis de paradigmas hasta ahora vigentes?

–La palabra se ha ido corrompiendo, se ha ido desagregando en esta Argentina de la década del '90; aún la palabra en su existencia más material y concreta. Lo que por ejemplo antes era entrega a domicilio ahora es *delivery*. Mucho de aquello que se nombraba en castellano o argentino, pasó a nombrarse en inglés. Las publicidades trajeron además esos vocablos, la gente los empezó a utilizar y a ponerlos de moda. Eso hace a nuestra identidad.

Además, la palabra aparece como la más saqueada, golpeada y herida cuando se produce el quiebre de lo político, cuando se produce el quiebre de los representantes de la política, cuando la gente rompe el pacto que tiene como representada con sus representantes. En esta situación, uno de los elementos más claros para indicar lo que se ha quebrado, lo que ha estado en crisis, lo que se ha esfumado, es la palabra. Que se da en el caso de frases como "ya no te creo", "no me vengas con lo de siempre", "esta película no me la creo", lo que está indicando que el valor de la palabra, el valor de la frase, el valor de la promesa, el valor del "síganme", se ha quebrado. Porque cuando un político dice voy a hacer tal o cual cosa, y hace exactamente lo contrario, o cuando se sabe que hay corrupción, mafia, delito y robo, y no se lo corrige, es la palabra la que pierde valor.

–Y si hay palabras que se han esfumado o perdido su valor, ¿cómo se representa y explica el mundo?

–Hay palabras que se han perdido, y hay palabras que no volvieron a existir.

Cuando Rodríguez Saa habla de la resistencia peronista, y le hace un homenaje a la resistencia peronista en su discurso, está utilizando palabras que tenían valor entre 1955 y 1973. Hoy ha desaparecido la palabra "liberación", la palabra "Nación", "Patria", "intereses nacionales", "intereses del pueblo", "identidad". Si uno hace seis meses decía intereses nacionales, lo miraban y se morían de risa, le preguntaban de qué estaba hablando. Hoy han aparecido, nuevamente, una serie de palabras fantasmas, de palabras espectros que indican que también hubo una especie de duelo, de entierro, de sepultura de miles de palabras y frases que, desde 1976 hasta hoy, se habían dejado de utilizar –como "anti-imperialismo", "no queremos ser colonia", "intereses que afectan a la Argentina" –, que se están volviendo a escuchar en estos días y son palabras, frases, que habían dejado de existir en la propia sociedad, habían dejado de existir en la clase media, en la clase urbana; también habían dejado de existir en la Academia, en la Universidad, en el periodismo; habían dejado de existir en todas partes, de eso no se hablaba. Esto indica que la palabra también es la expresión máxima de la muerte de un país, del renacimiento de un país, de la estructura de factoría de un país, del desconsuelo de un país, de la obscenidad de un país, porque también este país ha sido obsceno e infame con las palabras. Cuesta mucho la recuperación de cada una de las palabras. Un ejemplo claro es la imagen de Videla reporteado que decía "qué me hablan de desaparecidos, si el desaparecido no existe", y hacía un juego de palabras, que luego el argentino tomó al pie de la letra. De lo que mejor es no hablar, no hablemos. Esto comenzó con la dictadura: "vos y yo sabemos pero no hablemos", como diciendo "vos y yo sabemos lo que es la década del '90, vos y yo sabemos lo que es el uno a uno, vos y yo sabemos lo que es esta burbuja de agua, pero no hablemos".

La Academia y la lógica massmediática

–Usted ha hablado de la Academia. Me interesa saber qué ha pasado con el campo intelectual del país. ¿Genera hoy el intelectual prácticas capaces de intervenir en la realidad, o por el contrario, hay una retracción hacia el claustro?

–Creo que hay más una retracción al claustro. En este sentido, creo que también hay una misión amplia con relación al papel del intelectual, al rol del intelectual, que en los '90 no existió. Existió en los '70, existió en el exilio, existió en la década del '80 y luego entra en eclipse, entra en el ocaso, no sólo en el país sino también en muchas partes del mundo. Efectivamente el intelectual, que es una figura que nace hacia principios del siglo pasado y que Sartre la lleva a una jerarquía mayor, es una instancia que yo siempre reivindiqué, que siempre recupero. En todo caso, yo trato permanentemente de ser eso, un intelectual crítico, intervenir en debates ante la opinión pública sobre temas que uno se plantea con independencia de criterio, como crítica a los poderes, a las formas de dominio, a las falsas ideologías, a la falta de humanismo de las clases burguesas. Se diría que la figura del intelectual, hoy, está absolutamente en baja. Tampoco es posible pensar que se va a mantener una casta de intelectuales absolutamente incólume, en un país que ha vendido todo, que ha llegado a un punto cero de cualquier otra alternativa a esto que estamos viviendo. En ese caso, el intelectual, por un lado, se ha desbarrancado, ha entrado en variables progresistas, social demócratas; se ha sentido, como siempre, hijo de los vientos de época, se ha adaptado a los vientos de época, se ha situado en los campos de las modas, en las bibliografías de moda; ha renunciado muchas veces a la memoria, ha considerado que los '60 y '70 no han tenido nada rescatable. Se ha pensado que se era más virtuoso en los '80 y los '90, por cierta forma de pensar, que lo que se era en los '60 y en los '70. No estuvimos, y acá me incluyo, a la altura de analizar profundamente lo que fueron las décadas del '60, '70 y '80. Evidentemente esto nos ha, por un lado, desprovisto de la capacidad de pensar. Por otro lado, la época es muy engañosa, es muy perversa, es, podríamos decir, muy de libre mercado comprador, donde uno podría decir que como nunca "los intelectuales intervienen, están en los medios, están en las columnas".

–¿A qué causas cree que responde esta situación?

–Responde a que, desaparecido el grosor de la política, desaparecida la densidad que tenía una cultura de izquierda, que permitía situarse en ese campo y mirar a todos esos medios como lo otro, lo que queda es el mercado, y el mercado, en ese sentido, lo que hace es plantear cosas que vendan, cosas que interesen, cosas que entretengan. Podríamos decir que el mercado de los medios, tanto gráficos como audiovisuales, en estos últimos veinte años, le ha hecho un honor grande a los intelectuales: los ha invitado, los ha hecho participar. Nos ha demandado opiniones sobre todo, sobre la inseguridad, la postmodernidad, la globalización, la crisis de los políticos, sobre el rumbo de la izquierda, el fin de las utopías; nos ha indagado acerca de qué es el peronismo, qué pasa con la democracia, qué pasa con las mujeres, qué pasa con los gay. Es decir hemos hablado de todo y se nos ha demandado todo, cosa que no existía para nada en los '60 y en los '70, donde un intelectual era más bien quien entraba a militar pero de manera anónima, y también de manera perversa, porque abandonaba escrituras, novelas, para entrar en una militancia política que mas bien era reduccionista de toda otra riqueza de cada uno de nosotros. Ese intelectual no era tan requerido. Hoy, un intelectual que se precie de tal, ha tenido en los últimos diez años, más o menos ciento cincuenta mesas redondas en donde ha participado; ha escrito columnas, artículos en los diarios. En ese sentido, podríamos decir que, junto con la crisis de aquel intelectual, en términos de compromiso con una política de izquierda en avance, en crecimiento, ligada a la clase obrera para hacer una revolución; en el ocaso de ese intelectual ha crecido el intelectual silvestre, se ha transformado en un casillero de mercado, en un nombre y apellido, con cierta cotización, demandado por psicoanalistas, arquitectos, periodistas, instituciones, para que digamos lo que tenemos que decir. Evidentemente, en ese mundo se han complementado con una perversidad que tiene hoy ese capitalismo tardío de consumo, de oferta, de permanente espectáculo. También el intelectual se transformó en una especie de estética, así como hace falta un sindicalista, un cura, un futbolista, un director técnico, hace falta un intelectual demiurgo para llenar de ideas algunos casilleros.

—Yo tenía la percepción de que los medios de comunicación poseían, en su lógica interna, una fuerte aversión a lo que es el campo intelectual...

—Ése es un tercer elemento, que todavía es más complejo. Yo creo que es así. Acá hay otro fenómeno: el ocaso de un pensamiento intelectual y político de izquierda, trae como consecuencia, el protagonismo de un neoperiodismo. Estamos bajo la égida de ese nuevo periodismo, que no tiene nada de nuevo; es un periodismo que es protagonista y hegemónico como nunca, no por la capacidad de los periodistas de esta generación que nos tocaron en suerte, esto quiero que quede claro. Es así porque la única lógica que impera es la de la sociedad massmediática.

—¿Qué ingerencia tiene, entonces, la lógica de los massmedia?

—La sociedad massmediática exige y obliga que el gran protagonista sea el locutor y el periodista, los únicos dos enunciadores que escuchamos. No hay otro enunciador que sea escuchado. Entonces, evidentemente, estamos inmersos en la lógica de la sociedad massmediática, que no es la lógica de la sociedad de los grandes medios de masas. Eso ocurría durante los '60 y '70. La lógica de la sociedad massmediática consiste en que toda la sociedad se rige bajo esta lógica, todo es mediación, todo es virtualidad, todo es mensaje, todo es representación, como diría Lyotard "el mundo ha desaparecido", lo que quedó es la simbología de un mundo que ya no nos preocupa más si sigue existiendo o no.

—Un mundo que todo lo estetiza.

—Todo lo estetiza, es decir, no se habla de otra cosa que de lo que aparece en televisión. Lo que no aparece en televisión no existe, porque uno mismo no le da importancia, no lo valora. A diferencia de los '60 y los '70, décadas en las que la Juventud Peronista hacía una manifestación de veinte cuadras que rodeaba la

Casa Rosada, la quinta de Olivos, y cuando volvíamos a casa nadie miraba la televisión ni leía los diarios, porque esa presencia y esa densidad, ya de por sí modificaba la realidad política. Hoy es al revés, juntás veinte personas, como ocurre con los cacerolazos, y si tenés a Crónica y a dos movileros, ya está hecha la nota. Pero eso también es el éxito y su propia muerte, porque va a formar parte de lo que se llama la sociedad massmediática, en el mejor y en el peor sentido de la palabra, porque también este tipo de sociedad permite una mayor información, una mayor conciencia de los conflictos, un estar en infinidad de lugares y saber de qué se trata, un testimonio permanente de aquellos que son afectados. La sociedad massmediática no es negro o blanco, es una mezcla extraña. Estamos sobre la égida del periodismo, y este periodismo es protagonista porque está situado en una sociedad massmediatizada a ultranza; es un periodismo básicamente sospechoso, receloso y cuestionador de una suerte de pensamiento intelectual al que sitúa como un pensamiento supuestamente abstracto, un pensamiento de sabihondos, un pensamiento no interesante, un pensamiento sin raiting, un pensamiento aburrido, que nadie entiende, de palabras difíciles, cuando el periodismo hace gala de la palabra directa, la palabra grosera, de la palabra del no-pensamiento. Ahora, frente a conflictos difíciles hace falta pensar en difícil, porque si se piensa en el esquematismo del periodismo, evidentemente no se resuelve nada. Lo único que se logra es una mayor exposición y caminar más hacia el abismo. Bien, pero nosotros estamos en este momento, en el campo de lo que podríamos llamar hegemonía periodística. Entonces, podríamos decir, que hay un ocaso de la misión intelectual con relación a los grandes proyectos de izquierda, y que por otro lado hay una tensión entre periodismo e intelectuales. Lo que podríamos llamar el éxito del periodista que llega a todos, que es leído, que es escuchado, también toca, pervierte y corrompe el pensamiento del escritor que busca ser un periodista. Esto indica que no vamos muy bien y que forma parte no sólo de un problema de la Argentina. Es un problema global. El ocaso del intelectual comprometido, la sustitución por el intelectual de los medios de comunicación, sobre todo los gráficos, y una tensión entre periodismo e intelectuales, existe en toda Europa.

—*Retomando la idea de los medios como instrumentos manipuladores, ¿qué es lo que ocurre con la capacidad de reelaborar el mensaje, de decodificarlo y reasignarle otra finalidad?*

—Creo que con los medios de comunicación, todas las variantes que llegan a exagerarse se mitifican, es decir, el poder de los medios de comunicación para producir nuestra conciencia y conducirnos. Esto es cierto, existe un poder cada vez mayor en la sociedad massmediática, lo cual implica que es muy difícil que las grandes mayorías de la platea piensen muy distinto a lo que dice, por ejemplo, la CNN. Por otro lado, se plantea la cuestión demoníaca de los medios de comunicación, la cual sostiene que éstos conducen a la gente, y no es tan así. En general los medios de comunicación trabajan en función de agradar y satisfacer lo que piensa la gente. Quiere decir que, en los medios de comunicación, y por eso gran parte de su éxito y su audiencia, existe un enorme esfuerzo para hacerse representativo del pensamiento de la gente. No existe una suerte de conspiración que se propone hacer pensar a todas las doñas Rosas igual, sino que el medio de comunicación trata desesperadamente de ver qué es lo piensa doña Rosa y representarla. Ahora, si cualquiera de estas variantes se lleva al extremo, se da el fenómeno de la mitificación. Los moviléros mitifican el hecho de que en los medios de comunicación se expresa la opinión de la gente, y esto no es así porque podríamos decir que hay un planteo fuerte de orientación. Digo entonces, en términos generales, que los medios de comunicación constituyen una materia, un tema, un tópico a investigar permanentemente, porque precisamente en las sociedades massmediáticas, y que son básicamente massmediáticas, siempre se abre en cada acontecimiento, una experiencia que requiere ser analizada. Este análisis, en otras épocas se realizaba con mayor rigurosidad. Hoy vivimos una época, y esto también es una caracterización, en la que ha desaparecido la crítica a los medios de comunicación. En las décadas de los '60 y '70, se asistía a una fuerte crítica a los medios, aun en revistas culturales y en periódicos como *La Opinión*. Nos encontrábamos con crítica a la prensa, crítica a su historia, a la publicidad, a las ideologías, a las agencias de noticias que tergiversaban la información de la guerra de Vietnam, y hacían presente al vietnamita como un delincuente y un subversivo. Hoy, la crítica a los medios de comunicación ha desaparecido; nadie la expone. Los programas de televisión no han merecido críticas, ni siquiera los *reality shows*. Hemos asistido a las cosas más pedestres, las más analfabetas, las más vulgares y mediocres, y no existió una verdadera crítica sobre esto. Todo se devora, y la gente se sienta frente al televisor y piensa que todo está hecho con la suficiente dignidad como para ser visto. Lo que ocurre es que una sociedad, ya bajo moldes massmediáticos, va marginando toda posibilidad de crítica. Un ejemplo claro es el gran negocio de la televisión y el fútbol, que casi no es abordado por los medios. Sí se denuncia la corrupción de los senadores, la corrupción de algún diputado o ministro, pero no se denuncia la lógica mafiosa, monopólica, perversa y falsa de los medios de comunicación, porque la sociedad massmediática al único que absuelve es al rey de esa sociedad. Dios no puede autojuzgarse.

(LÓGICA MASSMEDIÁTICA Y PROTESTA) AL BORDE DEL ABISMO*)

Casullo intervino recientemente en los debates públicos sobre el proceso abierto en diciembre del año pasado. Sobre el fondo de esa crisis, reflexiona acerca de los replanteos necesarios para interpretar los modos de articulación entre los medios, la protesta social y las nuevas y ambiguas subjetividades, asumiendo el doble desafío de interpretar lo ocurrido y de explorar las posibilidades de un nuevo compromiso político capaz de librar la batalla cultural.

–¿Cómo plantearías hoy los términos de la relación entre medios, sociedad de masas y subjetividad, sobre el fondo de la crisis de la política?

–Vivimos en una sociedad en colapso, desde hace tiempo massmediatizada y estetizada, globalizada en muchos de sus valores y con una profunda crisis de legitimidad de los representantes políticos. Y emerge una protesta social y cultural muy fuerte, aunque no está claro hacia dónde va la cosa. Cuando aparece nuevamente la escena política desde las bases y en las calles como no ocurría desde hace 30 años, uno toma conciencia de que pasó el tiempo y se está frente a nuevos referentes y signos. En esta sociedad colapsada emergen nuevas formas de subjetividad, y la lógica massmediática ya no opera como la veníamos pensando. En el campo de la investigación estamos ante un desafío, y tendríamos que hacer el esfuerzo de estar a la altura de la aparición de lo nuevo, que siempre incomoda porque tiene aristas que no encajan con posiciones ya asumidas o con algunas de nuestras creencias y planteos teóricos.

–¿Cuáles serían los replanteos necesarios respecto de los medios?

–Los medios, sobre todo en el período de enero a marzo de 2002, fueron co-autores, co-sujetos de una forma de protesta nueva, que se fue haciendo sobre la marcha. No habíamos pensado que significa, por ejemplo, que haya

---

* Entrevista realizada por RODOLFO RAMOS, revista *El perseguidor*, Nº10, agosto de 2002.

tres canales de televisión transmitiendo información durante 24 horas, el flash permanente, los noticieros estelares, la información que se suma, de un día para el otro, de una manera inmediata y aluvional. No es algo absolutamente nuevo, porque ya los estudiantes del '68, me acuerdo, allá en París decían "desde las barricadas escuchamos las radios que están hablando sobre las barricadas", pero han pasado 30 ó 35 años de aquellas décadas y muchas cosas se transformaron. La figura del movilero, situado en el campo de los acontecimientos, de la acción, al hablar con un damnificado puede producir un acto político más importante que todos los actos producidos por los representantes de la política. Es decir, todo un panorama nuevo que hay que repensar en términos de su novedad. Y asumir el riesgo de interpretar lo que aconteció.

–¿Se trataría de una temporalidad nueva? En esa inmediatez, ¿la producción del acontecimiento escapa al modo de control que los medios tenían establecido sobre su discurso?

–Sin duda. Uno no puede decir que la televisión o los medios jugaron el viejo rol de un control o de una censura social, sino todo lo contrario, se disputaban violentamente la posibilidad de esta "actuación gratis" de las masas. Pensado desde los medios era una programación de gran audiencia que no implicaba alta erogación. Cubrir tres horas en Plaza de Mayo es un programa barato que puede tener Todo Noticias en relación a una audiencia excepcional. Porque efectivamente los medios de comunicación finalmente terminan respondiendo a una estrategia de poder, pero en realidad esa estrategia de poder no pasa por ocultar una protesta, sino por mostrar el acontecimiento. Entonces sus dispositivos de ordenación de lo real exigen una mirada y reflexión mucho más compleja.

–Habría que analizar el interjuego de las estrategias respectivas de cada medio...

–Claro.

–Tal vez ahí aparezcan brechas.

–En ese sentido yo te diría que nosotros estuvimos pensando en gran medida que la lógica mediática trabajaba a la antigua usanza, como la denunciamos allá por los '60 y '70 con respecto a la guerra de Vietnam, con respecto a las agencias de noticias: exposición/ocultamiento, verdad/mentira, libertad/censura, objetividad/manipulación. Y creo que ya no trabaja básicamente desde esas perspectivas de binarismos. La noticia es hoy una mercancía post ideológica, lo que no significa que no contenga ideología, pero es post ideológica. Es una mercancía que necesita ser expuesta, vendida, entrada inexorablemente en competición, en raiting. Claro que la televisión no va a mostrar ni a explicar acabadamente el contexto de lo que está sucediendo, el porqué de los enfrentamientos, al contrario, la televisión trabaja con el analfabetismo permanente como su código permanente. "Si quiere ver, el costo es dejar de saber mucho", sería el pacto subsumido en las imágenes. Todo se disuelve, el espectáculo es cuando usted llega no con la historia que realmente sucede. Cuando aconteció el atentado de las Torres de Nueva York desaparecieron contextos, biografías, antecedentes, historia; lo que apareció de un día para el otro fue un relato del nuevo mundo: buenos y malos, terroristas y poder benefactor. En las largas sesiones parlamentarias argentinas entre enero y abril, ningún equipo periodístico movilero, de cronistas de TV, explicó a la audiencia que en realidad todas las intervenciones de lo diputados eran más bien retóricas, que desde el momento que el primer diputado peronista y el primer diputado radical dijeron "esto está convenido" ninguna intervención lo modificaría. El show era una cosa, la lógica de lo que políticamente sucedía otra, la intervención explicativa de los medios, nula. Pero también creo que los acontecimientos de este año sobrepasaron a los propios medios, a la capacidad y formación del periodismo en la Argentina. Pero a la vez la protesta de enero, febrero y marzo no hubiese tenido en ningún momento los alcances, las repercusiones y la incidencia en la opinión pública que tuvo, el significado que portó en todos sus perfiles, si no hubiese estado co-construida con los medios de comunicación del sistema instituido bajo régimen de propiedad privada de alta concentración. Lo digo así gruesa y brutalmente, por los medios de comunicación del sistema.

–La sociedad del espectáculo requiere la competencia entre mercancías cuya lógica es la visibilidad, ¿cómo operaría esta lógica, entre lo que se muestra y lo que se oculta?

–Lo que se muestra y se oculta tiene que ver con la ausencia de un articulador, de una enunciación articuladora. Ausencia de un relato repositor de sentido ante la ausencia de la política en este plano. La televisión y la radio van en búsqueda de lo que supuestamente uno no sabe, lo muestran y lo articulan como escena donde se inscribiría el tenor de una época, de un tiempo. Hay una protesta en Bragado de quinientos tipos, uno la desconoce, y la muestran; desalojan violentamente un edificio ocupado, con madres jóvenes y niños... Bueno la televisión está ahí. El acto político empieza desde que la televisión llega. Ese acontecimiento no sería tal sin la llegada de las cámaras. Podríamos pensar "¿Por qué la TV expone eso, qué es lo que pretende?". Algunos dirán que es para que la gente piense "¡ojo! Nos están invadiendo gente sospechosa, están ocupando todas las casas". Pero no era ese el lenguaje del medio, lo que decía era "miren a estas pobres madres, las están sacando injustamente a patadas". Entonces habrá otros que "descubren": los medios buscan descomprimir, se ven obligados a mostrar la expoliación social. Por último otros argumentarán: "sencillamente era la mejor noticia de la mañana", o "siempre hay un margen donde priva el olfato del periodista justiciero". Ese compacto de sensaciones o interpretaciones es como un amasijo gastronómico diario a digerir. Hubo otra situación digna de ser analizada muy profundamente: en enero febrero y marzo varias asambleas empezaban a las diez de la noche porque de nueve a diez de la noche se escuchaba a Lanata. Ahí hubo una asociación explícita de un supuesto "mismo bando", en el mejor sentido de la palabra. Es evidente que la televisión operaba como convocante de una convocación convocada para que muchos, cuando veían en la televisión marchar por distintas avenidas a los caceroleros, se animaran a salir. Esto es lo que me parece digno de analizar como nueva complejidad de metrópolis, cultural, lógica masmmediática y protesta. Porque este tipo de experiencia es verídica y a la vez engañosa, y ahí está la riqueza y la dificultad de la cuestión. Porque esta misma televisión que hacía que algunas asambleas empezasen una hora después para escuchar televisión antes, ilusionó a muchos asambleístas, escenificó el hecho asamblea, le dio un perfil de horario, actuación, presencia al orden de la protesta. Y unos meses después esos mismos asambleístas se sintieron absolutamente desconsolados, abandonados, traicionados, cuando esos mismos programas "contestatarios" empezaron a traer a Patti, a Rico, a Lopez Murphy, a Macri, como figuras estelares para entrevistas donde nadie era hostigado, repreguntado, señalado. Los períodos de lo que es "noticia", raiting, es otra lógica política.

—El 26 de junio, con las muertes de los piqueteros, hubo, justamente, una cosa de ocultamiento y visibilidad pero por un camino distinto...

—¡Estoy haciendo un poco de abogado del diablo! En el acontecimiento del asesinato de los dos piqueteros definitivamente hubo 24 horas de negación y desvirtuación infame de la información. Pero también hay que reconocer que cuando eso se rompió como mentira, casi todos los medios de comunicación se reacomodan y vuelven a saturar todo en sentido contrario. Fue la primera plana de *Clarín* la que rompe hacia la opinión publica esa miserabilidad de plantear que los piqueteros se habían matado entre sí. La gran noticia en el mercado no fue entonces la primera, sino "la averiguación", el "descubrimiento" que se da en segundo lugar. La lógica massmediática no es igual a medios "en manos de propietarios con intereses de clase". Domina el que se hace dueño de la realidad del día, de la enunciación resonante o astuta por donde pasará todo lo del día, y hacia donde concurrirá luego el oyente o telespectador para ver que "fue el día". Y ahí no hubo "derechas e izquierdas", aunque las izquierdas y derechas periodísticas siguiesen la pantomima de ser tales. Otra imagen que recuerdo: el incendio de la comisaría de El Jagüel. ¿Lo filman para generar miedo? Sí, evidentemente, pero también es un acontecimiento de violencia popular típico de los '70, o todavía más arriesgado. Quiero decir que un incendio de una comisaría es casi fantasmagóricamente como lo previo a una toma de la Bastilla. En los '70 la guerrilla tomaba comisarías, y añejos noticieros llegaban un día después para no mostrar nada. La fábula de la propaganda armada dejaba todo a la imaginación, que lo achicaba hasta anular el hecho, o la agrandaba hasta mitificarlo como "guerra". Hoy asistimos desde media hora antes a cómo se incendiará un precinto del conurbano paso a paso, llama a llama, ventana a ventana, rostro a rostro. Y bueno, es brutal y a la vez "nada del otro mundo". Después habla un responsable piquetero que dice así hay que hacer con todas las comisarías, luego se pasa a una formación cerrada de policías frente al sudoroso gesto de un comisario que no sabe qué hacer pero está siendo filmado para todo el país. ¿A qué estamos asistiendo? ¿Qué está haciendo el medio? ¿Qué piensa el propietario privilegiado de ese medio de masas? "Llegamos antes que Crónica." ¿Qué somos o pasamos a ser nosotros, en nuestros sillones de audiencias? ¿Qué puede hacer la clásica y tradicional política, el político, frente a semejante experiencia de la sociedad soliviantada? ¿Cuál política o político democrático puede absorber, representar, hacerse cargo, salir airoso pacíficamente de esas imágenes de lo real en El Jagüel de la que formamos parte mientras cenamos un salpicón de pollo y pensamos que se vayan todos? Bueno, y sin embargo, eso lo produce la televisión. ¿Para qué lo produce?, ¿de qué forma actúa hoy la información?, ¿cómo nos trampea? Porque ya no es la vieja trampa de ocultar, como la guerra de Irak que no fue filmada, o como en la época de la dictadura. Acá diez medios estaban desesperados por entrar en la comisaría y mostrarte el caos, la anarquía, la nihilización de la sociedad, pero al mismo tiempo gestaban algo como diciendo que estamos a las puertas de un cambio rotundo, atemorizante, perverso, descontrolado de lo social en manos del pueblo justiciero. ¿Por qué lo hacen los medios? No creo que haya, en lo cotidiano de los medios, una lógica que lo piense tal cual nosotros nos imaginamos teóricamente, sino que hay redactores, jefes de noticias, un canal que está y entonces el otro canal no puede dejar de estar, y mandan al movilero con la consigna "inmolate pero hacelo". Hay muchas decisiones donde prima también el espíritu diario de aquellos que tienen responsabilidad sobre la página, un título, una columna, y que no hay una cosa llamada "estrategia", todo esto hay que analizarlo.

—Analizar efectivamente las condiciones de producción, incluidas todas las rutinas.

—Todas las rutinas, porque en realidad la lógica massmediática es que todo se haga evidente, visible, todo se tiene que hacer visible. Y aunque no se lo haga, lo venden así. El mensaje es "la verdad", esa es su carga mítica. Ahora bien en un punto la televisión juega con la lógica dominante más perversa y global. Es el sueño fascistoide, de Berlusconi, que tan bien lo están analizando ciertos italianos como por ejemplo Roberto Espósito y Darío Fo, un proyecto de neoderecha que juega con la idea de la sociedad empresarial, la sociedad donde está desapareciendo y debe desaparecer la política, una sociedad de empleadores y de empleados, donde la política molesta, o es prostituida, o es corrupta, o es inútil, o no genera ganancia capitalista "legítima". El sujeto social, los medios, el mundo.

—*¿Estaría en crisis la lógica de "lo uno" y habría cierta multiplicidad en el interior del universo massmediático?*

—Creo que tuvimos cierta resistencia a aceptar esto. Habría que recobrar cierto foucaultismo. El control existe, pero también la habilitación, también el poder habilita y genera una dependencia que hace posible las cosas aun en la distorsión e injusticia. Nos cuesta muchas veces plantearnos esta "pluralidad", siempre es más fácil un esquematismo. La presencia "protestataria" de los mediosss informativos de la TV y la radio, ¿enriquecen, deforman, realizan la protesta? ¿Esto se interpreta como un elemento de control? ¿Cómo un elemento de censura? ¿Cómo una negociación? No, fue espontáneo, le ganó al corte, a lo mejor en el set la locutora estaba tomando agua a quince metros de su mesa y todo siguió en exteriores. Entonces creo que la pluralidad hay que interpretarla de esa manera. Pero tampoco quedar seducido por ella, porque después invitan al coronel Rico y el supuesto sueño contestatario se terminó. Y así sucedió: nunca tanta experiencia massmediática en conjunción con las bases, y a los dos meses, nunca tanto invento de candidatos vía massmedia colgados del aire, sin ninguna fuerza política visible, figuritas de una nueva farándula postcacerolazos. Fui uno de los críticos de Vattimo cuando planteaba esa suerte de pluralidad posmoderna audiovisual. Sin embargo, debo admitir, no como lo pensaba Vattimo, pero debo admitir que frente a eclosiones sociales de este tipo, los medios cumplen una función que se nos escapa todavía en muchos sentidos. Entonces, creo que todo esto es el gran desafío que tenemos para analizar.

—*¿Cómo interpretás las modalidades de enunciación en esta lógica massmediática?*

—Los medios son como una especie de narrador omnisciente. El omnisciente es el único enunciador pero vos no te das cuenta, porque estás leyendo la novela, siguiendo el parlamento de un personaje y otro. Yo creo que la lógica massmediática es este narrador omnisciente de una novela en la que estamos actuando nosotros. La voz de los medios es como la voz materna, la voz de cuando estamos en el vientre, y es muy difícil distanciarnos de ella, expresarla. Si hay un narrador omnisciente cuando quiere pone un político, pero si esa noche decide no poner un político sino al Padre Grassi, pone al Padre Grassi, o al padre secuestrado, o a una vedette

—Y entonces, en esta emergencia, ¿cómo pensar las subjetividades?

—Diría que es una incógnita esa subjetividad metropolitana protestataria, me da la sensación que tiene un potencial solidario, fraterno, un potencial que está buscando una nueva instancia, pero en un momento del mundo donde esa nueva instancia no se ve. Hay una tendencia –que ha tenido éxito acá– sobre todo planteada por Virno y por Negri, quienes hablan de un nuevo sujeto multitudinario, metropolitano, postfordista, individualizado, nómade, de intelecto abstracto y de corte técnico-informático. La subjetividad de este personaje no estaría contemplada por la política democrática tradicional de derecha a izquierda. No está representada por el tinglado político democrático. Ellos hacen un análisis muy esquemático de las nuevas tecnologías, muy cuestionable: es siempre la misma idea, lo que produce el capitalismo se naturaliza, inventa todo y lo que tenemos que hacer un día es expropiarlos y lo repartimos para todos, pero no hay nunca una crítica al porqué de la décimonovena generación de computadoras. También diría que no habla directamente de nuestra situación, del gran drama argentino de los desocupados y los piqueteros, que no son ese nuevo tipo de sujetos. Pero, bueno, para Negri esa nueva subjetividad metropolitana, que no pasa por la clase, el sindicato ni el partido, es liberadora. Hay otros autores, también italianos, que plantean exactamente al revés, que esa subjetividad que aparece se refiere a sectores urbanos medios que consideran que la política es pura aberración o distracción. Y hay otras teorías que dicen que son multitudes absolutamente lanzadas hacia un nuevo fascismo, a un protofascismo berlusconiano, para quienes la mediación política es molesta, anacrónica, y que el neofascismo hoy no nace en ministerios, en dependencias tipo mussolinianas sino que nace desde las bases. Esta es una tensión o debate que creo que en nuestro caso está a la orden del día. Enero, febrero y marzo con las cacerolas. Junio, julio y agosto, Macri con el 25 por ciento de los votos. Otro elemento más: un desfasaje que también tiene que ver con los medios de comunicación, y que se vivió en las asambleas, es la creencia en que la retórica se haga realidad. Lo que apareció, en una sociedad en estado de orfandad, fue "digamos todo y que esto se convierta en realidad". Y así se produce una pérdida peligrosa de sentido común, una disposición a delirar. Con 20 años de estetización de masas hay una sociedad mucho más afincada en la irrealidad del discurso que en la dura opacidad de los hechos.

—*Cierto desprecio por la palabra, un hablar a borbotones, escucharse a sí mismo hablar, también fue parte de la lógica discursiva de las asambleas y, ¿qué quedó de todo lo que se dijo? ¿Quedó el "que se vayan todos y nada más"?*

—Efectivamente.

—*Algunas cosas se están construyendo... Se intenta controlar a las privatizadas...*

—Pero con el camino lento, duro, el de las construcciones, como cuando un partido militante iba a la puerta de una fábrica y se sabía que había que esperar cinco, siete años de silencio. En una sociedad massmediatizada inmediatamente el movilero te va a decir "¿y usted qué piensa y usted qué quiere?". Hace poco, un movilero enfrentó a uno de los secuestrados apenas apareció, se le acercó y le dijo: "¿y ahora cómo será su vida después de esto?". ¡Hacía diez minutos que lo habían liberado! También en lo referido a la protesta, los medios produjeron una resonancia inmediata, pero massmediática, que no es la resonancia gris, por debajo, espaciosa.

—*Decías que es una incógnita hacia dónde va el proceso.*

—Creo que hay una sociedad aterrorizada porque lo que nos está vendiendo hoy el sistema global, es "si usted se queda quieto, si no hace ola va a poder consumir todo lo que está en esta vidriera". Es un tiempo político ideológico donde está absolutamente ausente aquello de "yo me juego la aventura existencial de la revolución". Después de treinta años de reflujo, la aparición de esta protesta nos pone en un espacio donde es muy poco lo que sabemos. Yo reivindico absolutamente la política, creo que tiene que reaparecer, pero tiene que hacerlo muy lúcida. Creo que ningún político es consciente de nada de lo que estuvimos hablando acá, pero absolutamente de nada, creo que el nivel de corrupción ha llegado a tal profundidad que es bastante difícil pensar que esta política puede llegar a recuperarse a sí misma. Pero al mismo tiempo me doy cuenta que el desafío es tan grande que es imposible pensar que se va a constituir una fuerza alternativa en seis meses, un año, dos años. Porque también la izquierda tiene que incorporar todo esto, incorporar estos últimos 20 ó 25 años y todo lo que estuvimos hablando: tecnología, sociedad, massmediática, multitudes, individualismos. Y al mismo tiempo en muchas batallas culturales la derecha sigue en alza. Me llama la atención poderosamente cómo el diario *La Nación* se está haciendo cargo de un discurso sobre la televisión en cuanto a la vulgaridad, la obscenidad, la pérdida de límites, o sea lo que podríamos llamar la degradación, no dicho en el sentido moral. La banalización de todo, el cinismo, la risa como loca y dadaísta para graves dramas nacionales. Y que la izquierda, el progresismo, naturalice en cambio totalmente el asunto, lo acepte, o hasta lo goce, o considere que eso no es digno de crítica, o que todo caso ayuda a una suerte de disolvencia tipo nietzscheana de los valores, dimensiones políticas, y que viva la pepa. A mí me llama la atención porque creo que en la disolvencia massmediática de lo todo expuesto, en el cretinismo, la risa histérica, la última piolada o ocurrencia del locutor o animador como lo único que nos quedaría para "me da lo mismo cualquier cosa", en ese nihilismo que produce la televisión, se disuelven también las bases sobre las que poder constituir una instancia de izquierda. Desborde, destructividad, lenguaje gratuitamente soez, populismo barato para congratularse con una supuesta audiencia saqueada, como forma de encarar el desfonde político económico del país a cargo de su clase dirigente, es el teorema actual al cual asistimos, lo que somos: una máquina que produce nuestro poco envidiable sentido común diario.

—Quizás parte de la crisis de la izquierda tenga que ver con este desprecio de los valores, la idea de los valores parece como una idea burguesa...

—Coincidimos. CQC, Tinelli, el reírse de todo, el disolver todo, el quebrar todo y que todo se transforme en aire porque en realidad nada vale la pena, el que no haya ningún tipo de límite... como decía hace poco Tito Cossa "un país que no tiene reservado cinco o seis palabras, malas palabras impotables, ya no tiene cultura". Porque, ¿cómo decís aquello que es extremo si se dice a las cinco de la tarde por televisión? Hay una disolvencia, y no aparece un pensamiento de izquierda, un pensamiento progresista que se haga cargo de lo que está vomitando la lógica massmediática hoy. La televisión actual lleva todo a un fondo de ciénaga, que es un fondo del sin valor, del sinsentido, vos terminás diciendo "bueno realmente estamos en cualquier cosa". La disolvencia de valores, de sentidos, de referencias, de signos, de memoria, de biografías, obstaculiza toda posibilidad de actuación colectiva porque es paradoja, es cinismo, es ironía sin la menor inteligencia, una suerte de erupto sin destino ni rumbo.

—Los marcos de comprensión provistos por las identidades clásicas hoy no nos conducirían a nada, incluso en términos de la propia autocomprensión de los intelectuales. Al mismo tiempo, empieza a resonar cierta terminología que nos remite a algunas figuras clásicas del compromiso, por lo menos en términos de lo que se dice, no sé cómo lo ves.

—En términos culturales todavía hace falta el bisturí, un análisis en profundidad de los últimos treinta años. Desde el '83 en adelante nadie se ha atrevido a analizar como fue la reconstitución de una democracia que resultó totalmente clueca, fallida, en donde el grueso de las nuevas generaciones no se incorporaron a la política. Yo tuve oportunidad de hacer una investigación sobre el rock argentino en el '84, apenas llegué de México, lo menciono en el último número de la revista *Confines*. Lo que recogí fue que el movimiento rockero no creía en la reconstitución política de este país. Se fueron sucediendo generaciones de clase media, jóvenes, metropolitanas, que se sintieron mucho más identificadas con experiencias estéticas, culturales, que con experiencias políticas. Eso no se recuperó. Entonces son dos los personajes fuera de la política: el que se queda sin trabajo, y sin historia, el piquetero, y también está el inmenso sector medio que nunca volvió a adherir fuertemente a la política. Hoy tenemos a gente que tiene entre 43 y 18 años y que está situada al costado de la política. Esto no surgió con los cacerolazos, es gente que viene silenciosa, calladamente haciendo teatro, haciendo música, estudiando, o yéndose del país, están a un costado. Es una pregunta que hiere, evidentemente, pero hay que meter el bisturí y empezar a preguntarse

—*Se trataría entonces de resituarse para pensar y actuar.*

—En realidad fuimos todos desaparecidos de la política. Creo que hoy aparece un preguntarse por la cultura, por nuestras culturas urbano existenciales, sociales, filiales, testimoniales, laborales, memoriosas, políticas, estéticas, sensibles. Qué somos, cuál es la identidad que nos constituye, y en esa circunstancia creo que hay discursividades como por ejemplo el arte, ciertas experiencias culturales, que no pasan por lo político, que forman parte de la sociedad globalizada y que también tienen que ser tomadas en cuenta por cualquier política que se reconstituya. ¿Cómo va a ser la forma del nuevo compromiso político? Hay que volver a pensar cómo se reconstituye, qué es lo que llamamos identidad política, cuál es el compromiso, la fusión de esa subjetividad con una idea política.

—*¿Cómo evitar que sean los medios los reguladores de la memoria? Vos marcás lo del '74 como abismo... ¿Cómo reelaborar una memoria para que sea comunicable a las nuevas generaciones?*

—Es difícil de analizar porque fue una derrota, una frustración, el proyecto de los '70. Hay que superar la memoria. Acá hay otro tema, el desaparecido sería el símbolo más fuerte y decisivo de todo este acontecimiento. Pero hay que superar la memoria del desaparecido, hay que estar por detrás de esta memoria y contenerla aunque ya en otra escena. Porque ahí es donde se gesta, es decir, tiene que haber una memoria de lo que fue vida, tiene que haber una memoria de aquello que se perdió, se frustró. Yo me he dedicado mucho a la memoria, seis o siete números de *Confines* están dedicados a esto, pero reconozco que, tomando esa figura como la consumación de una pérdida, que es la muerte, hay que atravesar eso y trabajar en una historia política cultural que también atienda otras variables sobre ese fondo de memoria infausta donde la Argentina fue una máquina de asesinatos. Porque el chico que reacciona y en el '84/85 te dice que se va a dedicar al teatro y no quiere que le hablen de política es también hijo de lo desaparecido. Y en algún momento va a decir "bueno, sabés qué, lo de los desaparecidos es tu historia, ¿cómo hago para tener la mía?". Los de mi generación hemos transmitido bien o mal lo que sucedió, yo calculo que lo hemos transmitido mal, pero lo hemos transmitido. El desaparecido preside la historia, pero esta memoria que decís vos la tienen que traspasar y buscar otros elementos. ¿Cómo somos desaparecidos, y a la vez no desaparecidos? Porque quizás del tema de los desaparecidos es del que más sabemos, lo que no sabemos es sobre los desaparecidos con vida. Tampoco me gusta asimilar el desaparecido con el piquetero por ejemplo, con el desocupado, porque es restarle historia, envergadura, tragedia, nobleza, trascendencia, a aquel momento aciago del país. El piquetero es otro momento. Si somos desaparecidos es en términos metafóricos, pero estamos con vida. Se trata de pensar, de pensarnos, en un país cuya nueva matriz fue hacer desaparecer. Pensarlo nosotros, que estamos en la historia y tenemos que hacer algo. El nuevo tiempo es el parto de una nueva subjetividad. No un tiempo corto, no un tiempo electoral. La nueva subjetividad es una forma muy amplia de preguntarse de qué manera se reconstituye esta sociedad en nosotros, en yo y el otro, cuestión que nos hace pensar que también muchísimas de las cosas que hemos trabajado en estos años nos sirven, pero muchísimas otras no nos sirven ya. El país culturalmente está podrido, lo massmediático lo demuestra día tras día. Pero a la vez culturalmente hay inmensas zonas de conciencias jóvenes que vomitan sobre eso y piensan otra cosa. Escapan, fugan. No por Ezeiza. Rechazan a los dioses enunciadores de los días. Sueñan otros lenguajes, escenas, experiencias, creaciones, cofradías, fraternidades, donde la derecha apesta y la izquierda ni siquiera sabe que eso existe. Si no somos capaces de incorporar un nuevo momento a este proceso, el labrado de una subjetividad de época que acepte el desafío de lo otro frente a lo que abunda y reina, simplemente se va a desintegrar la Argentina con o sin acuerdo con el Fondo Monetario. Solamente un discurso político, que rehaga y reordene esto, puede darle el lugar que se merece a lo nuevo para que no todo caiga en un olvido ni en una payasesca disolvencia.

(¿HACIA DÓNDE VAMOS?*)

Cómo leer la crisis en un mundo nuevo

—*Hoy se produjo la ocupación definitiva de Irak por parte de los EE.UU.*
¿Cómo ves esta situación nueva, a pesar de que para otros en realidad no
es más que otro ciclo del proceso hegemónico de los EE.UU.?
—Bueno, yo creo que efectivamente estamos frente a una escena del mundo
producto, quizás, de cómo se resuelve el fin de la tercera guerra mundial que
tuvo un pasaje, un intervalo, donde creo que, con cierta equivocación, se habló
de una globalización multifacética, multipoderes, como posibilidad de orga-
nizar de manera más democrática un mundo en paz. Yo hace tiempo que
vengo hablando de la "norteamericanización" del mundo. En general, un concepto que desagrada, o molesta bastante, porque, por un lado, o se lo vincula
equivocadamente con la idea de imperialismo o, por el otro, no se percibe en
esa "norteamericanización" otra cosa más que muchos Mc Donald, mucha Coca-
Cola y muchas series de televisión norteamericanas. En ese sentido, creo que
estamos en una nueva etapa profundamente estudiada por el Pentágono que
hoy, muy por encima de otras instancias, es el gran protagonista de la política
norteamericana. O sea: se ha militarizado la política de la Casa Blanca en el
sentido estratégico, a través de una potencia que lo que plantea es que esa
multipolaridad es absolutamente inadecuada para un orden mundial, que
Europa y el Partido Demócrata no tienen ni la más mínima idea de cómo
plantearse lo que sería la situación post-caída del Muro, que los peligros que se
gestan hoy son todavía más alarmantes para ellos que lo que planteaba el comunismo rojo. Entonces, todas estas variables hicieron que se fuera gestando
una idea que nosotros fuimos interpretando mal, leyendo mal, equivocadamente, es decir, mirándola a la vieja usanza. A la vieja usanza en el sentido del
imperialismo, del gran poder industrial-militar, etc. (No nos olvidemos que

* Entrevista realizada por MARIANA CAVIGLIA y LUCIANO SANGUINETTI, marzo
de 2003.

estamos en una época donde todo el pensamiento de izquierda en nuestro país es de mucha mediocridad y tiene una incapacidad enorme de anticiparse a las circunstancias.) De modo que EE.UU. propone siniestramente una etapa de hierro, como diría Hesíodo en Grecia, de guerra, de readecuación de las cosas a partir de un dato absolutamente nuevo, por lo menos en la historia moderna: un poder omnímodo, que no puede ser enfrentado en términos militares. Y más allá de las interpretaciones, si esto es muestra de debilidad político-ideológica o no, lo cierto es que hay una nueva escena que deja atrás una centuria de interpretaciones geopolíticas, geoestratégicas, maneras nuestras de interpretar la composición de fuerzas, las formas de negociación. Hoy estamos frente a algo absolutamente nuevo. Acá hay un poder inderrotable militarmente que con una altísima capacidad puede avasallar poblaciones e imponer, a partir de esa especie de capacidad de muerte, una nueva ley en la comunidad mundial. Ésta es la nueva escena. Entonces, más allá de algunos datos fuertes, de Irak, de la guerra, de las armas químicas, del negocio que indudablemente va a existir en la reconstrucción de ese país, la hondura de lo que se está jugando para hablar de una nueva época es eso: hay un poder con capacidad de fijar una nueva ley, así como lo hubo la primera vez que surgió una comunidad y alguien tuvo la capacidad de dar muerte y a partir de ella instituir una ley. Por lo cual, lo que está aconteciendo se vuelve mucho más profundo, alarmante y terrible, en tanto nos obliga a repensar de qué manera se reformula un mundo bajo esta circunstancia.

Por otra parte, esto se cruza con una época cultural, civilizatoria, de corte posmoderno, con conciencias de masas, de la diferencia, protestatarias, en otras palabras, informadas, neoconscientes, con conciencias multitudinarias urbanas que algunos describen como de alta capacidad libertaria. O sea: no estamos en la Edad Media, a pesar de que hay un poder que aparece casi como divino, por encima de todo. Entonces, se hace aún más complicado todo porque, de golpe, tenemos algo también inédito, que ya no es la capacidad estadounidense, sino el hecho de que durante diez días en todos los países diez millones de tipos salgan a la calle a cuestionar la guerra.

–Ahí aparece la paradoja, ¿no? Por un lado, la consolidación de esta hegemonía norteamericana basada en el poder militar y, por el otro, como antagonismo, siempre parece que la alternativa son gobiernos de tipo casi faccioso como, por ejemplo, el de Saddam. Por otra parte, hoy mismo, una parte del pueblo iraquí sale a "reivindicar" la ocupación de EE.UU., quizá porque siente que, en algún sentido, una etapa de cierto liberalismo cultural y social puede surgir ahora.

–Mi lectura es muy realista y cruel. Porque acá permanentemente aparecen deseos, y se confunden deseos con circunstancias. Es decir, uno puede discutir "bueno, Saddam va a aguantar", pero lo que hay que ver es que definitivamente estamos en una situación negativa en términos fuertes y que esto no puede ser inmediatamente saldado por un deseo nuestro.

Hoy hay manifestaciones a nivel mundial y esto es una cosa importante y fuerte, podríamos decir, inédita, en cuanto a que marca una conciencia de crítica a esta modernidad del vivir, a lo salvaje, a las atrocidades. Sin embargo, estamos en una época en donde esto no tiene sede ni inscripción. Por lo cual, en términos políticos, el madrileño sale a la calle, protesta, vuelve a su casa y se pone a ver televisión; eso es todo. En otras épocas, esto tenía inscripción. Hoy, en cambio, es una cosa que se disipa, forma parte de lo que podríamos llamar un estado de ánimo. Todo eso ha quebrado, ha caído y es, indudablemente, irrecuperable en aquellos términos. Entonces, hoy nos encontramos frente a esta sociedad que no tiene posibilidad de inscribir políticamente estos gestos. Ni siquiera los gobiernos son muy representativos de estas protestas.

Por otro lado, tenemos otro fenómeno. Porque si bien se habla de esta sociedad de mayores conciencias, culturalización más bien de carácter lúcido frente a determinadas cosas, donde aparece una multivariedad de posicionamientos, lo que nos está mostrando la sociedad líder, la sociedad "exitosa" que es EE.UU., es una alineación feroz, un patriotismo, un fundamentalismo, una idea de patria amenazada, una homogeneización política muy fuerte. O sea, que frente a tantos sujetos posmodernos hay un sujeto moderno, antiguo, clásico, pétreo, que aparece como el sujeto que hace falta y el que es necesario para triunfar en la historia. Entonces, esta es una sociedad que, a través de los medios de comunicación, a través del discurso patriótico, de la bandera, se homogeniza al estilo decimonónico o se homogeniza lo mismo que se podrían homogeneizar las grandes mayorías alemanas antes de la guerra. Y ahí tenemos otro gran dilema a analizar: ¿hacia dónde vamos? Porque el modelo que se tendría que imponer, supuestamente, es el modelo norteamericano. Un modelo de vigilia permanente, de sospecha absoluta, de vigilancia sin descuidos en donde las sociedades tendrían que uniformarse. Estaríamos en una especie de stalinismo de mercado, como si frente al feroz stalinismo que cayó en el '89 apareciera, irónicamente, otra forma de uniformidad. Entonces, esta nueva edad, esta nueva escena del mundo no sólo tiene a este nuevo poder hegemónico, sino que además posee estas fluctuaciones.

–A propósito de eso pensaba recién que la Unión Europea, en el momento en que tenía una prueba límite de consolidación de un proyecto alternativo, entra en crisis.

–Por supuesto, porque además Europa también hay que pensarla. Acá empezamos a pensar nosotros porque hay un debate –es un debate interesante sobre el que estoy escribiendo– entre Europa y EE.UU. sobre lo que podríamos llamar las formas distintas de haber sido modernos. Por un lado, si bien Europa ha tenido un posicionamiento en donde uno estuvo absolutamente con la crítica que plantearon sobre todo Francia y Alemania, también Europa está en un proyecto de una identidad propia, de un continente potencia donde el resto del mundo quedaba más o menos fuera. Y por el otro, hay que ver de qué manera se reacomoda a las circunstancias porque, perdidos los grandes ideales, las grandes ideas de socialismo, de comunismo, de revolución, lo que queda posmodernamente es jugarle a ganador. Es decir, hace treinta o cuarenta años uno podía pensar que formaba parte de una célula, que éramos cuarenta, pero que teníamos la verdad de la historia y bien valía la pena. Esto ha desaparecido. Por lo cual, hoy lo que cínicamente se impone básicamente es jugarle a ganador. Aún, digo –sin defenderlo para nada– seamos realistas, en el sentido de que va a haber reacomodos donde haya repartija de negocios, donde haya variables de este tipo. Indudablemente, estamos frente a esta pregunta: ¿de qué manera, en esta nueva escena de la historia, puede reaparecer una resistencia concreta y posible? Una resistencia que no sea simplemente la indignación, que no sea la denuncia a la que los argentinos estamos tan acostumbrados. Y esto es una gran incógnita en esta nueva edad del mundo impuesta por las derechas. Muchas veces se tarda bastante tiempo en reconstituir lo que podríamos llamar una posibilidad como la que en un determinado momento planteó la Revolución Francesa, en tanto posibilidad de circunstancias para confrontar con un poder de otra índole, desde otra variable, desde otro origen social, desde otro tipo de lucha. Entonces, estamos en un momento en donde la nueva escena histórica es ésta, pero al mismo tiempo deja infinidad de incógnitas. Porque un poder de esta capacidad a nivel cultural-ideológico, es casi difícil que se pueda dar en un mundo tan desarrollado, tan concientizado, con tanta cultura, tantos libros, tantas películas, tantas obras de teatro, tanta televisión. Hace cuarenta años o sesenta años uno podía decir que el mundo estaba mucho menos desarrollado en ese plano como para que, por ejemplo, una buena programación radial le diese muchos dividendos al nazismo. Pero hoy es difícil eso. Entre otras cosas porque, al mismo tiempo, en esta globalización "post-Irak", todo esto que aparece como una cultura multifacética también es anestésica, también adormece, distrae, también te hace pensar "bueno, veo la televisión, tengo una posición indignada y por eso está todo bien y no salgo más a la calle". Entonces, se abre una situación en el campo cultural-ideológica con muchas incógnitas, pero también con esa conciencia fuerte de que estamos viviendo una época muy fea.

—Pero, ¿tenés alguna idea de cómo se hace para resistir? Porque cuando la gente no se queda frente al televisor ni sólo se indigna, y sale y

protesta, tampoco obtienen ningún resultado positivo.

–Bueno, yo creo que viendo todo este cuadro en relación a América Latina y a la Argentina, esta situación que se abre también desnuda cómo nosotros pasamos a ser los no nominados, los no enunciados. Si uno lee el debate de EE.UU. y Europa en estos últimos dos meses es como si no existiésemos: ni nos nombran. Mientras que en otras épocas el Tercer mundo era mencionado casi en sentido utópico. Entonces, desde esta perspectiva, esto nos obliga también a entrar en una nueva escena del mundo, a repensar profundamente desde nosotros mismos, para nosotros mismos, sin caer en ninguna seducción, sabiendo que va a haber gobiernos realistas, pragmáticos, absolutamente deseosos de colgarse del carro del vencedor. Yo creo que es una época, atravesada por lo que podríamos llamar una modernidad política-ideológica donde nosotros fuimos bastante hijos de las ideas de Europa, para que los latinoamericanos comencemos a pensar cómo se reciclan las cosas y se reconstituyen desde una mayor soledad, desde una mayor exigencia de pensar desde lo propio. Estoy hablando en términos conceptuales, estratégicos, culturales. Y esto también es una incógnita, pero pienso que por primera vez nosotros tenemos conciencia, frente a un drama fuerte de la historia, de que nadie nos enuncia. Y en cuanto a tu pregunta, yo creo que la resistencia se tiene que dar en términos de tener conciencia de la circunstancia que estamos viviendo. En ese sentido, creo que en la Argentina hay una enorme incapacidad, ignorancia, analfabetismo de este cuadro global. Por lo cual muchas veces, estamos muy pendientes de la idea de disolución, de desagregación, de denuncia, de "que se vayan todos", como si realmente este fuese un país que, una vez que se van todos, en diez minutos se pone en combinación con el mundo y todo sale más o menos bien, te aplauden y adelante. En realidad, esta es una época donde nadie lamentablemente se anima a nada. O en la que, si se animan a algo, como es el caso Chile y México frente al Consejo de Seguridad, lo hacen con un enorme recelo de cómo viene la mano. Entonces, me parece que en la Argentina una primera conciencia tiene que ser la época que estamos viviendo y, a partir de ahí, fortificar elementos que yo creo que están muy ausentes. En la Argentina hoy, a partir de lo que podríamos llamar la crisis de los políticos, la crisis social, económica y el verdadero desfonde del país, se ha producido ideológicamente en el campo de la cultura política, en el campo del pensamiento, de las intenciones de las masas, un proceso de "pérdida de nociones aglutinantes totales", pérdida de la idea del país, de patria, de nación, de conciencia nacional. O sea los ahorristas por un lado, los deudores, los pesificados, los hipotecados, los despedidos, cada provincia por su lado, los piqueteros por el otro, cada uno planteándose desde el absoluto corporativismo de su circunstancia: se ha perdido esa idea que hace treinta o cuarenta años podía existir de "por la patria", "por el país", "por la nación", "por la soberanía", "por el pueblo".

–¿Estás participando de alguno de los movimientos intelectuales que se constituyeron últimamente? Porque me interesa saber si pensás que ellos también están funcionando de esa manera.

–No, no estoy participando de eso. Y te planteo una visión a vuelo de pájaro: tengo la sensación de que en la Argentina el nivel de crisis, el nivel de desfonde, ha extinguido mucho el pensamiento de lo nacional. Y me parece que esto llega a tal punto que pareciera que los posicionamientos son atentatorios contra lo nacional. Entonces, la auténtica acusación a un mundo político perverso se transforma en una acusación a toda política, a todo poder, a toda idea de lo nacional.

–Esta cosa de que la sociedad argentina puede pasar en un año de votar a De la Rúa y al año y medio sentirse defraudada y plantear el otro extremo. Es una visión demasiado ingenua de los procesos, quizás de los intereses que están en juego. Parece que no nos diéramos cuenta que en realidad, en función de lo que va a pasar en los próximos treinta o cuarenta años, lo que está en juego es la propia supervivencia de las grandes poblaciones. Un país que tiene el 50% de pobres no puede darse el lujo de no ser consciente de que en diez años puede tener el 70%.

–Claro. A mí me parece que esto es parte del vacío que deja la política, de ausencia de liderazgos partidarios, programáticos. Esto, digo: más gente, podríamos decir, lanzada al vacío. Y todavía soy más drástico: la capacidad de dinamizar la opinión pública que tiene la gente porteña, es brutal, a veces propicia, a veces nociva. A tal punto que la Argentina estuvo signada por los cacerolazos y las asambleas básicamente aquí. Porque vos vas a Mendoza y no hubo mucho cacerolazo, si vas al Norte tampoco. Entonces, ahí hubo un salto de "me voy a Cancún" a "Parque Centenario y la nacionalización del comercio exterior". Se pierde la conciencia del conjunto, el estado del argentino, sus formas de duelo, su relación con la política.

–Por ahí los que estuvieron con la nacionalización del comercio exterior mañana votan a López Murphy.

–Pero estoy absolutamente seguro. Esto es producto de una circunstancia terrible a donde nos han llevado determinados gobiernos. Y eso ha estallado de manera negativa, de manera catastrófica y la gente ha reaccionado en términos de denuncia, de hartazgo, de miedo, de sentirse expropiada. Entonces, y retomando lo anterior, toda política que pretenda enfrentar las circunstancias nacionales e internacionales de una manera adecuada, tiene que empezar situando esta encrucijada internacional. Y luego las encrucijadas nacionales. Ahí el terreno es distinto. Ahí hay necesidad de intensificar diálogos y una integración, cooperación entre los países latinoamericanos teniendo en cuenta estas variables y también la soledad, la debilidad en que se encuentra América Latina frente a un primer mundo que vamos a ver cómo sale de esta guerra, con qué tipo de negocios sale y con qué tipo de participación. A nivel nacional, yo calculo que esta primera lectura es imprescindible. Me da la sensación de que hubo muchos sectores que se creyeron que en un año se podía constituir una política alternativa a lo que fue la década de los noventas, el proyecto económico neoliberal y el fracaso rotundo de la Alianza. Y eso es imposible. Costará mucho reformular y levantar socialmente al país. La Argentina viene en crisis, pero en crisis no sólo porque hay muchos más pobres, sino en crisis del campo intelectual, del campo político. Hay un proceso de decadencia manifiesto, y nunca se sabe dónde termina la decadencia, cuándo termina. Claro, la decadencia es un proceso largo que atañe a ideas, valores, claridad, voluntad de participar. Puede ser que aparezca mágicamente una figura, que se reconstituyan planteos orgánicos de una opción que crezca, pero en lo inmediato estamos viviendo una decadencia que nos incluye a todos, no sólo a la política. Por ejemplo, al periodismo, a la universidad pública, a la salud. El periodismo que tenemos es par mí un periodista muy nocivo.

—Vos señalaste en un artículo reciente que en los medios, tanto de derecha como de izquierda, hay una reducción de la problemática del país a términos de lo inmediato y de lo más primario. Una cosa de exaltar cierta ingenuidad de parte de la gente respecto de aquello sobre lo que se promueve la indignación. Es decir, a la gente se le promueve la indignación sobre cosas que después terminan siendo muy nocivas.

—Es que el periodismo tiene una incidencia importantísima en lo que podríamos llamar la actual situación política. El periodismo casi constituye la agenda a la cual luego se tienen que asimilar los políticos. Entonces, tiene una enorme capacidad de discutir, de denunciar, de determinar, de definir día por día qué es lo que acontece y qué no. Y esto se junta en la Argentina con un altísimo grado de mediocridad en muchas instancias periodísticas, de amarillismo, de pura capacidad de escándalos, de un denuncismo sin otro rumbo que la noticia diaria. Y esto va acumulando un estado de ánimo, una forma de ver el país, una comprensión de lo real, que uno nota permanentemente hablando con la gente, de una enorme desubicación. Esto no quiere decir que no haya un periodismo minoritario que trate de plantearse una discusión crítica, una información a contrapelo, planteos progresistas, conducta ética. Pero la mayor parte del periodismo televisivo, el radial, el que más llega, el más barato, el más de masas (que no es precisamente el diario), está trabajando sobre un modelo, un dispositivo informativo que contribuye a la confusión general y que ha creado, como señalás, variables muy ciegas. En el sentido de que no hay algo que razone, que racionalice, que explique, que contextualice, que forme una conciencia crítica, y no un alma malamente escandalizada todos los días.

—Y eso genera, por un lado, confusión en muchas personas y, por el otro, para otras, las que tienen la posibilidad de pensar esto, una imposibilidad de creer, de desconfianza muy grande sobre lo que se está viendo o escuchando.

—Podríamos decir que estamos en otra etapa en donde la distorsión no se da tanto a la vieja usanza, con cuestiones censuradas, no mostradas, sino que hoy los medios trabajan con una especie de ilusión: se muestra todo, todo es mostrable, hipermostrable. Si hay un problema en donde veinte operarios tomaron una fábrica, ahí están. Evidentemente, tienen una capacidad muy fuerte que hoy no puede ser leída simplemente al modo "son anti-obreros". Al contrario: si los obreros son negocio, ahí están ellos. Ahora, otra cuestión es cómo lo muestran, cómo lo explican, cómo lo sitúan, hacia dónde lo proyectan, qué dicen de eso, cómo interpelan las cosas. Yo diría que el raiting, el negocio, la programación, la disputa por seguir en el aire, lo que produce es una situación permanente de caos.

—Landi decía que a mayor pérdida de institucionalidad de la política, más avanzan los medios; que la lógica entre medios y política era inversamente proporcional al grado de institucionalidad de la política. Y vos decías antes que los medios construyen la agenda, ¿por qué razón la clase política ha perdido la capacidad de hacerlo?

—Ese es un tema que no le compete sólo a la clase política. En general, las ciencias investigan, pero no llegan al último punto porque el último punto, yo diría, es casi más para literatos, para ensayistas y escritores que para académicos encorsetados, porque el último punto es una pérdida total de sentido de aquello mismo sobre lo que se está hablando. ¿Qué quiero decir? Se dice que la política no puede hacer frente a los medios de comunicación. Por supuesto, la típica política moderna, la política del diputado, del senador, es una política creada a lo largo de la historia moderna en relación a operatorias o apariciones de lo real de un determinado calibre. Cuando la televisión, los medios, te muestran veinticinco protestas diarias, ¿cuál es el político que puede hacer frente a esto?, ¿qué política puede hacer frente a un nivel de enunciación, de información y de transparentación de la realidad tan fuerte? Es bastante difícil de pensar. Yo si fuera diputado diría que una cosa era hace treinta o cuarenta años donde había una suerte de enunciación y de información de la realidad muy velada, acotada porque los recursos técnicos no lo permitían, y que otra cosa es hoy cuando vos tenés cuatro canales que transmiten las veinticuatro horas y que están desesperados buscando a dónde hay veinte tipos con una bandera cortando una calle. ¿Qué política puede hacerse cargo de este cargamento diario conflictivo, recalentado por los medios desde las 6 a las 24 horas en términos clásicos? Es absolutamente imposible que el diputado vaya y diga "bueno, señores, vamos a ver cómo arreglamos esto". Porque queda absolutamente rebasado, superado. La sociedad massmediática ya mató a la clásica política democrática de hace 25 años, que sin embargo seguimos esperando como ideal. En ese sentido, yo sí que creo que hay una problemática entre medios e institucionalización, pero me parece que hay que hacer una diferencia. Una cosa era lo que nosotros decíamos en 1970 la sociedad con medios de comunicación que adquirían cada vez mayor importancia, y otra cosa es cuando se dice "lógica massmediática", esto es: todo es massmediático. La lógica massmediática es que todo pasa por medios donde la Cámara de Diputados es un set más, y no el más entretenido. Frente a esta nueva lógica hay que pensar en otra política, en otros enunciadores. Hoy un locutor tiene más capacidad de enunciación que un diputado, porque aprende el arte de la enunciación, de la persuasión, de llegar, de ser corto, de ser preciso, de ser bonito o bonita. Más te diría: hoy aquellos sujetos sociales que en las calles son interpelados por los medios han hecho un aprendizaje como para responder con una capacidad retórica mayor. Entonces, ¿qué política puede hacer frente cuando tenés una capacidad así? Ahí hay que pensar una nueva política, pero no tirarle al político la incapacidad de hacer frente a esto. El político pudo hacer frente cuando nosotros, hasta hace veinte o treinta años, teníamos una realidad noticiosa diaria mucho más velada, segmentada, localizada, mucho menos exigente, mucho menos demandante. Pero ahora, cuando el político tiene que hacer frente a los veinticinco batifondos que se produjeron en el día y que los medios mostraron, ¿a quién le interesa la opinión de un diputado?, ¿a quién le interesa la opinión de un senador? Esto trae como peligro la dependencia massmediática de todo poder.

—¿De qué manera se podría saldar esta cuestión?

—Me parece que el problema se podría, no saldar, pero que se podría manejar de otra manera si la clase política tuviera en claro cuáles son sus intereses. Porque si los tuviera claros, y trascendieran la coyuntura, entonces ciertos actores de esa clase política podrían ser los portavoces de la defensa de esos intereses. Pero hoy, dentro del espacio de la esfera pública mediática, los sectores políticos se despedazan entre sí dándoles más pasto a los medios. Me parece que entonces, lo que está en crisis es la cuestión de la nación o de lo nacional, de los intereses nacionales.

—Por ejemplo...

–El caso más típico en donde el periodismo también fue ciego, fue la variable de los ahorristas , de los altos ahorristas con Nito Artaza. Ahí aparecía claramente una variable que tenía, por un lado, un justo reclamo, pero que, por el otro, pasaba por encima de los intereses absolutos de la nación. Y el periodismo se dio cuenta de eso cuando salió el fallo de la Corte. Entonces, evidentemente acá faltó la política, o mejor, faltó la política con autoridad moral como para decir algo y que la gente diga "tiene razón Juan Pérez". Acá se vivieron situaciones en donde cuando los piqueteros iban a Plaza de Mayo no dejaban entrar a los candidatos de izquierda, pero sí se abrazaban con Nito Artaza creyendo que él era un compañero de ruta. Bueno, esto forma parte de las cegueras argentinas, de la total ignorancia de lo que realmente está aconteciendo. Es decir, no se visualiza que esa gente forma parte de los últimos aliados menorcitos que tuvo el modelo especulativo de Menem. Y nosotros tuvimos que vivir la pantomima, la farsa, el circo, durante algunos meses, de que eran intereses agrupables cuando no lo eran. Y hoy, como decías, el tipo que más o menos está pensando en cobrar vota a Macri y está pidiendo más policía para que los piqueteros no entren más a la ciudad. Pero ésta es una historia vieja de la Argentina. Por eso, para mí fue absolutamente lamentable que muchos intelectuales hayan leído la cosa exactamente al revés. Porque lo analizaron en términos pobremente utópicos: en Parque Centenario se gestaba aquello que podía salvar al país. Y todo esto, incluidas las próximas elecciones, viene siendo lo terminal de algo, lo absolutamente terminal de algo que va a durar. De hecho, los candidatos que tenemos indican que todavía estamos en el epílogo y no el nacimiento de algo nuevo. Quizás en cuatro años, si tenemos suerte, se podrá constituir otra cosa, pero no en este momento. El momento actual es que todo el año 2002 ha quedado disipado, latente a lo mejor, potencial, con mayor conciencia, con capacidad de poder agruparse, pero le falta todavía el 98%. Está equivocado el que piensa que De Genaro puede ser Lula en diez minutos. Y la televisión es la que propone esto, porque la lógica massmediática también pervierte todo. La televisión dice: "buenos, ahora que se vayan todos y veamos cuál es el más nuevo". Con lo cual se evidencia que hay una pérdida total de la memoria de cómo se constituye una fuerza política. Se piensa en un tiempo absolutamente virtual, estúpido y no se sabe que en un proceso tan de caída de la política, donde la izquierda también sufrió una fuerte decadencia y donde aquellas instancias como el Frepaso, que crearon expectativas, son las que más se hicieron polvo.

Por otra parte, hay que considerar también que la sociedad massmediática ha producido circunstancias del siguiente tenor: si al Chacho se lo acusó de ser un candidato massmediático, estos ahora son mucho más massmediáticos que Chacho. Porque estos son simplemente la candidatura: "ésta es Lilita", "éste es

Kirchner", "éste es López Murphy". Colgados del aire, colgados de un cliché, sin ninguna operatoria política que no sea su propia candidatura. Esto quiere decir que en sociedades massmediáticas se sale de una protesta de masas en las calles, de una protesta popular, con candidatos más massmediáticos que cuando no había protesta y que viven en función de la lógica massmediática.

—Partiendo de la circunstancia actual, ¿cuáles creés que podrían ser, tomando en cuenta la gran expectativa que generó el Frepaso y en particular la figura carismática del Chacho, los elementos necesarios para la refundación de un espacio político de centro-izquierda?

—Yo creo que el Frepaso hizo una buena lectura en cuanto a que se había iniciado hacía muchos años un proceso de lenta destrucción de las fuerzas políticas mayores que dejaba la posibilidad de una tercera fuerza del orden de lo progresista-modernizador. En ese orden, luego hubo equivocaciones. Por un lado, se leyó un mundo más bien de un corte modernizador socialdemócrata con el cual yo no estaba de acuerdo al no incluir la posibilidad en un espacio histórico nacional popular peronista. Y por el otro, se gesta para mí la gran equivocación: la última vez que estuve con él le dije, mucho después de la renuncia, "yo creo que hiciste bien en irte, lo que yo te cuestiono es haber llegado a ese lugar, haber sonreído en una foto levantando la mano de De la Rúa, eso no tuvo regreso". En este sentido, creo que si el Frepaso para superar el conflictivo y brutal mundo de la decadencia peronista se tuvo que pasar a De la Rúa, está bien que haya muerto históricamente porque no iba a dar nada nuevo. Me parece que esas han sido las equivocaciones nodales, que se expresaban claramente. Porque si hubo algo bien claro, bien definido en la campaña, era que De la Rúa era la continuidad de Menem en los aspectos fundamentales. Y por eso, un gran sector medio votó esa continuidad, pero con más elegancia y no con el payaso éste.

Ahora, ¿cómo se reconstituye una fuerza como el Frepaso? Y bueno, es difícil. Porque si vos me preguntás qué fue lo peor que le sucedió a la Argentina en los últimos veinte años, si yo te digo qué fue lo más lamentable, lo más doloroso: fue el fracaso del Frepaso. Porque su pulverización, el fin de una construcción inteligentemente hecha, en tiempos de paz, no violentos, donde se podía hacer cosas ordenadamente, atravesar elecciones en tiempos en los cuales la gente creía, en donde ibas a votar en las internas y veías colas enormes, te deja totalmente desconsolado. Porque también se tienen que dar las circunstancias históricas para construir otra cosa. Y eso era lo que yo discutía el año pasado: no se puede salir en cinco días. Sin embargo, ¿cómo se puede pensar esta reconstitución? Creo que ahora es difícil porque hay una Argentina muchísimo más volcada hacia la crisis social, de desocupación y de hambre más brutal de su historia. Por lo que hoy es mucho más difícil reanudar el diálogo entre los sectores sociales. Entonces, están los que se salvaron y votan a Macri y quieren mucha policía, y aquellos que, manejados por izquierdas o no, están en una cotidanidad de vida completamente otra. Esto no quiere decir que en aquella época de constitución del Frepaso no existiese esta tendencia, pero el Frepaso podía pivotear todavía por encima con un mensaje. Hoy, cada sector social se acomoda a un lugar que cada vez más va a ser radicalmente enfrentado al otro. En este sentido, una nueva fuerza tendría necesariamente que expresar una política de conjunción y armonía social que lo proyecte sea un país en paz y posible de ser vivido. Esto porque cuando uno vota una política lo que vota también es la posibilidad de una realización personal.

–¿Creés que el peronismo va a poder reconstituirse en términos de una hegemonía política post-electoral?

–Creo que puede llegar a una unidad producto de lo que es el negocio del poder; reconstituirse creo que no. Pero lo importante es de dónde partís, es decir, ¿de qué legado sos? No se trata de una cuestión partidaria, sino de qué memoria sos, de qué identidad sos, de dónde surgís, de dónde reivindicás que venís. Porque, por ejemplo, cuando Chacho decía "yo nunca fui de izquierda", estaba planteando una contraidentidad que a mí peronistamente no me hablaba. Esto quiere decir, que se puede partir de las ruinas pero en términos identitarios. Eso lo huele la gente. Y más allá de que el peronismo puede decir lo que quiera, la gobernabilidad es el peronismo frente al terremoto. De lo que se trata es de cómo volvés a aparecer. Porque dentro del drama actual y mucho más con la radicalización de la crisis social, es muy claro que uno mata al padre, deja al padre, pero está claro de dónde surge. Y yo creo que la mayor complejidad, riqueza, profundidad está dada en la historia peronista y no en la radical, con lo cual no hay opción por de dónde surge. De hecho, aun en esta crisis en la que el peronismo vive su propia descomposición, hoy, la paradoja es que el país está dentro del peronismo mucho más que en otras circunstancias. Y no es que el peronismo está dentro del país: el país está adentro del peronismo. Lo cual también es producto del fracaso de la Alianza y de la descomposición del Frepaso. Yo entonces, hablaría de una cosa completamente distinta donde lo único que planteo como fondo peronista es una identidad desde donde uno habla: como decimos muchas veces con Horacio González ¿a dónde están los ecos? Y en ese sentido, De la Rúa no es una equivocación: es lo otro, lo absolutamente otro a la historia del pueblo peronista.

–Hace poco se cumplieron los 27 años del comienzo del Golpe del '76, ¿cómo se lee esta época tan difícil que hoy vivimos a la luz de aquella experiencia del terror?

—Es un tema interesante para analizar porque yo creo que estamos en un tránsito, en un deslizamiento hacia una reconfiguración de la memoria que incluya el fondo ancestral del genocidio, de la matanza, pero leído al calor de las circunstancias de los últimos dos años. Con esto quiero decir: se ha gestado una nueva memoria y que esta nueva memoria es la memoria del colapso argentino. Y aunque yo no identifico para nada genocidios económicos y sociales con el genocidio de la dictadura porque me parece totalmente inadecuado (en el sentido de que le quita toda la excepcionalidad que tuvo la dictadura de sanguinaria), convengo en que no era lo mismo remitirse a ese momento fuerte de nuestra historia hace un tiempo, que ahora cuando esa excepcionalidad de la historia tiene en el medio otro momento excepcional que es el desfonde de la Argentina. Entonces, creo que ahí la memoria tiene que acentuar ese fondo espectral, pero al mismo tiempo releerlo desde otras perspectivas que son difíciles, que son complicadas. Porque si bien no podés asimilar una cosa a la otra como han hecho muchos, tampoco podés negar esta nueva lectura.

—Sí, quizás la lectura no debería ser generalizada "todos están contentos porque se acabó el régimen", sino que hay que pensar que dos días antes estaban siendo bombardeados y se enfrentaban al horror de la muerte.

—Claro, cuando las situaciones son tan límites uno podría decir, sí bueno, efectivamente aquellas poblaciones de los pueblitos de Italia que era fascistas veían llegar a los norteamericanos y los aplaudían como locos y se sacaban instantáneamente las camisas negras. O sea, hay una condición humana de sobrevivencia. También en el 55, era lógico que uno dijera "yo peronista no fui nunca", porque es una cuestión de sobrevivencia.

Pero lo que me interesa es que dentro de esta situación de la condición humana también está esta circunstancia. No podemos negar que hay que tener una reconfiguración fuerte del problema de los desaparecidos, pero ya entroncándolo en una sociedad de la muerte que evidentemente la expuso al desnudo y que de muchísimas maneras sigue siendo todavía una sociedad *tanática*, una sociedad que se disuelve a sí misma, que se aniquila a sí misma. En este sentido, creo que, desde otra perspectiva, esa memoria es imprescindible porque lo que ha sucedido después casi confirma que esta sociedad no puede salir de la tragedia, que a pesar de los discursos de la democracia que planteaban (a veces, con muchas dosis de equivocación) una sociedad que salía de la muerte, la sociedad no salió de ese momento dramático. Es lógico, por otra parte, que no salga inmediatamente porque fue una agresión, una bofetada brutal a su propia identidad. Pero siento que, así como hasta 1990, 1991, el hacia atrás que te llevaba a la muerte no estaba interferido por ningún acontecimiento brutal (si bien estaban La Tablada, Seineldín, el menemismo y su venta del alma), hoy nos encontramos con que la caída de la Alianza por la protesta popular más todo lo que aconteció después hace que cuando se va hacia atrás se encuentren configuraciones que tienen que rearmar la lectura.

–¿Si bien no pueden asimilarse, qué cuestiones pueden pensarse comunes?

–Yo noto un fondo donde la Argentina confirma su capacidad desesperadora, su tanatismo. Pero en sentido muy amplio. Es decir, no porque a los piqueteros los están matando de hambre y a los desaparecidos los mataban en tortura. Eso me parece medio obsceno. De lo que se trata es de su capacidad autoaniquiladora, su capacidad de generar mafias y pactos, por ejemplo, el pacto de la política en relación al pacto militar. También la constitución de lo mafioso en la político argentina, en donde así como se cierran sobre sí mismas las FF.AA. se cierra sobre sí mismo el Senado. Esas variables que impone la dictadura todavía hoy tienen una vigencia absoluta. Y esto forma parte de la dictadura en adelante. Porque antes de la dictadura las políticas argentinas podían estar denunciadas por otras variables, pero fijémonos lo que era el pacto mafioso de López Rega. López Rega en un mes estuvo totalmente desarticulado y ya se sabía todo lo que había acontecido. Entonces, estas variables perduran, se agigantan, se despliegan. Porque ahora el pacto lo encontrás en el Senado, entre diez estudiantes, en la familia de García Belsunce. En fin, es un modelo: un modelo de la muerte, de la mafia.

–¿Qué relación tiene esto con la cuestión de la inseguridad, del miedo?

–Bueno, ahí hay otros temas, ¿no? Evidentemente, desaparecidas aquellas lecturas abismales en las que el mundo estaba situado en el campo de la justicia absoluta que podía ser la revolución, desaparecido eso, es bastante difícil de volver a decirle a la gente que si te mataron dos hijos los delincuentes es porque no tenían escuela, no tenían qué comer. Es decir, la sociedad es un pacto de mínima felicidad. Toda sociedad, todo gobierno nos plantea una mínima felicidad, una mínima convivencia, una mínima vida, una mínima utopía personal. Si esto se ve interferido o, mejor, amenazado por lo anticomunitario, que es la muerte, que es la interrupción, la cancelación de esa vida comunitaria donde los hijos entierran a los padres, es muy lógico que la sociedad reaccione diciendo "cuídenme" y no, en un principio, como lo pensó una generación, teniendo una especial consideración por aquellos que delinquen. Sobre todo en un marco de crisis, de "sálvese quien pueda" como el actual. Y esto va a seguir creciendo. Indudablemente se van a tener que hacer cargo de la seguridad. Lo vemos con los éxitos de Patti, de Rico. Y es imposible introducir otro discurso, a no ser que tengas un poder de corte revolucionario que geste una justicia diciendo "bueno, acá estamos en otro orden de las circunstancias, acá el pueblo puede juzgar a Luis y ejecutarlo en la guillotina". Ese es otro plano. En realidad, las sociedades tienen todas esa variable de felicidad que está en todos nosotros. Felicidad, como diría Aristóteles, a la que interrumpe la tragedia: salís y te secuestran, salís y te roban, salís y te matan. Entonces, ahí se interrumpe todo. Frente a eso es muy difícil operar en otro sentido que no sea el cuidado del hombre de la comunidad. Eso lo sabrá bien Solá, lo sabrá Juampi Cafiero. Porque el hombre de la comunidad hoy pasa por cosas muy difíciles, pesadas.

–El pacto mafioso está también en la policía.

–Por eso está bien que la sociedad diga "yo lo que quiero son policías buenos en cada esquina, no quiero ladrones en las esquinas". Cosa que revuelve y revoluciona nuestras ideas políticas-ideológicas: "¿cómo un policía en cada esquina?". Entonces, ahí hay que diferenciar básicamente lo que es la memoria de un terror policial, militar, del Estado, dictatorial que asoló la Argentina, que raptó, violó, secuestró y mató, de una situación muy especial donde, evidentemente, como sucede en todo el mundo, van a seguir ganando votos aquellas que planteen una fuerte política represiva. Eso, diría, es como los teoremas imposibles de resolver a no ser que se trate de otra sociedad. Como no es una época para eso (¿cuál sería esa otra sociedad?) y como, además, tenemos el pesado fardo de que también los gobiernos supuestamente de izquierda fueron asoladoramente represores y policíacos, es un tema muy difícil donde la sabiduría del pueblo, la sabiduría de la gente en la Provincia de Buenos Aires, de la Capital, es una sabiduría que te dice "pónganme vigilancia". Eso es la sociedad. Entonces, yo creo que con esa memoria de la muerte esta sociedad, idealmente, tendría que tener una actitud muy lúcida y conciente. Pero eso, en situaciones de crisis profunda, lamentablemente, no existe.

(KIRCHNER HABLA DE OTROS '70[*])

Nicolás Casullo tiene una interpretación propia y original sobre la reivindicación kirchnerista de los '70. "Si bien los respeta como ese momento de duelo y de lo trágico, al mismo tiempo lo pone en un campo nuevo, en el campo de la política. Hubo miles de muertos, pero también miles de sobrevivientes y miles que no apostaron a la guerra sino a una política de liberación, en el marco de un proceso revolucionario, pero no en lo que terminó siendo. Por primera vez en 30 años, Kirchner habla de otros '70", sostiene Casullo, director de la revista *Pensamiento de los Confines*.

–¿Cómo interpreta la identificación de Kirchner con los '70?

–Kirchner repone algo que era difícil de reponer: los '70 como la búsqueda de un bien social, la fraternidad con el otro, una idea nacional. Lo interesante de la enunciación de Kirchner como Presidente, al tomar los '70 como referencia, es que lo respeta como ese momento de duelo y de lo trágico, pero al mismo tiempo lo pone en un campo nuevo, en el campo de la política como parte en debate para la edificación de una política. Eso también fueron los '70. Yo salí de esa locura en el '74, porque creía en algo totalmente distinto, y hubo miles, entre ellos el Presidente, que no estaban de acuerdo con el iluminismo militarista, que por otra parte estaba derrotado políticamente desde antes. La derrota política del peronismo revolucionario y de Montoneros es anterior a la derrota militar, es de fines del '74 o principios del '75. Y lo que sigue es parte de un error que termina en el delirio de las contraofensivas. Yo creo que Kirchner comparte esto. Hubo miles de muertos, pero también miles de sobrevivientes y miles que no apostaron a la guerra sino a una política de liberación, en el marco de un proceso revolucionario, pero no en lo que terminó siendo: lo fanático, lo mortuorio, el duelo, los desaparecidos. Entonces Kirchner habla de otros '70, unos '70 que son de vida política, de política peronista, de inten-

* Entrevista realizada por JOSÉ NATANSON, *Página /12*, 1/2/2004.

ción de cambio, de éticas y de morales. Sólo un Presidente puede, desde la cúspide del poder, salir a decir con cierta legitimidad que él habla desde los '70.

—Lo curioso es que lo hace desde el peronismo, protagonista de los '70, pero también del menemismo de los '90, que en muchos sentidos se planteó como la contracara de aquella experiencia.

—Es cierto, pero este de hoy es un peronismo extraño, un peronismo después del peronismo. Es un peronismo que se abre a otra cosa, y no es nuevo, porque el peronismo ya desde la época de Evita aparece abriéndose a otra cosa, a algo que lo supera. Los '70 fueron eso, abrirse al socialismo, y Menem también, al liberalismo. Ahora estamos viviendo un nuevo acto de un movimiento que tiene en su forma de ser esta idea de abrirse a otra cosa.

—Se abre y cambia, pero se sigue llamando peronismo. ¿Qué es lo que permanece?

—Fabio le hace decir a Gatica: "Yo nunca me metí en política, soy peronista". Es una buena descripción del peronismo. Yo lo asimilo a esa relación que se puede tener con un equipo de fútbol: lo dejás si va mal y el día que está disputando la punta volvés a la cancha. Indudablemente, ahora se está reconstituyendo desde una nueva perspectiva, pero a la vieja usanza, y eso es quizás lo que se mantiene. Kirchner encarna un modelo donde la política se gesta en una cúpula, y hay una relación de Kirchner con la opinión pública. En el medio pareciera que no hay nada. Y el peronismo tiene gobernadores, una red, una trama, un tejido histórico tanto popular como clientelístico, pero en términos estratégicos se recompone como antes, como su molde permanente: logra una figura que lidere, y abajo hay un estado de la cultura, de la opinión y de la confianza, una vuelta de tuerca de la historia, sin nada en el medio. El medio es lo que sufre la crisis de lo político más de lleno, pero el peronismo es cultura ligada a una historia de justicia que todavía no fue superada ni vencida. En ese sentido Kirchner es leal a la historia del peronismo. Una figura y unas bases con las cuales se relaciona casi física, emocionalmente.

—De acuerdo con esta perspectiva, el cambio se genera básicamente desde la voluntad personal de un hombre —Kirchner— que en este caso llegó al poder de forma bastante inesperada: ¿cuál es la capacidad de cambio real sin un movimiento social más vasto o más sólido que lo respalde?

—El peronismo nunca terminó de estructurarse, es el poder en estado de práctica pura. Kirchner obtuvo un 22 por ciento, triunfó sobre un candidato que abandonó, no es alguien que llegó aluvionalmente. Pero el poder es una práctica directa, inmediata y concreta. Así lo entendieron Menem y Perón, y en ese sentido Kirchner responde a una historia peronista. Para él es fundamental por ahora no tener una estructura o una programática que le marque el camino. El peronismo después del peronismo, de Kirchner, está trabajando sobre el colapso de la estructura política. Esto que se dice tanto, que la oposición no existe, que tiene una estructura como el radicalismo, pero no votos, o que tiene votos, pero no estructura, es el colapso del 2001.

–Pero el peronismo sobrevivió.

–Sí, pero es otro peronismo. Lo que ha quedado, y creo que Kirchner lo percibe, es un gran programa televisivo que se transmite todos los días desde la Casa Rosada, y una platea que va viendo ese *reality show* cotidiano. La estructura política se ha desplomado, y sólo aparece un elenco con esta permanente relación con la opinión pública. El peronismo sigue vigente porque vuelve a constituir algo nuevo: un enunciador frente a una sociedad que reclama, protesta o espera, en un momento en el que el campo político e intelectual ha quedado muy golpeado. El vacío permite que se instituya este nuevo modo peronista, el Presidente y los medios, con un gran peligro: la obsesión mediática. Es un peligro, porque en algún momento es necesario generar lazos, convocatorias, citaciones. Es necesario un campo mediador para lidiar contra embestidas, intereses, adversarios, el propio armazón mediático.

–Se ha hablado mucho de Kirchner como un líder sustentado básicamente en la opinión. Sin embargo, también intenta otras cosas: la disputa con Eduardo Duhalde en Misiones, el respaldo a Aníbal Ibarra o la posibilidad de que Cristina Kirchner sea candidata en la provincia hablan de la voluntad de construir un esquema de poder más sólido.

–Por supuesto. Lo hace, y de manera bastante feliz. Lo que yo planteo es cuando la política queda subsumida por lo mediático, que en muy poco tiempo puede darse vuelta, porque tiene otra lógica, porque construye plateas, audiencias, raitings, no movilización activa, no política encarnada, no vasos comunicantes propios, lenguaje propio, pensamiento autónomo, lectura de época autárquica, selección temática no dependiente. O se tiene una fuerza política o se tiene un grupo de locutores. Además, Kirchner está en un momento histórico lo suficientemente fuerte como para generar convocatorias y planteos culturales más importantes, que a mi entender es el punto más débil del Gobierno. Cuando hablo de políticas culturales no hablo de invitar a un pianista sino de cómo se sale de ese invierno del alma que significó el uno a uno, cómo se rescata o reinventa una conciencia nacional y solidaria. Hoy es el Presidente el que está haciendo la política cultural del Gobierno, con un estilo que forma parte de la herencia peronista. ¿Quién recuerda alguna política cultural de "la cultura" del gobierno del '45? En aquel momento la revolución cultural se hizo a través de la política directa, social, sindical, y en ese sentido Kirchner intenta hacer lo mismo. Dice que a nivel simbólico las cosas tienen que cambiar, denuncia el país de la timba, la pérdida de identidades históricas en el campo de lo simbólico, dice que hay que recuperar la autoestima. Trabaja desde una Secretaría Cultural ampliada, y la política cultural específica queda disminuida, es algo que no interesa a nadie. Eso es un error. Creo que hay una política cultural, un debate, un planteo de las ideas que es necesario hacer. Y es un momento propicio, incluso más que en los '70. No hay proyecto sin generaciones pensantes, polemizadoras, creadoras de ideas, fecundadoras de teorías y memorias. Ahora es el momento.

–*¿Por qué?*

–Porque en los '70 el campo intelectual era más protagónico, pero con un debate menos rico y exigente que hoy. Era una época de verdades sacrosantas, inscriptas, que cabalgaba en una metodología estratégica, un proyecto político o un caudillo, se llame Mao o Fidel Castro o Perón. Era un debate más bíblico, de pura interpretación de escrituras apostólicas. Había menos riqueza en la discusión del mundo y más seguridad en las respuestas.

–*El planteo es llamativo, porque los '70 suelen reivindicarse (especialmente por algunos de sus protagonistas y a menudo con soberbia nostálgica) como un momento cultural mucho más rico que el actual.*

–No hay dudas de que en términos culturales, cinematográficos teatrales, de experiencias estético-políticas, se dieron cosas fuertes, las últimas neovanguardias, que hoy ya forman parte de la tradición, digamos, modernista. Revolución cultural, de costumbres, sexuales, de género. Pero no había un gran debate de ideas, de recreación de época como el desafío que hoy nos atraviesa. La crítica a la historia hoy es despiadada y a la vez iluminante, todo debemos pensarlo otra vez frente a lo único que creció: las injusticias. Desde esta perspectiva, los '70 fueron en gran medida una renuncia a la reflexión. Era una acción político cultural, era una dinámica de la acción, pero las verdades sobre las cosas y la historia estaban dadas. Había que hacer el amor, había que militar en un partido revolucionario, había que denigrar todo lo burgués, había que usar la violencia. Doy un ejemplo: el problema de los campos de concentración. Teníamos la lectura ya dada de que la segunda guerra había sido una guerra interimperialista por una cuestión económica de reparto, y que había tenido una excusa antisemita. Más tarde hubo otras interpretaciones, que enriquecieron, complejizaron y profundizaron esa mirada. El gemido terrorífico de aquella historia hizo crujir las interpretaciones, los genocidios o los exterminios no eran "un agregado" del nazismo ni de la política de Martínez de Hoz. Era la forma de lo humano y de las identidades nacionales. Rodolfo Walsh, en una entrevista con Ricardo Piglia, se preguntó para qué seguir escribiendo novelas si no afectan a nadie, no inciden en nada. Ahí fue como si anunciase que su nueva birome era el fusil. Eso formó parte de una generación. Hoy la mirada es distinta. Esta entre época que estamos viviendo tiene una menor capacidad de acción, pero es más rica y más densa en tragedia y conciencia, en preguntas y enfoques. Muchos de los que la entienden como pobre lo hacen con relación a ese modelo de la acción. Los sectores de la izquierda más vulgar, por ejemplo, lo plantean como una época mortecina. Sin embargo, en términos de analizar en profundidad, de crítica a la crítica, es una época mucho más rica. Por eso creo que Kirchner debería aprovechar este momento para hacer una convocatoria, un planteo, una política cultural que hoy no se está haciendo. No una política cultural oficial, ni partidaria, ni de apoyo camuflado. Sino con una visión epocal de grandeza, de vuelo, abrir espacios y alamedas para que el país vuelva a pensarse.

(ÍNDICE)

Esta edición
de 1500 ejemplares
se terminó de imprimir en
A.B.R.N. Producciones Gráficas S.R.L.,
Wenceslao Villafañe 468,
Buenos Aires, Argentina,
en abril de 2004.